AMERİKA'DA DİNDAR OLMAK
Dr. Ahmet KURUCAN

AMERİKA'DA
DİNDAR OLMAK

Dr. Ahmet Kurucan

KAYNAK
YAYINLARI

AMERİKA'DA DİNDAR OLMAK

Editör
Zühdü MERCAN

Görsel Yönetmen
Engin ÇİFTÇİ

Kapak
İhsan DEMİRHAN

Sayfa Düzeni
Bekir YILDIZ

ISBN
978-9944-125-21-5

Yayın Numarası
203

Basım Yeri ve Yılı
Çağlayan Matbaası
Sarnıç Yolu Üzeri No: 7 Gaziemir / İZMİR
Tel: (0232) 252 20 96
Mayıs 2007

Genel Dağıtım
Gökkuşağı Pazarlama ve Dağıtım
Merkez Mah. Soğuksu Cad. No: 31 Tek-Er İş Merkezi
Mahmutbey / İSTANBUL
Tel: (0212) 410 50 00 Faks: (0212) 444 85 96

Kaynak Yayınları
Emniyet Mahallesi Huzur Sokak No: 5
34676 Üsküdar / İSTANBUL
Tel: (0216) 522 09 99 Faks: (0216) 328 35 89
www.kaynakyayinlari.com.tr

İÇİNDEKİLER

İkinci Bölüm

ABD'DE ÖTEKİLEŞTİRİLEN MÜSLÜMANLAR

Üçüncü Bölüm

ABD'NİN TERÖRLE FLÖRTÜ

Dördüncü Bölüm

ABD MÜSLÜMANLARI VE İÇE YÖNELİK KRİTİK

ÖNSÖZ

Elinizde tuttuğunuz Amerika'da Dindar Olmak isimli kitap, kitap formatında kaleme alınmış bir eser değildir. Dolayısıyla fikri bütünlüğün hakim ve esas olduğu, bir mevzuyu çeşitli yönleri itibariyle ele alan bir kitap da değildir. Tam aksine Türkçemizdeki enfes tabirle daldan dala atlayarak birbirinden bağımsız ve çoğu zaman alakasız konuların mevzu edilip yorumların yapıldığı yazılardan derlenmiş bir kitaptır. Kitaba ait bu özelliğin baştan belirtilmesi, okuyucunun hakkı, yazarın da vazifesidir.

Amerika'da Dindar Olmak, benim altı yıldan beri yaşadığım ABD'de çeşitli aksamalarla birlikte devam ettirmeye çalıştığım Zaman Gazetesi Yorumlar sayfasındaki makalelerin bazılarının derlenmiş şeklidir. Bu makalelerin ortak iki özelliği var: Bir; pratik hayatta gerçekliği olan bir hususu konu edinmiş olmasıdır. Bu husus, zaman gelir, bir istatistik; gün gelir, ABD ve dolaylı olarak dünya gündemine oturan bir hadise; veya devran döner bizzat yaşadığımız bir hadise olur. Nitekim kitabın ilerleyen sayfalarında bunların hespini teker teker müşahede edeceksiniz.

Hiç mücerred konular etrafında kalem oynatılmadı mı derseniz; elbette mevzunun akışı istikametinde bu tür yazılara da yer verildi. Ama bu tarz yazılar yine bir hadise, bir istatistik, bir haber etrafında döndü ve temel esaslara, evrensel doğrulara, tarihi dinamiklere müracatla değerlendirmeye alındı.

İki; hangi istatistik, yazı, makale, hadise olursa olsun, mutlaka dini vechesi itibariyle yorumlandı. Bir başka tabirle gözlemlerin merkezine din oturdu; sosyal, siyasal, ekonomik, kültürel vecheleri ikinci planda kaldı. İlgi alanımız din olduğu için, bu tarz bir yaklaşım, hem bizim bakış açımızı sınırlandırdı, hem de yorum kolaylığı sağladı. Bu sebeple olsa gerek, zaman zaman İslâm ya da İslâm dünyasında dün ve bugün bağlamında yaşanan hadiselerle, düşüncelerle, uygulama ve sonuçları ile mukayeselere girildi; onların din ile olan irtibat alanları gözler önüne serilmeye çalışıldı. Hatta diyebilirim; "çuvaldızı kendine, iğneyi başkasına batır" özdeyişini haklı çıkartacak ölçüde, kendimize yönelik sert değerlendirmeler yapıldı.

Amerika'da Dindar Olmak, Kaynak Yayınlarındaki arkadaşların teklifi ile gündeme geldi. Her ne kadar zamanlı yazılar olsa bile, bir taraftan yaşanan gerçeklerden hareketle geleceğe toplu bir malzeme bırakma, bu çerçevede araştırma yapacak olanlara araştırma kolaylığı sağlama, hem de Müslüman bakış açısını yansıtması, bu teklifin gerekçesini oluşturuyordu. Gerekçe bu olunca, bir başlık altına girebilecek yazıların toparlanması ve yine aynı sebepten kitap formatındaki dağınıklığı ara bölmelerle ayırma işi bana düştü.

Eserimizi, dört bölüme ayırdık. Bölüm başlıkları şöyle; örnek ve yorumlarıyla ABD'de dini hayat, ABD'de ötekileştirilen Müslümanlar, ABD'nin terörle flörtü ve ABD Müslümanları ve içe yönelik kritik. Her bölümde yer alan makaleleri, yazılış ve gazetede yayınlanış zamanı nazara itibare almadan alt alta sıraladık. Bunu yaparken okuyucunun bir bütünlük içinde kitabı okuyacağı varsayımına dayanarak zihni bütünlüğü sağlamaya, ona göre tasnif etmeye gayret ettik. Her makalenin sonuna gazetede yayınlanış tarihlerini yazdık. Bunun konjönktürel olan yazıların daha iyi anlaşılmasında çok faydalı olacağını düşündük. Tasavvufi tabirle yaşadığımız zaman ve mekanın çocuğu olarak, yaptığımız yorumların arka planlarını göstermeyi hedefledik.

Dil olarak, baştan itibaren sade bir dili kullanmaya özen gösterdik. Muhatabımız gazete okuyucusu olunca, başka türlü bir üslubun kullanılması zaten düşünülemezdi. Yazıların kitaplaşması esnasında da dile hiç dokunmamaya çalıştık. Tasnif esnasındaki son okumalarda bazı ilave ve çıkartmalar olsa da, bunlar yazının ana mihverine dokunacak ölçüde olmadı.

Söz konusu yazıların bir kitap haline gelmesi için fikri aşamadan, kitap formatında okurun eline geçeceği âna kadar yardım ve teşviklerini esirgemeyen arkadaşım Faruk Vural Bey başta, emeği geçen herkese teşekkürlerimi sunarım.

Gayret bizden, tevfik Allah'tan. Dilerim Allah'tan faydalı olur.

Ahmet KURUCAN

31/8/2006 New Jersey

Birinci Bölüm

ÖRNEK VE YORUMLARIYLA
ABD'DE DİNİ HAYAT

DİN VE ORTAK DEĞERLERE VURGU

İnsanlığın mutluluğu için gelmiş dinlerin kavga sebebi olması tarih boyunca çoklarının kafalarında soru işaretleri bırakan bir husustur. Gerçekten tarihe bu gözle baktığınız zaman semavi kaynaklı din mensuplarının gerek kendi içlerinde, gerekse sair din mensupları ile olan savaşları inkar kabul etmez boyutlarda gözlerimizin önünde durmaktadır.

Halbuki beşeri ideolojilerden farklı olarak dinlerin temel hedefleri, insanların kardeşçe yaşamasını, ortak ve evrensel insani değerler etrafında bütünleşmesini temin etmektir. Pekala neden bu hedeften sapılmıştır? Neden din, toplumda insanlar arası ayırımcı rol oynamıştır? Sapma teoride midir, pratikte mi? Eğer pratik ise -ki öyledir- bu gerçeğin sebeplerini dinde mi aramalı, yoksa onu temsil eden insanda mı?...

İnsan denildiği zaman ilk akla gelen şeylerden biri olan menfaatin bu çerçevede rolü nedir acaba; hiç düşündük mü? Eğer öyleyse mesela bizim "din savaşı" olarak nitelendirdiğimiz savaşlarda dinden ziyade siyasi ve ekonomik çıkarlar rol oynamış ise, o zaman bizim bunlara din savaşı adını vermemiz din adına büyük bir cinayet değil mi? Dinin anlam kaymasına maruz kalması burada başlamıyor mu acaba?

Günlük bir gazete makalesinde bu soruların cevaplarını vermek imkansız; ama düşüncemizi harekete geçirmeye vesile olacak bu yaklaşımdan hareketle bir hususa işaret etmek istiyorum; ABD gibi çok uluslu, çok kültürlü toplumlarda dinler, yukarıda bahsini ettiğimiz gerçek alanlarında fonksiyon görüyorlar. Çeşitli dinlere mensup insanlar, ortak insani değerler etrafında birbirlerine karşı alabildiğine saygılı biçimde birlikte hareket edebiliyorlar. Tabii siyasi iradenin din ve din müntesiplerine bakış açısının burada çok önemli bir rol oynadığını vurgulamak zorundayım. Onun için ABD dedim, çok uluslu, çok kültürlü toplumlar şerhini koydum. Yalnız hemen ilave edelim; bu 11 Eylül sonrasi özellikle Müslümanlar bağlamında yaşanan bazı olumsuz hadiselerin olmadığı, genel çizgiden çok ciddi ölçülerde kayma ve sapmaların bulunmadığı anlamına gelmez.

Pekala bu genel durumu, Türkiye gibi siyasi iradenin öngördüğü, yorumladığı din anlayışını dayatan bir zihniyetin, ya da bazı İslâm ülkelerinde gördüğümüz katı yorumlarıyla insanlığın gelişiminde engelleyici rol oynamış dinî anlayışların siyasete egemen olduğu yerlerde görmek mümkün mü? Bence mümkün; nitekim köhneleşmiş zihniyete karşı bazı ferdi çıkışlar görüyoruz. Belki bugün itibariyle bu ferdi çıkışlar bir anlam ifade etmeyebilir, ama geleceğin dünyasına işaret etmesi açısından önemli örnekler ve çıkışlardır bunlar.

Nereden çıktı bütün bunlar diyeceksiniz? Anlatayım: Ferdiyetçiliğin -halk tabiriyle kralının- yaşandığı bu ülkede her nedense(!) toplumsal organizasyonlara ciddi ehemmiyet veriyorlar. Gönüllü olarak katıldığınız bu organizasyonlar, sizin için bir meşgale olmanın ötesinde, işe girmek dahil birçok alanda önünüzü açabiliyor, rakiplerinize fark atmanızı sağlıyor. Öyle ki adresinize gelen ve çoklarının junk mail tabir ettiği postalarda böylesi organizasyonlara katılmayı teşvik eden reklamların haddi hesabı yok.

Öte yandan aktif olarak katıldığınız bu organizyonlarda din veya dil öğretmişsiniz veya matematik ya da bilgisayar dersi vermişsiniz, hiç önemi yok. Önemli olan toplumsal birlikteliği sağlayacak, insanların insanca birlikte yaşama düzeyini artıracak, onları toplumun hakiki bir ferdi yapacak statüye kavuşmasını temin etmeniz, bu sürece katkıda bulunmanız.

Biz de bu düşünce ile geçenlerde birkaç arkadaş ile birlikte yaklaşık 4000 mahkumun yer aldığı bir hapishaneye gittik, önceden planlanmış bilgilendirme toplantısına katılmak için. Hapishanenin çeşitli departmanlarından görevliler geldiler, bilgiler sundular yeni gönüllülere. Yaklaşık 30 kişi kadardık. Din departmanından gelen bir Yahudi idi. Orada görevli farklı dinlere mensup beş din adamından biri. 15 ayrı dine, inanca sahip olan mahkumlardan, onların dinle olan irtibatlarından, dindar olanlarla olmayanlar arasındaki davranış farklılıklarından bahsetti kısaca ve arkasından tabir caizse yalvarmaya başladı, 'Ne olur gelin hangi dine mensup olursanız olun, gelin anlatın dini bu insanlara.' dedi.

Günümüzde farklı mekanlarda devam eden ve belki de siyasi yanı ağır basan Müslüman - Yahudi çatışmalarını bir kenara koyarak olaya baksanız, bir Yahudi'nin bir Müslüman veya Hıristiyan'ı dinlerini anlatması için çağrıda bulunması oldukça ileri bir aşama sayılır. Hem de teorik düzlemde dinlerin asıl kaynaklarında ortaya koydukları hedefi gerçekleştirme uğrunda bir adım. Sizce de öyle değil mi?

ABD'DE DİNİ HAYATIN AKIŞ İSTİKAMETİ

19. Yüzyıl Kıta Avrupasına hakim olan genel hava pozitivizmdir. Öyle ki bu havanın etkileri sadece bilimsel alanda değil, din dahil hayatın tüm alanlarını kapsar. Pozitivizmin temel iddiası: "Din, insanların içinde yaşadıkları âleme bir mana kazandırmak için bizzat kendilerinin ürettiği hurafeler mecmuasıdır. İnsanlığın akıl ve bilim sayesinde ulaşmış olduğu seviye ile artık bu türlü hurafelerle uğraşmasına gerek yoktur. Dine bedel bugün ve ilelebed bilim insanlığın hayatına hakim olacaktır.' İşin aslına bakılırsa bir taraftan Batılı'nın anladığı anlamda din ve o dinin tarihsel geçmişi, diğer taraftan sanayileşme inkılabı ile girilen süreç, bu iddiaları destekleyen hatta haklı çıkaran faktörlere sahiptir. Burada esas garip olan İslâm dünyasının bu görüşlerden aynıyla etkilenip pozitivizm başta dönemin tüm ideolojik görüşlerini, siyasi ve ekonomik sistemlerini ithal çabası içine girmesidir. Hakkını yememek gerekir, gerek ulemedan gerek siyasi çevrelerden, sürece karşı çıkanlar da olmuştur ama bunların çaba ve gayretleri suyun akışını tersine çevirmeye yetmemiştir.

O yıllarda Kıta Avrupa'sı bunu yaşarken Kıta Amerika'sında ise tam aksi bir hava yaşanmaktadır. 20. yüzyıl hakimiyeti ile neticelenecek çalışmalarla hayatını gözlerden uzak biçimde sürdüren dönemin Amerika'sı, o günler itibariyle dahi ilmi düşüncede, araştırma tekniğinde, elde edilen neticelerin ürün olarak hayata yansımasında Avrupa'dan geride olmadığı halde pozitivizmin içtimai, dini ve ahlâki dokuyu paramparça eden etkisi altına girmemiştir.

Tabii ki bu dediğimiz kitlesel anlamda. Din kitleleri uyuşturan afyon mesabesinde hiç görülmemiştir söz gelimi. Halk ilmin tüm imkanlarından istifade ederken aynı zamanda kiliseleri doldurmaktadır. Muhafazakar değerler hayatını yönlendirmeye devam etmektedir.

Günümüz ABD'si için aynı şeyleri söyleyebilir miyiz? Bence hayır. Yer yer yazılarımızda intikal ettirmeye çalıştığımız istatistiklere, medya genelinde yazılan çizilen haber ve yorumlara, siyasi, dini ve akademik camianın söylemlerine ve belki de hepsinden önemlisi bizzat şahsi gözlemlerimize dayalı yorumlar bu kanaatimizi doğrulamaktadır. Mesela liselere, orta okullara kadar inen eş cinsellik hadisesi büyük resimden sadece bir karedir. Bu haliyle günümüz ABD'si ahlâki yozlaşma, dini değerleri insan ve toplum hayatından dışlama ile 19 asır kıta Avrupa'sını hatırlatmaktadır insana.

Avrupa ve ABD'si ile Batı'nın ahlâksızlık özelinde- alan sınırlaması yaptığımı ısrarla belirtmek isterim- bu noktaya gelişinin nedenlerini iyi teşhis etmek gerekmektedir. Çünkü globalleşme ve buna bağlı kültürel emperyalizmin beraberinde getirdiği şeyle, aynı manzaranın eğer şimdiden tedbirler alınmazsa İslâm dünyasının da başına gelebileceği hatırdan çıkarılmamalıdır. Ayrıca insanlık ailesinin seyahat ettiği bu gemide yaşayan bizlerin de bu kötü sürece dur demek için elimizden gelen her şeyi yapmak zorunda olduğumuz unutulmamalıdır. Onun için teşhisin doğru konulması oldukça önem arzetmektedir.

Teşhis adına öncelikle şu hususun baştan ifade edilmesi gerekmektedir: Batı'nın kabullendiği din ve dini esaslar kendi içinde tartışmalıdır. Hıristiyanlık açısından Ortodox, Katolik ve Protestan bölünmesi başlı başına bu tezi isbata yeten bir delildir. Aynı tip bir bölünme gerek itikadi, gerekse ameli(fıkhi) açıdan İslâm'da söz konusu itirazları vaki olabilir bu aşamada. Hemen bir tek cümle ile cevap verelim; bahsini ettiğimiz alandaki bölünme,

İslâm'daki farklı itikadi ve fıkhi mezhep manzarası ile birebir ör-
tüşmez. Hıristiyanlığa ait bizim mezhep dediğimiz asıldan ayrıl-
ma parçalar, her biri kendini müstakil din kabul edip diğerlerini
tekfir etmektedir. Temel inanç esasları arasındaki siyah-beyaz
uzaklığındaki farklılık da zaten bunu göstermektedir.

İki; ferd vicdanında, toplum sahnesinde, siyaset arenasında,
ekonomi sahasında, kültürel çevrede hasılı hayatın her alanına ait
dini değerlerin varlığı ve yokluğu, var olan yerlerde de yaptırım
gücü tartışmalıdır. Son tahlilde Uluhiyet ve ahiret akidesi, Cen-
net-Cehennem, ceza-ödül inancı ile birebir irtibatlı olan bu husus
da bugün şikayetçi olduğumuz genel manzaranın müsebbiblerin-
den bir tanesidir. Özellikle İslâmi değerlerle mukayese edildiğinde
denebilir ki; Batı dünyasında din olgusunun içi boştur. Haftada
bir yapılan formal ibadetle Rabbi ile irtibat kurmak ve sonra dini
bağlayıcılığı olmayan kurallara göre bir hayat sürmek, ferdiyetçi-
lik ve maddeciliğin bütün hızıyla yaşandığı günümüz dünyasında
ahlâki yozlaşmanın önüne geçemez. Nitekim geçemiyor da!

Ama bu gerçeği Batı'lı muhayyilenin anlaması imkansızdır.
Çünkü 'din' denildiği zaman aklına, sadece parçalı ve birbirinden
alabildiğine kopuk yapısı ile Hıristiyanlık gelen Batı'lı zihnin,
elinde mukayese yapacak ve kendisini sağlam sonuçlara ulaştıra-
cak kriter yoktur. Bir de Batı'lı zihnin meditasyon, yoga gibi şey-
lere de din nazarıyla baktığı düşünülecek olursa iş, iyice içinden
çıkılmaz hal almaktadır.

Üç; Kıta Avrupa'sında başlayan ve sonra İslâm ülkelerinin
bazıları dahil tüm dünyaya yayılan ve halen yayılması için uğra-
şılan laik düşünce, sorunun sebeplerinden bir diğeridir. Devlet-
din ayrılığı esası üzerine kurulu bu doktrin, siyasi bir model ola-
rak ete-kemiğe bürününce, zaten varlığı, güvenilirliği ve etkisi
tartışmalı dini değerler, fert ve toplum hayatından bütün bütün
yok olmuştur. Başka bir ifadeyle en genel anlamda moderniz-
min veya Batıcılığın getirdiği değerlerle çatışmadığı noktalarda-

ki dini yaptırımlara evet denmiş, aksi istikamette olanlar dışlanmıştır. Çok basitinden bir misalle haftada bir kiliseye gitmeye, orada aşk, sevgi, muhabbet eksenli vaazlar dinlemeye evet diyen insanlar, kiliseye giderken kılık-kıyafetlerine karışılmasına karşı çıkmışlardır. Çünkü bu, ferdin hayatını yönlendirmedeki özgür iradesini hiçe sayma demektir. Kilise öğretisinin bu anlamda ferdin hayatına girmesi imkansızdır!.. Bu hep böyle mi devam edecek denirse, cevabım hayır olacaktır.

Bugün bu gidişata dur diyecek ve ahlâki tavır sergileyecek insanlar, bir gün mutlaka bu ülkede çıkacaktır. Kasdım ferdi çıkışlar değil, kitlesel tepkilerdir. Çünkü en ahlâksız toplumlarda dahi bu tür çıkışlar insanlık tarihi boyunca görülmüştür. Sağ duyuyu seslendiren, fıtratın sesi olan haykırışlar her zaman olmuştur. Zaten bunun olmadığı zamanlar İlahi iradenin dünyevi cezaya start verdiği andır. Kur'an'da geçmiş kavimlere ait okuduğumuz kıssalar bunu açıkça göstermektedir. Bu ceza anı geldiğinde de suçlu-suçsuz ayrımı yapılmamaktadır. Çünkü o toplum içinde yüzen bir gemide yer aldığı halde onca ahlâksızlıklara müdahale etmeme yeterince bir suçtur. İslâm'ın iyilikleri emretmesi, kötülükleri yasaklaması, göz önünde yapılan körülüklere sırasıyla el, dil ve kalb ile müdahaleyi imanın gücünü gösteren unsurlar arasında sayması bu aşamada mutlaka nazara alınması gerekli olan bir özelliktir. Batılı insanın çok tanışık olmadığı bu husus, ferdi ve toplumsal anlamda dinin yaptırım gücünü ortaya koymasının yanısıra, toplumun kendini kontrol etmesi açısından çok önemlidir. Modern sosyal teorilerin bir ütopya olarak ortaya attıkları bu tez, aslında İslâm tarihinde defalarca yaşanmıştır. Şimdi de yaşanmadığını söylemek haksızlık olur.

Umarım suyun akışını fıtrat istikametine döndürecek bu dalga, felaketler kapıyı çalmadan gelir. Bu dalganın gelişine zemin hazırlamak din, dil, ırk, cinsiyet ayrımı gözetmeksizin her insanın insanlık borcudur.

DİNLERARASI DİYALOG VE ÖRNEK BİR MEDRESE

ABD'nin Connecticut eyaletinde yer alan bir medrese var; adı Hartford Seminary. Medrese diyorum; çünkü sözlüklerin "seminary" kelimesine verdiği anlamın Türkçedeki en güzel karşılığı bu. Bu arada kurumun kuruluş gayesi, hedefi ve bugüne kadar gerçekleştirdiği fonksiyonlarını da hesaba katıyoruz medrese derken.

1833 yılında bir kilise teşkilatı tarafından kurulmuş bu medrese. O gün bugün isim, bina, şehir, küçülme vb. değişikliklere uğrasa da hedeflerinden hiç taviz vermeden çalışmalarına devam ediyor. Birçok ilke imza atmış tarihi boyunca. 1889 yılında dinî eğitim için kapılarını ilk defa kadınlara bu medrese açmış ABD'de. İlk defa bir kadın, böylesi dinî eğitim veren bir kurumda dekanlık yapmış. Bir kilise teşkilatı olduğu halde İslâmî ilimler alanında ilk defa akademik çalışmaları bu medrese başlatmış. Ayrıca Hıristiyan-Müslüman diyaloğu adına mazisi neredeyse yüz yıla yaklaşan çalışmaların da sahibi. Mesela "The Muslim World" adlı akademik dergi 1938'den bu yana aralıksız bu medrese tarafından çıkartılıyor.

Ne yapıyor bu kurum? Dinî ilimler alanında master, doktora ve sertifikalı kurs programları düzenliyor. Hıristiyan ve Müslümanlara yüksek dinî eğitim veriyor sizin anlayacağınız. "Islamic Chaplaincy" adlı bir program var mesela müfredatlarında. 72 kredilik eğitimi alınca ülkenin her yerinde resmen din görevlisi olabiliyorsunuz. Meşhur Martin Luther King, doktorasını bu medreseden almış.

Kurum akademik eğitimin yanı sıra kış-yaz yaşlı-genç, kadın-erkek herkesin katılabildiği bir haftalık seminerler, kurslar düzenliyor. Kredi veya sertifikaların da verildiği bu kurs programlarının birkaçının başlıklarını sunayım sizlere: Hıristiyanlığın geleceği, Günümüzde Hz. İsa ve Hıristiyan hayatı, Dinî ritüeller ve Amerika'daki Müslüman dinî liderlerin sorumluluğu, Modern Müslüman dünyasında çağdaş problemler, İslâmî teolojide Allah'ın sıfatları ve yaratılış gayesi, Dinlerarası diyalog; Barselona Dünya Dinler Parlamentosu.

Niçin dile getirdim bu kurumu? Benim de yolum düştü bu medreseye ve "İbrahimî Dinler Arasındaki Ortaklık" adlı kurs programının ilk iki gününe katıldım. Bu çerçevede ortaya konan doküman, eğitim esnasında dile getirilen düşünceler, bu ortaklığın hayatın çeşitli alanlarda pratik yansımasına yönelik öneriler, referanslar ve hepsinden önemlisi bunların seviyesi ile uygulanabilirliği bana bizim medreseleri hatırlattı.

Malum, ülkemizde medreseler kapanalı bir hayli zaman oldu. Medreselerin ilmî ve içtimaî alanda fonksiyonlarını bütün bütün yitirmesi kapatma kararının asıl gerekçesi. Ama bir gerçek var ki ilmen bütün fonksiyonlarını yitirdi denilen Osmanlı son dönem medreselerindeki ilmî seviye bugün bulunduğumuz yerden çok daha ötede imiş. Ulema arasında yapılan tartışmalar, medrese mezunlarının ortaya koyduğu çalışmalar, bu çalışmalarda dile getirilen düşüncelerin kendilerinin de bizzat rol aldığı pratik hayattaki yansımaları bizi bu kanaate ulaştırıyor.

Sözgelimi, yukarıda dile getirdiğim Hartford medresesindeki dinlerarası diyalog adına sunulan görüş ve düşünceler, cumhuriyet öncesi medrese uleması arasında yani 80-90 yıl önce tartışılan, dinî temellerine göndermeler yapılan, pratik uzantıları ile desteklenen bir mahiyete sahip. Hem de çok daha ileri seviyede. Dolayısıyla Hartford hiçbir orijinalliğe sahip değil. Sadece eğitim ortamı ve dili değişik. Küçümsediğim sanılmasın bu sözlerimle bütün bu yapılanları. Ama ecdadımızın da hakkı verilsin. "Ötekilerle" ilişkilerimizin siyasi alanda düşmanlık esası üzerine kurulu olduğu bir zamanda, bir başka tabirle barış değil, savaş ortamında çok daha ileri, çok daha orijinal yaklaşımlara sahibiz biz. Medrese geleneğinin son uzantısı şu isimler, bahse medar hususta ne demek istediğimizi anlatmaya yeter: Zahid Kevseri, Mustafa Sabri, İsmail Hakkı İzmirli, Ahmet Naim, Ahmed Hamdi, Elmalılı, M. Akif, Ö. Nasuhi, Bediüzzaman.

İnsan bu noktada iç geçirmeden edemiyor; keşke diyor medreseler bütün bütün kapatılmasaydı da ıslah edilseydi! Batı standardı türküleri ile asırlık birikimler, metodolojiler, tecrübeler zayi edilmeseydi! Madem kapatıldı mevcut ilmî seviye "ıslahat tartışmaları" etrafında dile getirilen görüşler doğrultusunda ıslah edilip, yeni açılan okullara transfer edilseydi! Her şeye sıfırdan başlanmasaydı! Bir boşluk, bir kopukluk yaşanmasaydı!

Ne olurdu o zaman? Bugün Türkiye'de yaşadığımız ilmî seviyedeki problemlerin pek çoğunu yaşamazdık. Ne imam-hatip tartışması yapardık, ne de ilahiyat fakültesi! Ne ehliyetsiz insanların gece yarılarına kadar yaptıkları din eksenli tartışmaları dinlerdik TV ekranlarından, ne de modernizm adına ortaya konulan düşüncelerin yer aldığı kafa bulandıran kitaplar görürdük kitapçı raflarında! Yasakçı bir zihniyete sahip değilim; bunlar yine olurdu; olurdu ama ehli arasında, akademik platformlarda; TV ekranlarında değil.

Ve hepsinden önemlisi o dedelerin mirasyedi torunları olarak bizler, âleme nizamat vermeye kalkanların önünde diz çökmez, onların çalışmalarını gazete makalesi olarak kaleme almazdık belki de. Dedelerimizin 80-90 yıl önceki seviyesi, hem ilmî hem de kurumsal anlamda bunlardan ileri olduğuna göre, o günden bu yana kesintisiz devam edecek çalışma ve faaliyetlerle kim bilir şimdi nerelerde olurduk! Bunlarla Osmanlı mirasına sahip Türkiye, hem İslâm ülkeleri hem de dünya genelinde çok daha saygın bir konuma haiz olurdu!

Şimdi olamaz mıyız; elbette olabiliriz. Ama önce durduğumuz yerin farkına varalım. Sonra hedef belirleyelim ve yılmadan usanmadan, belli bir metodoloji eşliğinde çalışmalara başlayalım. Devam edelim diyecektim; fakat başlamak tabiri bulunduğumuz konuma daha uygun gibi geldi.

ÜNİVERSAL FİLM STÜDYOLARI

"Bugün başlasak 100 yıl sonra bunların seviyesine ancak geliriz. Haydi teknoloji transferindeki hızlılığı, bu alanda yetişmiş eleman gücümüzü devreye koyarak bu süreyi aşağıya çekelim; çekelim ama nereye kadar? Yine de en azından bir 50 yıl lazım." diye konuştuk Los Angeles'ta Üniversal Film Stüdyoları'nı bize gezdiren rehber arkadaşla.

İki yanı var bu stüdyoların. İlk olarak, bugün dünyada global kültür denince akla ilk gelen unsurlardan biri olan Hollywood filmlerinin perde arkası. Filmlerin çekildiği stüdyoları görüyorsunuz. Seslendirmelerin nasıl yapıldığını öğreniyorsunuz. Bir avuç suda okyanusların canlandırıldığına şahit oluyor ve film alanında yalan üzerine kurulu bir dünyanın ipuçlarını elde ediyorsunuz. Cadde ortasında yürürken çocukluğunuzun çizgi film kahramanlarının, dünyaca tutulan TV dizileri ve unutulmayan filmlerdeki artistlerin dublörleri veya maketleri ile karşılaşıyorsunuz. Çoklarının bundan haz aldığı muhakkak. Çünkü o dublörlerle hatıra fotoğrafı çektirmek için nice zaman kuyrukta bekliyorlar. Hasılı, sabahtan akşama yaşadığınız ve gördüğünüz yenilikler, sürprizler karşısında kimi zaman hayret ve hayranlığınızı gizleyemiyor, kimi zaman "Bizde neden yok?" diye iç geçiriyorsunuz.

İkinci olarak, aynı mekanın küçük bir düzenleme ile eğlence merkezi olması. Ciddi ve alabildiğine geniş bir işyerini, işin yapıldığı aynı zamanda, çalışmalara hiç sekte vermeden eğlence merkezi haline getirebilme gerçekten çok ilginç. Öyle bir eğlence merkezi ki 3 yaşındaki bebekten 80'ine merdiven dayamış ihtiyarlara varıncaya kadar herkes burada aynı anda eğlenebiliyor. Yediden yetmişe insanoğlunu cezb ve celb eden alabildiğine geniş yelpazeli, "yok yok" denecek kadar her şeyin var olduğu bir yer burası. Maddi açıdan hatırı sayılır bir gelirin elde edildiği de muhakkak.

Fakat tamamıyla beşeri hislerin tatminini hedef alan, çağrı çağrı üstüne insanı dünyevîliğe, bohemliğe davet eden bu mekanda bir şey eksik: uhrevilik. Yani insanın mânâ yanına hitap eden, süfli his, duygu ve düşüncelere bedel onu ulvi ve uhrevi âlemlere doğru kanatlanmasını sağlayacak ne bir mekandan ne de bir sözden bahsetmeniz imkansız.

Bilinçli bir tercih olduğunu düşünüyorum. Hastanelerden hapishanelere kadar uhrevi soluk almak, Rabb'ine ibadet etmek isteyenler için mekan hazırlayan, hatta bunu dini özgürlük ya da dini haklar kategorisine koyup çoğu yerde zorunlu hale getiren bir anlayış, bunu unutmuş olamaz. Pekala bu şuurlu tercihin gerekçesi ne o zaman?

Akla iki şey geliyor evvelemirde; bir; laiklik anlayışının gereği halka açık yerlerde devletin herhangi bir dini tercih ettiğini gösterecek uygulamalardan uzak durmak. Çünkü Amerika belki başka dünya ülkelerinin özellikle ulus devletlerin şu an heceledikleri çoğulculuk kavram ve kapsamı içine giren anlayışı sistem olarak uyguluyor. 11 Eylül sonrası Müslümanlara ve Müslüman ülkelere gerek devlet politikası gerekse ikili ilişkiler düzeyinde çoğulculuğu kabul çizgisine yakışmayan bazı ayrımcılıklar gözlense de, son tahlilde çoğulculuk bu ülkenin yapı taşlarından biri. Bu yüzden devletin herhangi bir dini tercih etmesi, tabanda başka dinlere mensup insanların hak iddiasını beraberinde getireceği için din-devlet (church-state) ayrılığı üzerinde ciddi duruluyor. Nitekim Amerikan tarihini ya da mahkemeye bu bağlamda intikal eden davaları ve kararlarını gözden geçirdiğinizde bu hakikati bütün çıplaklığı ile görmeniz mümkün. Dolayısıyla böylesi mekanlarda bir kilisenin yapılması beraberinde Yahudi, Müslüman, Budist, Hindu vb. bütün dinlerin ibadet mekanı talebini doğuracak.

Kaldı ki Hıristiyanlık açısından düşünülecek olduğunda İslâm'da olduğu gibi günde beş defa 24 saatinizi bölen bir ibadet formu da yok. Hele bunun pazar ayinleri misali kiliselerde yapılma zorunluluğu hiç yok. Böyle olunca, bu dini zihniyetin insanları sabahtan gece yarılarına kadar meşgul edecek bir mekanda ibadethane inşası düşünmemesi kadar doğal bir şey olamaz herhalde.

Ayrıca, dini özgürlüğün ve dini boşluğun doğurduğu inkar kabul etmez bir manzara daha var; biraz latife yollu ifade edeyim: Sabahleyin erken kalkan bir din kuruyor burada. İhtimal bu, çoğulculuğun dini alana yansımasından ibaret. Ya da mevcut din veya din kaynaklı düşünce sistemlerinin insanları tatmin etmemesi/edemeyişinin sebebiyet verdiği bir arayışın göstergesi olsa gerek. Fakat bu tablo gerçek. Din-devlet ayırımının alabildiğine ciddi ölçüde uygulanmasının altında bu manzaranın da hiç şüphesiz etkisi var.

Şuurlu tercihin nedeni adına akla gelen ikinci husus -ki Müslümanca bir bakış açısının ortaya koyduğu bir düşünce ürünüdür bu- insanın "dünyalı bir mahluk" olarak ve sadece dünyevi zevklerin zirvesinde dolaştığı bir zaman ve mekanda uhraya kapı açmak, lezzetleri acılaştıracak, zevkleri noksanlaştıracaktır. Burada "İyi ama İslâm'dan söz etmiyoruz. İslâm insanının dünya ve ukba inancından da. Söz konusu olan İslâm harici dini anlayış. Onların dini anlayışında bu türlü düşünceler zaten söz konusu değil." dediğinizi duyar gibiyim. Doğru; zaten bunun için başta bu yaklaşımın Müslümanca olduğunu söyledim. Herkes biliyor ki İslâm, insan hayatının hemen her bir karesine müdahale ediyor. İnsana yararlı olanları emrediyor, nefsine, serkeşliğe girmemesi için yasaklar, sınırlamalar koyuyor. Yönlendirmelerde bulunuyor ve bunların hepsinin altında yatan temel espri dünya hayatının geçiciliğini kabulle ahireti kazanmak için yaşamak, eğlenmek, gülmek, ağlamak vb. Dolayısıyla dünyevi zevkin doruk noktasında dahi ukbayı hatırlamak, dünyayı da O'nun rızasına ulaştıracak biçimde dizayn etmek, tefekkür ve tezekkür buudlarına kapı açmak şart.

Bununla birlikte İslâm harici din ve dini düşüncelerde İlahi irade ile örtüşse de, onların insan hayatına bir düzen, bir nizam getiren emirler ve yasaklar sunduğu, daha genel bir ifade ile çoklarının behimi özgürlüğünü kısıtlayan bir anlam çerçevesine sahip olduğu söylenebilir. Buradan hareketle şunu ifade edebilirim ki, işte bu kadarcık dahi olsa inancın eğlence alanına müdahalesi reddediliyor, menfaatlerin haleldar olması ve mutlu azınlığın tatlı aşı acılaştırılmak istenmiyor.

Yazımızı bir temenni ile bitirelim: İyi bir rehberle bir güne sığıştırılamayacak kadar geniş, günde binlerce insanın ziyaret ettiği bu ve benzeri yerlerde keşke eldeki imkanlarla evrensel doğrular adına insanlara bir şeyler verilebilse! Keşke zamanlarını su gibi harcayan ve iki dakikalık geçici bir zevk için saatlerce kuyrukta beklemeyi göze alan insanların, mana ufkunda kanat açmalarını sağlayacak adımlar atması sağlanabilse. Terörizm, AIDS, fakirlik vb. insanlık ailesinin evrensel problemlerine ortaklaşa çözümün en etkili silahı olan insana eğitici, başkaları hakkında önyargıları silici bilgiler eğlence esnasında takdim edilebilse. Özellikle çocukların hedef alınacağı bu tür şeyler hiç şüphesiz onların şuuraltı müktesebatını zenginleştirecektir. Hollywood sakinlerinin bunun en iyisini yapacağından eminim.

GÖREVİMİZ MERHAMET

İki insan. İkisi de 79 yaşında. 50 yılı aşkın bu vazifenin içindeler. Bunlardan birisi tıp fakültesinde okurken geceleri hastane morgunda çalışıyormuş. Üç yıl kadar evlerinde vefat edenleri hastaneye getirdim. Bir gün aklım başıma geldi ve dedim ki kendime "Hey! Gözlerini aç. Hayatın gerçeği bu ve sana doğru hızla geliyor." Ve tıp eğitimini bırakıp din adamı olmaya karar verdim. Diğeri İtalya göçmeni. 11 kardeşi, ana ve babası ile birlikte lokantalarında çalışıyorlar. Dişçilik fakültesinin ikinci sınıfında iken göçmen ailelere yardım etme amacıyla İtalya'dan bir rahip grubu kapılarını çalar. Alabildiğine canlı, mutevazı ve yardımsever olan bu insanların halleri onu etkiler ve o da din adamı olmaya karar verir.

Bunlardan birisi 30 yıl Afrika'da misyoner olarak çalışmış, ABD'ye döneli sekiz yıl olmuş.

Dünya mülkü adına hiçbir şeyleri yok. Ne evleri, ne arabaları hatta ne banka hesapları. Sebebini şöyle açıklıyor birisi: "Roma Katolik din adamları iradi olarak fakirliği seçerler; onların ne banka hesapları, ne kredi kartları, ne de arabaları vardır." Nitekim şehir merkezine yakın bir yerde kiralık bir odada birlikte yaşıyorlar şu an.

İkisi de pişman değiller yıllar önce girdikleri bu yoldan. "Eskiden insan bedeni peşindeydim, şimdi ruhu!" diyor mesela birisi. Diğeri de ailesini ön plana sürüyor: "Ailem benimle iftihar ediyor!"

Kimlerden mi bahsediyorum? Mike Guastella ve Vincent Liuzzo isimli iki papazdan. St. Mary's Hospital'da fahri olarak görev yapıyorlar şimdi. Her sabah 6.30'da görevlerine başlayıp tek tek hastalarla ilgileniyorlar. Dinî hakikatleri anlatıyor, moral ve iman takviyesinde bulunuyorlar.

"Papazım bana hiçbir ücret ödemeden Allah'ın askeri olabileceğimi söyledi!" Bu cümle ölüm döşeğinde uzanan yaşlı bir kadının son sözleri. Kolay ulaşılabilecek bir netice olmasa gerek.

Liuzzo, Amerikalı ailelerden şikayetçi. "Seküler anlayışın ötesinde bir şey vermiyorlar çocuklarına." 'Bilgisayar alanında çok para var. Orayı tercih edin!' söz konusu ailelerin ortak paydası. Yalnız da değiller. Dünya genelinde 11.000 ve sadece Amerika'da 1.100 tane olduklarını söylüyor Guastella. Pekala bütün bunları nereden mi biliyorum? Geçen hafta "The Record" gazetesinin tam iki sayfa halinde çalıştığı bir haberden. Konunun haber değeri, bu değere göre kapladığı mekan bir tarafa, öyle bir üslup ile sunulmuş ki sanırsınız bu papazlar Oskar'a aday gösterilmeye layıklar. Küçümsediğim sanılmasın. Takdirle karşılıyorum. Aynı veya benzeri imkanlar bizim için de bahis mevzuu iken dünyanın çeşitli yerlerinde, aynı samimiyet, hassasiyeti gösterip gösteremediğimi soruyorum kendime.

Ve ister istemez medya geliyor gözlerimin önüne. Bir tarafta sıradan bir hastanede "Görevimiz merhamet!" deyip hastalara dinî hakikatleri anlatan iki insanı manşete çeken zihin yapısı ve diğer tarafta dünya çapında eğitim temelli sosyal bir hadiseye öncülük yapmış Fethullah Gülen'i vatan haini olarak sunan zihin yapısı.

Bilenler bilir, gardrobunda bulunan eşyalarını zaman zaman hediye etmek suretiyle sıfırlayan birisidir o. Bir şey hariç. Takım elbisesi. 'Ne özelliği var?' diyeceksiniz. Çünkü o elbise Türkiye'nin tozunu üzerinde taşıyor.

Bu bana çok şeyler anlatıyor. Ya size!!!

ABD KATOLİKLERİ VE PAPA'DAN BEKLENTİLER

16 Ekim 1978'de Karol Wojtyla, -Papa 2. John Paul- papa seçilir seçilmez KGB Başkanı Yuri Andropov, Varşova servisine telefonla ulaşıp, "Nasıl oluyor da sosyalist bir ülkenin vatandaşı birisinin papa seçilmesine izin veriyorsunuz?" der ve ardından bu seçimin analizinin yapılmasını ister KGB birimlerinden.

Yapılan analizde varılan sonuç şudur: Dönemin ABD Başkanı Jimmy Carter'ın milli güvenlik danışmalarından Zbigniew Brzezinski başkanlığı altındaki bir heyet Almanya ve diğer ülkelerle John Paul'un papa seçilmesi için işbirliği yapmıştır. Maksat komünist bir ülkeden çıkacak papanın özellikle Balkan ülkelerindeki rejimlerin yıkılmasında aktif bir rol oynayabileceği, dinin gücünün bu istikamette kullanılabileceği düşüncesidir.

Papa, seçilmesinden kısa bir süre sonra Vatikan St. Peter Square'de muazzam bir kalabalığa yaptığı konuşmada Polonya'yı ziyaret edeceğini deklare etmiştir. Bu durum ülkedeki Komünist Parti'yi harekete geçirmiş ve kamuoyuna yayınladıkları bir bildiri ile Papa ziyaretini etkisiz bırakma çalışmaları içine girmiştir. "Papa bizim düşmanımızdır... Onun önceki papalardan farklı tarzı, şakacılık anlayışı çok tehlikelidir. Çünkü onun farklı karakteri başta gazeteciler olmak üzere herkesi kendi sihirli iklimine çekmektedir. Kalabalıklarla olan iletişimi, baş-göz hareketleri, mimikleri, tokalaşması, çocukları öpmesi vs. Amerikan başkanlık kampanyasında yarışan adayların tarzını yansıtmaktadır. Papalık öncesi 20 yıl Polonya'da kilisede yaptığı faaliyetler gençler arasında ateizmin azalmasına neden olmuştur. Bu durumda Papa ile olan münasebetlerimizde bu gerçeklerin bilinmesi ve duygusallığa yer verilmemesi gerekmektedir..." Bu pasaj söz konusu ziyaret öncesi Komünist Parti'nin ülke geneline yaydığı bildiriden bir parçadır.

Yukarıda ele aldığımız analiz doğrultusunda bu hadiseye bakarsanız yönetimin bu telaşının haklı olduğu varsayımına girebilirsiniz. Çünkü Papa'nın Polonya ziyaretinde açıktan açığa söylediği "korkmayın" mesajı, siyasi yönetim karşıtı kişi ve gruplara ciddi moral destek sağlamıştır. Dolayısıyla komünist sistem karşıtı Papa'nın 'arkanızdayım' şeklinde algılanan mesajı, komünist sistemin önce Balkanlar'da sonra da Sovyetler Birliği ülkelerinde çözülmesi ve yıkılması ile sonuçlanan sürecin ateşleyicisi ve tetikleyicisi olmuştur.

Şimdi dünya genelinde bir komünist blok tehlikesi olmasa da farklı siyasi dengeler var. İhtimal Alman asıllı Kardinal Joseph Ratzinger'in papalık seçiminde de bu dengelere yönelik kaygıların kulis faaliyetlerinde başat rol oynadığı muhakkak. ABD'nin bu bağlamdaki konumu ise tartışmalı. Bugün AB blokuna karşı ABD'nin 1978 Sovyetler Birliği yerinde olduğunu söyleyenlerin sayısı hiç de az değil. Bu yorumlara katılmasanız bile şurası kesin ki papa seçiminde ABD karşıtı bir ittifakın olduğu rahatlıkla söylenebilir. Bunu seçim sonrası halkın hissiyat ağırlıklı görüşlerinde, siyasi ve entelektüel çevrenin akıl dolu yorumlarında da görebilirsiniz.

Niyetim siyasi boyutu ile papa seçimini ele almak ve anlatmak değil. Amacım ABD Katoliklerinin aynı performansı sergilemediği takdirde 2. John Paul'ün karizmatik şahsiyeti altında ezileceği tahmin edilen Ratzinger'den beklentileri. Önce bir hususun altını çizelim; 65 milyonluk bir Katolik nüfusu barındıran ABD'de yeni nesil Katoliklerle eski nesil Katolikler arasında özgürlük anlayışı özelinde inanılmaz farklar var. Bu farklılık inanç ve ibadet gibi teolojik alandan daha çok ferdiyetçilik ve özgürlük özelinde odaklanıyor. Mesela evlilik öncesi cinsel ilişki serbestiyeti, kürtaj, doğum kontrolü, yılbaşı eğlencelerindeki sınır tanımazlık, kadınların rahip olabilmesi, papazların evliliği vb. hususlarda yeni nesil, baba ve dedelerinden çok daha farklı düşüncelere sahip. Yeni nesil, dinin yasaklamasına rağmen bunların serbest olmasını istiyor. Hem de her gün yükselen bir sesle.

İstatistiklere göre Katolik nüfusu Latin Amerika ve Afrika başta olmak üzere dünyanın hemen her yerinde hızla artmasına rağmen, ABD'de düşüş kaydediyor. Pazar ayinlerine katılım oranının gözle görülür oranda düşüklüğü ve buna bağlı olarak kiliselerin kapanması, Katolik okullarının öğrenci bulmakta zorluğu inkar kabul etmez gerçekler. Pekala neden ABD Katolik dünyası böyle bir tablo ile karşı karşıya? Genelde verilen cevaplar basına yansıdığı kadarıyla birkaç noktada düğümleniyor: Bir, teolojik düzlemde Katoliklerin topluma sunduğu inanç esaslarının inandırıcılığı; iki, rahiplerin adının karıştığı seks skandallarının çokluğu; üç, erkek egemen bir anlayışın kiliseye hakimiyeti. Kadın-erkek ayırımının yapılması, kadınlara kilise içinde eşit hak ve statünün verilmemesi. Mesela kadınların vaiz olamaması.

İster nesiller arasındaki görüş farklılığı isterse nedensellik anlamında sunduğumuz tespitler, hadiseye nereden bakarsanız bakın karşımıza çıkan temel gerçek şu: Amerikan toplumunda yetişen yeni Katolik kimlik, sosyal değerler bağlamında hegemonik Amerikan kültürü karşısında erimiş ve asimile olmuştur. Nitekim bu görüşe katılanlar şöyle seslendiriyorlar düşüncelerini: "Roma'ya saygı gösteriyoruz; ama içinde yaşadığımız dünya itibarıyla çok farklı bir yönlendirmeye ihtiyacımız olduğu da açıktır. Bizim sahip olduğumuz kültürel değerler, Avrupa'lıların veya Latin Amerika'lıların değerlerinden farklıdır. Öyleyse Papa'yı bu hususlarda derin derin düşünmeye davet ediyoruz. Biz kendi kültürümüzle beraber dinimizi yaşamak zorundayız."

Görüldüğü gibi ABD Katolikleri bir yol ayrımında bulunuyor; hegemonik kültürel anlayış mı dini etkileyecek yoksa dinî öğretilerle taban tabana zıt kültürel yaklaşımlar mı dinî dönüşümü zorlayacak? Hep birlikte göreceğiz bunu. 16. Benedict adını alan yeni Papa Joseph Ratzinger'in bu hususlardaki tutumu belirleyici bir rol oynayacak. Vatikan'dan olumlu cevabın gelmemesi ya Katoliklikten dönüşü hızlandıracak, ya da kendilerine "Katolik" dediği halde Vatikan'dan alabildiğine uzak, farklı sosyal öğretilere sahip bir grubu karşımıza çıkartacak.

Burada daha önceki bir yazımızda konu ettiğimiz Amerikan değerlerine göre bir İslâm diye direten ve bunun medyatik örneği olarak da Amina Wadud'un erkek-kadın karışık bir cemaate cuma namazı kıldırması ile gösteren Amerikalı Müslüman grubu da yeni nesil Amerika Katolikleri ile mukayese edebilirsiniz. İnanıyorum, hegemonik kültürün etkisi açısından benzeyen ve benzemeyen birçok yanını bulacaksınız.

SİSTEM KÖRÜ

Samuel P. Huntington Batı'yı Batı yapan değerler ve onun komple bir sistem olarak başkaları tarafından taklit edilmesinin altında dil, din, kanun hakimiyeti, sosyal çoğulculuk ve sivil toplum, temsil kurumları ve ferdiyetçiliğinin yattığını söylüyor. Avrupa, ABD ayırımı yapmadan saydığı bu temel dinamiklerin açılımında ise, dün ve bugün açısından Avrupa, ABD arasındaki farkları dile getiriyor ve bu değerlerin bugünkü Batı'da hangi ölçüde ve nasıl temsilinin yapıldığını kritize ediyor. Huntington'un bu ve buna benzer görüşlerine onlarcası katılıyor, onlarcası da karşıt görüşler öne sürüyor.

Batılı sosyal bilimciler aralarında bu sorgulamayı yapadursunlar, Batı dışı ülkeler de aynı sorgulamayı yapıyor hiç de yabancısı olmadığı bu Batı'lı değerlere karşı. Cumhuriyetin ilk yıllarında görüldüğü şekliyle "Batı'lılaşma modernleşme ile eş değer" kabul edilmiyor artık. Japonya, Çin ve Hindistan örneklerinde olduğu gibi geleneksel değerlerine bağlı kalarak modernleşilebileceği inancı hakim bizde ve bize benzer ülkelerde.

Bu temel düşünce değişikliğinin en temel sebeplerinden bir tanesi dünkü Avrupa ve bugünkü Amerika'nın foreign policy'leri (dış politikaları) gelmektedir. Irak bombardımanı esnasında Mısır Cumhurbaşkanı Hüsnü Mübarek'in söylediği gibi menfaat eksenli politikalar -ki gerektiğinde savaşı bile öngörüyor - öngörmek ne kelime zaruri kılıyor- binlerce Üsame b. Ladin'ler üretiyor. Bosna'da petrol olmadığı için soy kırımına, insanlık zulmüne dur demeyen, nükleer silahsızlanmada İsrail'i göz ardı eden, insan haklarında Çin'e gösterdiği özeni Arap ülkelerinde diktatörlerin zulmü altında inleyen Müslümanlara göstermeyen bu çifte standartlı dış politika, beraberinde kendi değerlerine karşı düşman üretiyor.

Yerelleşme, millileşme herşeyin önüne geçme aşamasında şu anda. Asimile rüzgarları etkisini devam ettirse de artık kitleleri arkasına takıp sürükleyemiyor. Sosyal, siyasal, kültürel, ekonomik ortam ne kadar yabancı olursa olsun, kitleler kendi olarak kalmaya büyük özen gösteriyor. İşte Amerika'daki, Avrupa'daki azınlık Türkler veya başka milletler. Camilerinden, kiliselerine, geleneksel yemeklerini rahatlıkla yiyebildikleri lokantalarından, kültür merkezlerine varıncaya kadar birçok sivil toplum kuruluşu faaliyetleri ile insanlar "kendileri" olmaya özen gösteriyor. Şahsi kimliğin çok ötesinde bir millete, bir dine bağlı olmanın beraberinde getirdiği global kimlik arayışı öne çıkıyor. Maddi-manevi fedakarlıklarda bulunuyorlar insanlar bu kimliği kendileri ve gelecek nesilleri adına kazanabilmek için.

Batı'lı değerlerin sorgulanmasında ikinci faktör ise bu ülkelerde yaşanan sosyal çürüme. İnsana "Örnek alınacak, özenilecek nesi var Allah aşkına!" dedirten türden manzaralar, haberler, istatistikler insanın içini karartıyor. Tabii bakış açısına göre değişen türden bir kanaat bu. Sosyal ve ekonomik statü de çok önemli bu bağlamda. Ama burada esas olan coğrafyanın bir kesiminde, toplumun bir kısmında yaşanan güzellikler ve iyiliklerden öte genel tablo (big picture) çok önemli.

Bu çerçevede geçen hafta yayınlanan bir gazete haberi ve buna bağlı olarak bazı istatistikler sunayım isterseniz ABD toplumu adına. Mevzu; evli olmayan ama birlikte yaşayan çiftler. 2000 yılı istatistik sonuçlarına göre ABD'de 11 milyon çift evli olmadığı halde birlikte yaşıyor. Bunun 9.7 milyon'u kadın-erkek, 1.2 milyon'u ise aynı cinsiyeti paylaşan insanlar. Bu oran son yılda % 72 oranında artmış. % 41 oranında evli olmayan çiftlerin çocukları var. Tüm doğumların % 33'u evlenmemiş çiftler tarafından gerçekleştiriliyor ki bu oran son on yılda % 419 civarında bir artışı ifade ediyor. % 44 yetişkin Amerika'lı kadın ve erkek bekar. Bekar oranının yüksek sayılabilecek oranda olduğu bu ülkede devlet, evlenme meselesine karışmaması gerektiğini düşünüyor.

Gazete haberine göre evli olmayan çiftlerin birlikte yaşama, aynı evi paylaşma gerekçeleri arasında neler var derseniz hemen ifade edelim; genç nüfusun çoğalması, eğitim seviyesinin düşüklüğü, yüksek kiralar, hayat pahalılığı, para biriktirme isteği, kanunların müsadesi ve finansal bağımsızlık.

Bu sebepler, yetkililer, sosyal bilimciler ve ekonomi uzmanları nezdinde ne kadar geçerli mazeretlerdir bilmiyorum ama bu sebepler neticenin değişmesini engellemiyor. Netice, dünyanın süper gücünün sosyal çürümenin, dinî hayatın canlılığına rağmen ahlâki çöküntünün içinde olduğudur. Buna rağmen taban genel anlamda ABD'ye mensup olmanın verdiği hava ile gününü gün etmeye devam etmektedir. İdareci kadroyu bilemem ama sokaktaki vatandaşın bu sorunlardan haberdar olup, bugün ve yarını adına bir kaygı içinde bulunduğunu söylemek çok zor.

Alın size bir başka örnek. Burada yaşayanların hiç de yabancısı olmadığı türden bir avukatlık bürosunun gazete reklamı bu. Kelimesi kelimesine tercemesini veriyorum; "Boşanma Merkezi. Eşinizin imzasına ihtiyaç yok. 4 ila 8 hafta içinde kesin çözüm. Düşük ve cazip fiyatlar. Gizlenmiş avukat ücreti yok. Amerika çapında 250 yerde ve 24 yıldır bu işi yapıyoruz. Sadece 199 dolar."

Batı bütünüyle iyidir veya bütünüyle kötüdür şeklinde toptancı mantığını anımsatan yaklaşımlar değil, seçici olmamız gerektiğini ifade sadedinde bu istatistikleri aktardım. ABD'li insan ihtimal içeride yaşadığı, bu sorunlu dünyanın bir parçası olduğu için bu manzarayı görmüyor, göremiyor. Dolayısıyla tavır alması da, daha doğrusu almaması da ona göre oluyor. "Sistem Körü" tabir ve tanımlaması burada net bir imaj çiziyor zihnimize.

SIFIR TOLERANS VE EŞCİNSELLİK

Amerika'da Katolik dünyasının üst düzey yetkilileri Dallas'ta toplantı yaptı. Konu, gündemden hiç düşmeyen bazı rahiplerin küçük çocuklara yaptıkları cinsel taciz olayları. Gaye, genel değerlendirmeler yapmak ve gerekirse bağlayıcı kararlar almak. Hâlâ görevde olan ve emeklilerle birlikte toplam 400 kişi katıldı toplantıya. Üç gün sürdü ve 2 sayfalık bir sonuç bildirgesi yayınlandı. Oy hakkı olan kişilerin 239'u kabul, 12'si ret oyu verdi toplantıdan çıkan bildiriye.

Mağdur ailelerin ve belki de din karşıtı insanların protestoları altında 3 gün devam eden toplantının açılış konuşmasında, 5 defa cinsel tacize maruz kalan çocuk ve ailelerinden özür dilenmesi haber yorumcularının dikkatini çeken bir husus oldu. Nedendir bilmem, İslâmî gelenek içinde hatta insanî ölçütlerde özür dileme bir erdem olarak kabul edilirken, kilisenin bu erdem göstergesinin olumsuz yorumlara konu olması benim dikkatimi çekti.

"Bu olaylar büyük bir kanserdi. Ağrılı, sancılı da olsa tedavisi gerekiyordu. İşte bunu yaptık." denildi sözgelimi açılış konuşmasında. Bu sözlerle vurgulanmak istenen şey, son iki aydır sayısı 218'e ulaşan papaz, rahip vb. adı bu tip olaylara bulaşmış insanların görevlerine son verilmesi, kilise ile resmi irtibatlarının kesilmesi.

"Katolik inancını restore etmeye yönelik" olduğu söylenen ve "sıfır tolerans" adı ile medyada kendisine büyük yer bulan bu toplantıdan çıkan kararlardan bir tanesini aktarayım sizlere. Adı böylesi olaylara bulaşan rahipler, rahip unvanını koruyabilecek; ama ne kilisede, ne okulda, ne de hastanede görev yapamayacak, ayin yönetemeyecek, din adamı elbisesi giyemeyecek, kilise ile resmi bağları kesilecek.

Bu kararlar sadece bugün ve yarını değil, aksine dünü de içine alıyor. Yani kararlar hem geçmiş, hem şimdi hem de gelecek için uygulanacak. Bu, enteresan ve önemli bir nokta. Hukukun en temel ilkelerinden biri olan "zaman aşımı"nı çiğneyen bu kararda sanıyorum, olayların tahminlerin ötesinde bir genişlik kazanması ve haliyle tepkinin de o ölçüde büyük olması yatıyor.

Amerika için konuşuyorum; bu kadar geniş bir alana yayılmış cinsel taciz olayı bu karar ile birdenbire son mu bulacak? Umarız. Ama bu ve benzeri şeylerin yanı sıra, sadece Katolikler tarafından uygulanan "din adamlarının evlenme yasağı" uygulamasının teorik planda gözden geçirilmesi, belki daha kalıcı ve sağlıklı sonuçların üretilmesinde faydalı olabilir.

Kendi aralarında bu kadar büyük ve mide bulandırıcı sorunlarla uğraşan Hıristiyan dünyasından bazılarının yaptıkları geleneksel yıllık toplantıda İslâm'a ve onun kutsal Peygamber'ine, hem de cinsellik argümanının arkasına sığınarak saldırması devreye girdi. Dile getirilen mevzu, cevabı İslâm tarihi boyunca yüzlerce bilgin tarafından defalarca verilmiş Hz. Aişe'nin evlilik yaşı. Yanlış bilgilenmeden kaynaklanan ve tamamıyla müspet çerçevede getirilen bir eleştiri olsa kabul edebileceğimiz bu eleştirinin, gerek zamanlaması, gerek kullanılan argüman ve gerekse ifade biçimi insanın aklına başka şeyler getiriyor.

Bir Müslüman olarak hikaye etmeye dahi cesaret edemediğim ve baştan sona hakaretâmiz ifadelerle söz konusu eleştirinin -hakaret demek daha uygun düşerdi- dile getirilmesi bir savunma içgüdüsünü açığa vuruyor. Fakat bu modu esas alan davranışlar, karşı karşıya bulundukları devasa problemleri çözmeye yetmeyecektir. Aksine o problemlerin derinleşmesine ve kökleşmesine, öte taraftan yeni düşmanlar kazanılmasına vesile olacaktır.

Halbuki yıllardır hatta asırlardır Hıristiyan dünyasını meşgul eden bu büyük problemi fırsat bilerek, tarihten gelen husumetinin rüzgarına da kendini kaptırıp, ne Hz. İsa'ya ne de Hıristiyanlığa hakaret eden aklı başında bir Müslüman çıkmamıştır. Bunun yerine meseleye hep "çürük elma" felsefesiyle yaklaşılmış, bir camia içinde kendini bilmez, hislerine hakim olamayan insanların her zaman bulunabileceği, bunlar yüzünden koskoca bir camiayı karalamanın anlamı olmadığı vurgulanmıştır.

Allah Resulû (sallallâhu aleyhi ve sellem)'ne yapılan hakaretler tarihe kara bir leke olarak yazılmıştır. Umarız, bu olaya yenileri ilave edilmez. Hadiseler din mensupları arasındaki diyalog sürecini kesintiye uğratacak bir safhaya gelmez/getirilemez. Şunun bilinmesi lazım, genel felsefesi itibarıyla Müslümanlar, şahsi hakların söz konusu edildiği yerlerde "Dövene elsiz, sövene dilsiz" olabilir; ama eğer ortada korunması gerekli olan şey dini değerler veya onun mübelliği ve temsilcisi Hz. Muhammed (sallallâhu aleyhi ve sellem) ise, Müslümanların olan bitenler karşısında sessiz ve sakin kalacağını ummak safdilliktir.

SEKS SKANDALI VE AMERİKA[1]

"Dürüstlük ve samimiyetle çalışan papazların çalışmalarına gölge düşürdüler..", "Benimle Allah arasında bulunan insanlara inancım ve bakış açım değişti ama Allah'a olan inancım değişmedi."

Yukarıdaki iki cümlenin birisi Katolik dünyasının lideri Papa'ya, ikincisi ise Cheryl Melilla adında sıradan bir vatandaşa ait. Ne ifade ediyor bu sözler ve neden söylenme ihtiyacı duyuldu dersiniz?

Katolik dünyası ve özellikle Amerikan katolikleri yaklaşık iki ayı bulan ve ardı arkası kesilmeyen, bazı papazların küçük çocuklara yaptıkları cinsel taciz skandalı ile çalkalanıyor. Bu alabildiğine ciddi olayın Türkiye'ye yansımalarını takip edecek bir pozisyonda değilim, dolayısıyla konuya ne kadar vakıfsınız bilemiyorum; ama şunu açıkça ifade edeyim ki yaklaşık iki aydır ulusal ve yerel basının manşetinden hiç düşmedi bu haberler.

New York'ta bir papazın, çok samimi olduğu aile dostunun çocuklarına yaptığı cinsel tacizin basına sızması ile başladı olaylar zinciri. Ardından sanki böylesine bir şey bekleniyormuşçasına Amerika'nın birçok yerinden bu türlü olaylar duyulmaya başlandı. Yirmi yıl önceki hadiseler bile gündeme getirildi. Daha önceleri bu türlü olaylar karşısında susmayı tercih eden Katolik

---

[1] Bu yazıda üzerinde durulan husus ve verilen örnekler, anılan olaya iki ülke basının olaylara yaklaşımdaki farkını daha iyi anlatabilmek için verilmiştir.

dünyasının lideri Papa, bu defa basın açıklamasında bulunmak zorunda kaldı. Fakat olayların ardı arkası kesilmedi ve her geçen gün olaylar zincirine yeni halkalar eklendi. Tahmin edeceğiniz gibi bu, tabanda değişik tepkilerin doğmasına yol açtı. Son tahlilde Papa, Amerika kardinallerini bir kere daha sıra dışı toplantıya çağırdı Roma'ya. Bir kere daha dedik; çünkü Papa Amerika kardinalleri ile doğum kontrolü ve boşanmış kilise mensuplarının yeniden evliliği konuları üzerinde 1989'da yine böyle sıra dışı bir toplantı yapmıştı.

Toplantıdan taban kitleyi tatmin edecek bir neticenin çıktığını söylemek bana göre zor, zira tartışmalar olanca hızıyla devam ediyor basında. Fakat bu arada gerçekten farklı gelişmelere de sahne oldu Amerikan Katolik dünyası. En basitinden pazar ayinlerinin değişmez konusu oldu cinsel taciz. Ebeveynlerden yardımlar istendi, özürler dilendi. Adı bu tür ilişkilere karışmış din adamlarından istifa edenler, istifaya zorlananlar, görevden uzaklaştırılanlar, isimleri local mahkemelere ve basına verilenler oldu. Bu tip olaylar karşısında kilisenin, şimdiye kadar izlediği "gizleme ve örtbas etme" tutumunun aksine bir davranış sergilemesi kamuoyu tarafından olumlu karşılanan bir gelişme olarak kabullenildi. Şu iki rakama dikkat edin lütfen, yaklaşık iki aydır 28 eyalette toplam 177 papazın işine son verildi ve 260 papaz lokal mahkemelere sevk edildi.

Bu açıklamalardan sonra gelelim bu yazıyı kaleme almadaki maksadımıza; elbette Katolik dünyasına has din adamları ve rahibelerin evlenme yasağı doktrinini sorgulama düşüncesinde değiliz. Hıristiyan mezhepleri arasında asırlardır teolojik düzlemde devam eden bu tartışmaya katılmaya ne ehliyetimiz var ne de niyetimiz. Biz bu inanca kabullenmesek bile saygı duymakla mükellefiz. Amacımız, 'seks skandalı' olarak nitelenen bu olaylar dizisinin Amerikan basınında nasıl yer aldığını bir nebze anlatabilmek.

Ne yaptı basın? 62 milyon ile ABD nüfusunun % 41 gibi büyük ve geniş bir kesimini teşkil eden Katolikleri yakından ilgilendiren bu konuda rahiplere saldırdı mı? Veya buradan hareketle; yani bunu fırsat bilerek genel anlamda 'din'e "topyekün" saldırıya mı geçti? Soruyu tersinden şöyle de sorabiliriz: Böylesi bir olaylar zinciri Türkiye'de olsaydı, acaba bizim basın bunu nasıl değerlendirirdi? Hiçbir aklî ve mantıkî temele dayanmayan, masa başı irtica haber üretimleri ile 65 milyonun dinî inançları ile zaman zaman alay etmeyi asli vazifesi sayan bizim bazı basınımız, gerçekten nasıl tavır takınırdı dersiniz?

Basınımızın bugüne kadarki yaptıklarından hareket ederek ne yapacaklarını tahmin etmek gayet kolay. Biz gelelim ABD basınına. Şunları yaptılar:

1- Olaylar zincirinin ilerlemesine paralel olarak eski defterleri karıştırarak tarihi bilgiler verdiler. Şimdi büyümüş bile olsa tacize maruz kaldığı öne sürülen kişilerle, onların anne–babaları ile ve ilgili papazlarla röportajlar yapıp, tarafsız bir biçimde okuyucularına sundular.

2- Cinsel taciz eksenli, değişik yerlerde mağdur ailelerine verilen tazminat rakamlarını dile getirdiler. Sanıyorum birçok insan bu gerçekleri ilk defa bu vesile ile öğrendi. Söz gelimi, New Jersey eyaletinde son yirmi yıl içinde 1,6 milyon, sadece Boston'da 30 milyon, İrlanda'da son on yılda 110 milyon dolar (örnekler devam ediyor...) tazminat olarak mağdur ailelere kilise tarafından ödenmiş.

3- Anketler yaptı ve bunları sürekli yenilediler. Anketlerde özellikle dikkat edilen ve hemen her ankette sorulan beylik sorular vardı. Mesela, halkın dine bakış açısı. Üniversite-basın işbirliği ile gerçekleştirilen bu anketler kilise yöneticileri, idareci kadro ve halka devamlı ışık tuttu. Çok değil, belki önümüzdeki yıl birçok master ve doktora tezinin konusu olacak bu olaylarda, söz konusu anketler araştırmacıların ciddi işine yarayacaktır.

4- Hepsinden öte din ve din adamları aleyhine olabilecek hiçbir tavır sergilemediler, aksine hep olaya 'çürük elma' yani 'bu kadar geniş bir kitlede bu tip insanlar çıkabilir, buradan hareketle bütünü lekelemenin anlamı yoktur' felsefesi ile yaklaştılar. Bununla birlikte skandala adı karışan din adamlarını koruma cihetine de gitmediler. Çocuklarımızın sağlığı ve toplumun emniyeti deyip papazlarla alakalı en küçük detayı dahi ihmal etmediler.

Neden dersiniz? Basın neden böyle bir yayın politikası izledi? Katolik dünyanın tepkisini üzerlerine çekmek mi istemediler? Basın özgürlüğü yasalarına engel bir durum mu vardı? Medya patronlarının isteği mi böyleydi? Dinin toplum içindeki önemini azaltacak, onun gönüllerde yer etmiş konumunu zedeleyecek bir tavır sergilemenin aslında binilen dalı kesmek olduğunun şuurundalar da onun için mi böyle davrandılar? Soruları çoğaltabiliriz. Hangisi dersiniz?

EŞ CİNSELLİK VE KUTSALA SIĞINMA

Yedi yıl kadar önceydi. Evde birlikte kaldığı arkadaşına aşık olduğu itirafını yapan genç bir erkek vardı ahizenin karşı ucunda. Donmuş kalmıştım bu itirafı duyduğumda. Eşcinsellik gerçeği ile ilk defa karşı karşıyaydım. Teorik planda okumalar, magazin basınından edinilen bilgilerden çok daha öte bir gerçek vardı karşımda. Çünkü genç benden yardım talep ediyor, adeta yalvarıyordu.

Randevulaştık gençle. İlk sorum "Neden ben?" oldu. Dinden meded umduğunu söyledi. Benim bu çerçevede yardımcı olabileceğim düşüncesine sahip olduğunu belirtti. İlerleyen safhalarda yetişme dönemindeki baba-oğul ilişkisinden dem vurdu. Bana resm ettiği, oğluna karşı ilgisiz bir baba imajıydı.

Boston'da eşcinsel bir papazın başpiskopos olmasından sonra sürekli gündeme gelen eşcinsellikle alakalı okuduğum bir haber, yedi yıl önce yaşadığım bu olayı hatırlattı bana. Çünkü söz konusu haber, ABD'de son yıllarda artan eşcinsel sayısının nedenlerini irdeliyor ve bu çerçevede babanın çocuğuna özellikle 0-5 yaş arasında fazla zaman ayırmamasını baş faktör olarak ele alıyor. Bu süreçte çocuk daha çok anne ve annesinin çevresi ile birlikte olunca cinsiyet eğilimleri bu alanda şekilleniyor söz konusu habere göre. Aynı şey kız çocukları adına da geçerli. Sadece aktörler değişiyor, anne yerine baba devreye giriyor.

Aslında sadece ABD'nin değil az veya çok oranda bütün ülkelerin hatta tüm insanlığın sorunu bu. Dünden başlayan bugünle devam eden ve yarına da intikal edecek büyük ve külli bir sorun. Kur'an'ın Hz. Lut kavminden hareketle ebedi sayfalarında yer verdiği, Sodom ve Gomore ile farklı bir mahiyet kazanan insanlık problemi.

Ama demokrasinin beşiğinde eşcinsellerle ilgili problemlerin siyasi, ekonomik ve kültürel boyutları farklı. Önce rakamlara bakalım; 285 milyonluk nüfusa sahip ABD'de, 2000 yılı istatistiklerine göre % 3 ila % 11 arasında değişen eşcinsel var. Bunların büyük bir çoğunluğu gay veya lesbiyen olarak partneri ile yaşıyor. %13'u önceki evliliklerinden çocuk sahibi. Söz konusu çocukların adedi ise 140 bin civarında. İşin garibi, bu rakamlar her gün artıyor.

Siyasi çerçevede, eşcinseller Belçika ve Hollanda'da olduğu gibi yasal evlilik yapabilmek için yasa çıkartılmasını istiyorlar. Çünkü ABD'de eş cinsellerin yasal evliliği yasak. Sadece Vermont eyaletinde sivil birlik kurmalarına izin veriliyor. Buna rağmen din-devlet ayrılığının anayasanın temellerinden biri olduğunu, yürürlükte olan siyasi rejimin adının teokrasi değil, demokrasi olduğunu ısrarla vurgulayan eş cinseller ülke çapındaki örgütlenmelerine hızla devam ediyorlar. Massachusetts eyaletinde de yakın bir tarihte evlilik izni verilebileceği konuşuluyor.

Ekonomik açıdan başta gayri meşru ilişkiler yoluyla bulaşan hastalıklardan iş gücü kaybına kadar, ABD ekonomisine getirdiği yük oldukça ağır eşcinselliğin. Hele emotional damage(hissi arızalar/zararlar) adını verdikleri ve tamamıyla insanın ruhi yapısıyla ilgili rahatsızlıkların maddi boyuttan öte kültürel hayata yaptığı olumsuz katkı ayrıca ele alınması gerekli olan bir boyut.

Sorunun büyüklüğü ya da büyümeye yüz tutmasından hareketle olsa gerek şu anda ABD'de dini çevreler bu mesele üzerinde ciddi denilebilecek ölçüde duruyorlar. Yapılan yazılı ve görsel yayınlar halkı bu ahlâksızlıktan uzaklaştırma adına hatırı sayılır boyutlara ulaştı/ulaşıyor. Devlet ise yetkili organları ile bu çevrelere ciddi destek veriyor. Vermek zorunda; çünkü ülke özelinde eşcinsellerin örgütlenmesi, propagandaları, istatistikler son tahlilde var olan ve gelecekte daha da büyüyecek olan sorunu gün gibi aşikar kör gözlere bile gösteriyor. Böyle bir atmosferde dinden meded umulması kutsala sığınmanın bir göstergesi değil midir?

Ümidimiz ve arzumuz bu çabaların başarılı olması. İnsanlığı tehdid eden böyle bir problemin bütünüyle ortadan kalkması. Dini öğretiler bu çerçevede ne kadar eşcinselleri etkileyecek ve sorunun çözümünde ne kadar rol oynayacak, bunu zaman gösterecek. Fakat şunu rahatlıkla diyebiliriz ki 'haşa!' Hz. İsa'yı da işin içine katan kitapların kaleme alınması-hem de din adamları tarafından- bu yayınlardan netice alınmasını zorlaştıracağa benzer.

İnsanın aklına geliyor, acaba biz ülkemizde bu sorunun halli için İslâm'dan hangi ölçüde yararlanıyoruz?

RAKAMLARLA EŞ CİNSELLİĞİN FARKLI BOYUTU

İnsanlık tarihinde temel insan hakları ile insani değerlerin bu ölçüde geniş alanlı olarak çatıştığı bir dönem olmamıştır sanırım. İnsan hakları kisvesi altında insanın hayvani, beşeri, süfli ve şehevi isteklerinin evrensel insani değerlerle çatışmasından (veya çatıştırılmasından) bahsediyorum. Bu yazımda ABD'de son yıllarda yaşanan ve gittikçe alan genişleten ahlâki değerlerdeki yozlaşma ile alakalı bazı somut tablolar sunacağım sizlere.

Önce şu hususa açıklık getirelim; insanlık tarihi boyunca genelde dinlerin temsilciliğini yaptığı dini ve ahlâki değerleri insanî değerler olarak isimlendirmek mümkündür. Çünkü kaynağını İlahi iradeden alan bu değerlerin ferdi açıdan akıl, mantık, hissiyat ile çatışması mümkün olmadığı gibi toplumsal açıdan da selim aklın inşasını arzu ettiği düzenle çatışması mümkün değildir. Aksine bunlar insanın ferden tatmininden toplumsal sistemin kurulmasına kadar, hemen her safhada temel alınması gerekli olan unsurlardır. Mesela hırsızlığı, zinayı, kumarı, alkol ve uyuşturucu yasağını, faizi ya da anne-baba ve akrabaya iyi davranmayı, giybet, su-i zan ve iftira etmeme gibi vb emir ve yasakların huzurlu ve mutlu bir toplumsal ortamın sağlanmasındaki payını hayalinizde canlandırın; bunlar yeri başka hiç bir şey ile doldurulmayacak ve istenilen düzenin kurulmasında mutlaka bir temele oturtulması gerekli olan kurallardır dersiniz. Bu açıdan başta dini ve ahlâki değerlere hiç bir din ayırımı gözetmeksizin insanı değerler demeyi tercih ettim. İslâm haricindeki dinlerde bu değerlerin yozlaşmaya maruz kalması, aslı ve orjinal hüviyetinden uzaklaşması/uzaklaştırılması ayrı bir konudur.

Gelelim yazı konumuza; insani değerlerdeki bu yozlaşma, gün geçtikçe yaş sınırını küçültüyor ve herkesi etki altına alıyor. Eş cinsellikten uyuşturucuya kadar bir çok alanda fıtri çizgiden sapma, kötü alışkanlıklara başlama çok küçük yaşlarda tercih konusu oluyor. Belki önceleri çevreden etkilenme ile başlayan bu süreç daha sonra şuurlu tercihler haline dönüşmektedir. Demokratik rejimlerde gördüğümüz örgütlenme hakkının kullanımı, medyanın desteği, Hollywood, bilgisayar oyunları endrüstrisinin bunu paraya dönüştürme istekleri, sınır tanımayan internet teknolojisi ile bu yozlaşma malesef tüm dünya sathına yayılmaktadır.

Müslüman ülkeler hakkında herhangi bir araştırmam ve gözlemim yok ama altı yıllık Batı ülkesindeki hayatımda edindiğim gözlem sonucu şu ki: Anne-babaların büyük bir çoğunluğu ya sahip çıkamadıklarından ya da bunu çocuklarının ferdi hürriyetlerine müdahale kabul ettiklerinden dolayı, insani değerlerden uzaklaşmayı saygı ile karşılıyorlar. Hukukun böylesi bir aşamada ergenliğine kavuşmuş çocuktan yana olması da bunu zorluyor olabilir.

Biraz açayım ve bu bağlamda sizlere eş cinsellikle alakalı insanın kanını donduracak bazı rakamlar ve bilgiler vereyim isterseniz; ABD eğitim düzeni içinde bizdeki öğrenci kulüplerine benzer kulüpler var. Bu kulüpler spordan, sanata çeşitli gönüllü faaliyetlerle çocukların sosyal hayata adaptesini sağlamak amacıyla kurulmuş. Şimdi sıkı durun; ABD genelinde 30.000 liseden 3.000 tanesinde gay kulübü var. Kısaca GSAs (Gay Straight Alliances) denen bu kulüpler eş cinselleri (gay-lesbiyen) çatısı altında buluşturuyor. Bitmedi; 290 tane GSAs da orta okullarda resmen kurulmuş ve falliyet gösteriyor. Ortaokul üç çocuğu dahi olsa -ki 14 yaşındadır- 14 yaşındaki çocuğun cinsel tercihi mi olurmuş diye soruyorsanız, cevabı şu; yapılan anketler gençlerin cinsel tercihlerine çoğunlukla 14-15 yaşlarında karar verdiğini söylüyor. Bir istatistik daha sunayım sizlere; freshmen dedikleri üniversite birinci sınıf öğrencileri arasında son günlerde yapılan ankette eş cinsel (gay ve lesbiyen) oranı % 57.

Öğrenciler böyle çalışır da öğretmenler boş durur mu? Aslında konunun ciddiyeti böyle bir üslup kullanmaya mani ama ne yapayım? Yukarıdaki rakamlara bir türlü mana veremeyişim mazur karşılansın! Öğretmenler de GLSEN (Gay-Lesbian and Straight Education Network) adı altında dernekleşmişler. Eş cinsel oluşundan dolayı başkalarının yanlış bakışlarına, sözlü fiili saldırılarına karşı öğrencilerinin hamileri bu öğretmenler. Tam bir dayanışma örneği veriyorlar sizin anlayacağınız. Web sayfaları, YGA (Young Gay America) gibi aylık-üç aylık dergileri, yıllık düzenledikleri kampları da organizenin uzantıları elbette.

Bütün bunlar karşısında sağ duyu sahipleri bir şey yapmıyor mu sorusunu sorabilirsiniz. İşin açıkçası ciddi denecek ölçüde bir muhalefetten bahsetmek şimdilik çok zor. Duyduğumuz, basın-yayına intikal eden bazı kiliselerin cinsiyet karışıklığı (gender confusion), profesyonel yardım (professional help) isimleri altında hazırlayıp bedava dağıttıkları broşürleri ile eş cinsellikten vaz geçen liseli gençlere, yıllık 4 000- ila 30 000 dolar arasında teklif ettikleri üniversite bursları var yapılanlar arasında.

Bu yozlaşmaya karşı çıkan siyasiler de var elbette. Eşcinselliği serbest bırakma adına yaşanan kanunlaştırma çalışmaları siyasileri ikiye bölmüştü 2004 başkanlık seçimleri öncesi hatırlarsanız. Eş cinselliği anayasal haklar kategorisine alıp federal hale getirmek ve böylece eyaletlerdeki farklı uygulamalara son vermek temel amaçtı. Fakat kopartılan bu gürültüler suyun akışını değiştireceğe benzemiyor. Veya daha insaflı konuşarak şöyle diyelim; uzun vadede değiştirse de, kısa vadede değiştirmez. Modernizmin ürettiği ferdiyetçiliğin en üst düzeyde hem de yıllardır yaşandığı bu ülkede kanun gücüyle yapılacak düzenlemeler sadece sisteme karşı münafık üretir. Karşıt grupları yeraltına sürükler. Yeni toplumsal çatışmalara kapı aralar.

Bir Müslüman olarak, 80'li yılların sonunda Fukuyama'nın ortaya koyduğu "tarihin sonu" tezinde bahsettiği değerler buysa, 'istemem kalsın' diyesim geliyor. Malum Fukuyama Batı'nın ulaştığı değerleri -demokrasi, liberal düşünce, ekonomik sistem vs- insanlığın ulaşacağı son sınır ve zirve kabul ediyordu. Maddi refah seviyesi, hayat standartlarının yüksekliği elbette bir şey ama her şey değil. İşte manzara yukarıda. Ve bu büyük fotoğrafın sadece bir karesi.

Eş cinsellik çıkış noktası itibariyle beşeri, şehevi hisler temeli üzerine otursa da -ki insanlık tarihi boyunca bu olgunun varlığı bunun isbatıdır- ABD'de bugün almış olduğu hüviyet tamamiyle reaksiyonerdir. Çünkü bireyselliğin adeta kutsandığı bir ülke burası. Dolayısıyla kilisenin ve devletin eş cinselliğe müdahalesi hangi gerekçeye dayanırsa dayansın bireysel hürriyetlere, bireyin tercih hakkına tecavüz olarak algılanıyor. Nitekim şimdilerde eş cinsel olarak hayatını sürdüren bazı kadın ve erkeklerin eski evliliklerinden olma çocuklarının geçenlerde anne-babalarını destekleme adına yaptıkları protesto gösterisi bu çerçevede ancak açıklama getirilebilecek bir hadise.

Hasılı, ABD'nin işi zor. Hem de çok zor.

XXX VE GÜMÜŞ YÜZÜKLER

ABD, sosyal hayat alanında kafaların oldukça karışık olduğu bir zaman dilimini yaşıyor. Problemler diz boyu. Muhataplar genelde gençler. Ama sonuçları itibarıyla bütün bir toplum. O toplum içinde yaşayan velev ki Amerika'lı olmasa bile herkes ve hepimiz. Hatta Batı kültürünün dayatmacı, çözücü ve dönüştürücü özellikleri dolayısıyla dünyada yaşayan herkes. Gerçi insanlık tarihinde maziye doğru yapacağımız zihni bir gezi, bize farklı şeyler anlatmayacaktır. Bugün ABD eksenli dile getireceğimiz şeyler farklı boyutlarda farklı zaman ve mekanlarda da yaşanmış. Değişen şey, yoğunluk, kapsam ve şekil.

Üzerinde üç tane X harfi ve onların üzerinde de yan bir çizgi bulunan tişörtler oldukça yaygın bu günlerde. Nisbeten muhafazakar kimliğini devam ettiren ve bu uğurda mücadele veren orta Amerika eyaletlerinde çok daha fazla görülen bu tişörtler, aslında bir savaşın, kavganın, ABD toplumunun kendi içinde kendi ürettiği değerlerle mücadelesine işaret ediyor. Kısa adıyla SRT (Silver Ring Things) denilen bir sivil toplum örgütü çıkartmış bu tişörtleri. Manası sex, alkol ve uyuşturucuya hayır.

"Gümüş Yüzük İşleri" diye tercüme edebileceğimiz SRT örgütünün belki de bu ismi almasına sebep olan ve kayda değer bir başka faaliyeti var; 13 yaşından itibaren kiliselerde, okullarda, kalabalık toplantı merkezlerinde yapılan yemin törenleri ile genç kızlara yüzük takıyorlar. Güya bu yüzük onların evlilik öncesi cinsel münasebete girmeyeceğinin, alkol ve uyuşturucu kulanmayacağının remzi olacak. Böylesi pozisyonlarla karşı karşıya geldiklerinde, yüzük onlara verdikleri sözü hatırlatıcı bir görev yapacak. Columbia Üniversitesi'nde 6 yılda 20.000 genç kız üzerinde yapılan istatistik çalışması, evlilik öncesi ilişkilerle bekaretlerini kaybeden kızların oranını % 80 olarak gösteriyor. Dolayısıyla 'purity ring; temizlik nişanesi/yüzüğü' büyük bir anlam ifade ediyor ABD toplumu için. Florida'da orta ölçekli bir kasabada 2000 yılından beri tam 10.000 tane yüzük sattığını söylüyor bir satıcı bu hareket çerçevesinde.

Tutar ya da tutmaz, olumlu sonuçlar alınır ya da alınmaz bilemem; ama bir taraftan bunlar olurken öbür taraftan ferdiyetçiliği ve özgürlüğü kendine ilke edindiğini söyleyen karşıt gruplar da var. Mesela "Amerikan Sivil Özgürlükler Birliği" SRT'nin son üç yılda ABD hükümetinden bu amaçla aldığı 1 milyon dolarlık yardımı mahkemeye vermiş durumda şu anda. Ayrıca bekaretini internette açtığı web sayfaları ile satışa çıkartan genç kızlar da var. Sayıları azımsanmayacak ölçüde hem de. Kayıp, evden kaçan ya da anne-baba ayrılığı dolayısıyla kalacak yer bulamayan çocuklara hizmet veren "National Runaway Hotline" kurumu, her yıl evden ayrılan 2 milyon çocuğun olduğunu ve her gün en az 200 telefon aldıklarını söylüyorlar. Eşcinsellik konusunda yaşanan tartışmalar ise herkesin malumu.

Bir toplumu orta ve kısa vadede yiyip bitirecek, tarih sahnesinden silinmesine sebebiyet verecek mahiyete sahip bu ve benzeri problemler karşısında, ikincilere nisbeten birincilerin yapmış olduğu faaliyetler her ne kadar takdire şayan ise de acaba istenilen ölçüde olumlu sonuç alınabilir mi? Benim şahsi kanaatim alınamayacağı istikametinde. Çünkü Muhterem Fethullah Gülen Hocaefendi'nin tabiriyle 'ortada bir ilk belirleyici' yani 'kutsala iman' yok. Allah'a iman yok, her bir amelin hesabının verileceği ahiret gününe iman yok, mükafat ve ceza, cennet ve cehennem inancı yok. Ortada İlahi asla dayanan ve bütün yanları itibarıyla insanı çevreleyen kutsal inancı olmayınca, bu tür uygulamaların yaptırım güçleri sınırlı olacaktır.

Halbuki ayakları sağlam bir şekilde yere basan, insanı zihin ve kalb dünyasında tatminkar eden bir iman/ilk kabul, insanın ferdi hayatında da, toplumsal hayatta da belirleyici bir rol oynar. İnanılan imanın müntesiplerinden uygulamak üzere istediği değerler, insanın zihni, fikri ve ameli aktivitelerini belirler. Hocaefendi'nin çok sık dile getirdiği bu hakikat yine onun yaklaşımları ile; kalbde, zihinde ve pratik hayatta sürekli işlenen bu değerler zamanla insanın ikinci fıtrat kazanmasına vesile olur. Böylesi insanların çokluğu bu yaklaşımın çevreye tesirini netice verir. Ve öyle bir zaman olur ki toplum hayatını çevreleyen maddi-manevi her şey buna göre dizayn edilir. Bir başka tabirle arka plan şartları bu anlayışa, bu kabule uyum sağlar. Bugün İslâm dünyasında veya Batı ülkelerinde yaşayan Müslümanlarda bahsini ettiğimiz arka plan şartlarının inanılan değerlerle örtüşmemesine rağmen, gerek yukarıda örneğini sunduğumuz alkol, uyuşturucu ve evlilik öncesi cinsel ilişkilerde, gerekse insanlığın geleceğini tehdit eden başka problemlerde Müslümanların alt sıralarda olması, ancak ferdi açıdan bu imanın yakalanmış olması ile izah edilebilir. Ferdi ve ülkeler bazında yapılan mukayeseler, istatistik sonuçları bunu doğrulamaktadır.

Öte yandan dünya görüşleri, hayat standartları ve ekonomik verileri itibarıyla insanın hayvani/cismani özelliklerine hitap eden kültür dünyası içinde yaşayan genç, söz verdiği şeylere muhalif hareket edebileceği zeminle yüz yüze geldiğinde -ki doğum günü partilerinden mezuniyet törenlerine, yaz kamplarından okul gezilerine, hafta sonu eğlencelerinden sinemalara, seyrettiği TV kanallarındaki programlardan önünde model olarak gördüğü başta anne babası olmak üzere ağabey, abla ve yakın çevresinin hayatlarına kadar her şey onu bohemliğe çağırmakta, cismani zevklerine hitap etmektedir- rahatlıkla parmağına taktığı yüzüğe ve verdiği söze rağmen aksini yapacaktır. Nitekim yapmaktadırlar.

Hadiseye bu açıdan baktığımızda, kendi dinî değerlerinden ciddi şüphe içinde bulunan, her fırsatta bunları sorgulayan tavrın hakim olduğu ve sosyal, siyasal, kültürel, hatta dinî şartların insanı dünyeviliğe çağırdığı bir dünyada, bu yüzük uygulamasının arzu edilen neticeyi doğuracağına, keşke inanabilseydim.

ABD'DEKİ YENİ AHLÂKÎ TARTIŞMA

Massachusetts eyaletinde eşcinsellerin mayıs ayından itibaren resmen evlenebilecek olmaları kararının üzerinden yaklaşık bir ay geçti.

Bu süreçte kamuoyu, siyasî ve akademik çevreler hadiseyi farklı boyutları ile tartıştı ve hâlâ tartışıyor. Geçen hafta gösterime giren Mel Gibson'ın "The Passion of the Christ" filmi söz konusu tartışmaları geri plana itti gibi gözüküyor. Fakat inancım o ki, film hızını kaybettikten sonra eşcinsellerin resmen evlilikleri işaret edeceğimiz yönleri itibarıyla yeniden bu ülkenin gündemine oturacak.

Bu bir aylık süreçte Massachusetts'e Kalifornia'ya bağlı San Francisco'nun eşcinsellere evlilik lisansı vererek katılması, hadisenin boyutlarının coğrafî olarak, tartışmanın ise siyasî ve hukukî bağlamda genişlemesine yaradı. Cumhuriyetçi vali Terminator'un ve Başkan Bush'un karşıt açıklamaları, sayıları 12 Şubat'tan bu yana 3200'ü bulan lisansların resmen verilmesine engel olamadı. Hatta eşcinsellerin evlenme törenlerine engel olma teşebbüsü de akim kaldı Terminator'un.

Eşcinsellerin resmî evlilikleri kamuoyunda farklı boyutları ile tartışılıyor dedik. Bunun en önemli boyutu siyasî ve siyasete bağlı olarak hukukî düzlemde cereyan ediyor. Bazılarının dile getirdiği "Konunun hukukî boyutu yoktur, bütünüyle siyasîdir" şeklindeki kaçamak güreşleri gerçeği yansıtmıyor. Çünkü Massachusetts'te alınan karara aykırı olarak hukuk makamlarına yapılan itirazlar,

San Francisco Belediyesi'nin eyalet kanununa yaptığı yorum gereği lisans dağıtması ve eyalet anayasa mahkemesinin meseleye el atması, hadisenin hukukî düzlemde ele alındığının göstergesidir.

Siyasî boyutta iki nokta çok önemli. Birincisi Başkan Bush'un açıkça önerdiği anayasa değişikliği. Bush, 'Hiçbir yoruma ihtiyaç olmayacak düzeyde, açık ve net olarak eşcinsellerin evliliğinin yasaklanmasını bir madde olarak anayasaya ekleyelim.' teklifini getirdi geçenlerde. Eğer bu gerçekleşirse eşcinsellerin resmen evlilikleri yasaklanacak ve halkımızın tabiriyle "hoşafın yağı kesilecek."

Fakat anayasa değişikliği dıştan zannedildiği kadar kolay değil bu ülkede. Anayasa değişikliklerinin tarihî geçmişi bu zorluğunu net bir biçimde gözler önüne seriyor. Şöyle ki: ABD Anayasası 1789'da kabul edilmiş. O günden bugüne tam 10.000 anayasa değişiklik önergesi sunulmuş Kongre'ye. Bunlardan –şimdi sıkı durum– sadece ve sadece 33 tanesi değişiklik için şart koşulan şartları haizmiş. 33 önergenin 7'si 2. Dünya Savaşı'ndan bu yana olmak üzere toplam 27'si kabul edilmiş. Sizin anlayacağınız 215 yıldır anayasa sadece 27 defa delinmiş. Bunu Türkiye gibi her darbe sonrası bir anayasayı bütünüyle değiştiren ülkelerde yaşayan insanların anlamasının ne kadar zor olduğunun farkındayım. Ama gerçek bu.

İkincisi; yaklaşan seçimler. Gerçi hem Bush, hem de Demokratların muhtemel adayı Kerry, eşcinsellerin evliliklerine karşı olduklarını açıkladılar kamuoyuna. Ama bir tek farkla; Kerry anayasa değişikliği yapılmasını istemiyor. Bununla Kerry'nin tribünlerle oynadığını düşünüyor siyasî çevreler burada. Çünkü Amerikan toplumunda eşcinsel olmasa da onların ferdî tercihlerine saygı ile yaklaşılmasını isteyen kişilerin çokluğu, bu türlü bir yaklaşımın daha uygun olacağını söylüyor. Böylece hem eşcinsellerin hem de onlara saygı duyanların oylarını alabileceğini hesap ediyor olmalı Kerry. Kaldı ki bazı üst düzey Demokrat ve

Cumhuriyetçi Parti yetkililerinin eşcinsel organizasyonları ile gizli görüşmeler yaptığı haberleri her iki tarafın da bu kesimi dikkate aldıklarının bir göstergesi olsa gerek.

Kültürel alana gelince; son günlerde yapılan anketlere göre halkın % 54'ü anayasa değişikliğine karşı; ama bunların ortalama % 50'si eşcinsellerin evliliklerine karışılmaması, kişilerin cinsel tercihlerine saygı duyulması gerektiğini düşünüyor. Oranın yüksekliği sadece siyasî açıdan değil kültürel, ahlâkî, dinî ve en genel anlamda insanî düzlemde oldukça düşündürücü.

Burada 3000-4000 kişi arasında yapılan anketlerin ABD geneline teşmili doğru değildir, tarzında bir yaklaşım maalesef doğru değil. Keşke olsaydı! Çünkü tekniğine göre yapılan anketler tıpkı seçimlerde olduğu gibi burada da çok az bir sapma ile doğruyu gösteriyor.

Avrupa'ya nispetle muhafazakâr bildiğimiz ABD insanının bu şekilde düşünmesinin nedenleri nelerdir? Belki başka bir yazı konusu; ama şu kadarını ifade edelim ki, bizim alabildiğine yabancısı olduğumuz demokrasi kültürü ve evrensel doğrularla uyum içinde olan dinî ve ahlâkî kuralların yaptırım gücünün olmamasının, ABD içinde böyle bir sonuca ulaşılmasının başlıca nedenleri arasında olduğunu rahatlıkla söyleyebilirim.

Garip ama eşcinsellerin evliliklerinde ticari boyut en azından diğerleri kadar rol oynuyor burada. Sigorta şirketleri eşcinselleri normal evli gibi kabul eden poliçelerini satışa sundu bile. Buna göre sağlık, hayat, araba, ev ve benzeri alanlarda ciddi değişiklikler gerçekleşmek üzere. TV'ler evlenen iki erkeğin veya iki bayanın ev eşyaları alım reklamlarını yayınlamaya başladılar. Mortgage bankaları ev alımlarında eşcinselleri aile olarak kabul edip kredi vereceklerini söylüyorlar şimdiden. Hiç şüpheniz olmasın çok yakında eşcinsellerin hayat stiline özgü Hollywood filmleri ile TV dizi filmleri devreye girecektir.

Gelelim işin dinî boyutuna; şu an itibarıyla Katolikler bu tarz bir evliliği onaylamadıklarını açıklamış durumdalar. Ama aynı hassasiyeti diğer Hıristiyan mezheplerinde henüz göremedik. Aksine birçok kilise eşcinsel nikahı kıyabileceğini kamuoyuna deklare etti. Kilise menşeli din ile üniversitelerde görev yapan bilim adamlarının teolojik düzlemdeki tartışmaları ise devam ediyor.

Bu arada tabanda daha basit ve güncel kaygıların yer aldığı hadiselere de şahit olmuyor değiliz. İsterseniz komik fakat komik olduğu kadar da gerçek bir kesit sunayım sizlere izlediğim bir TV programından: Papaz nikâh sonunda 'Gelini öp' der damada. "Şimdi" diyor adam "Eşcinsellerin evliliğinde kim damat, kim gelin? Papaz kime diyecek gelini öp diye?" Ardından söylediği şey ise alabildiğine ciddi ve bir endişenin ürünü; "Hadi birine dedi diyelim, ben bunu çocuğumla birlikte nasıl seyredeceğim TV ekranında? Sorduğunda nasıl bir açıklama yapacağım ona?"

ABD'de yaşayan kendisi, çocukları ve dinî, millî aidiyet bağı taşıdığı topluluk adına İslâmî kaygıları olan kişiler adına bu manzara oldukça endişe verici. Zira kim ne derse desin burada Müslümanlar dinî, millî ve kültürel kimlik krizi ile karşı karşıya. Hele ikinci nesil ne ana diline, ne dinine, ne de kültürüne vâkıf. Dolayısıyla kültürel etkileşimin bütün menfi unsurlarını bu nesillerde görmek mümkün. Uyuşturucudan kumara uzanan çizgiye eşcinselliğin eklenmeyeceğini kim garanti edebilir?

Nitekim Kur'an'ın açık ve net yasaklamaları, Hz. Lut (as) kavminin kıssasını gözler önüne sermesine rağmen, kendilerine göre getirdikleri yorumlarla eşcinselliğin İslâm'da caiz olduğunu iddia eden, web page'leri, dernekleri, vakıfları olan bir organizasyon da var burada. 1998'de kurulmuş olan organizasyon Washington adresli. 13 ayrı etnik kökenden oluşan 40 kişi ile ilk toplantısını Massachusetts'te yapmış. ABD içinde 7 büyük merkezde, ilaveten Londra ve Kanada'da şubeleri var. Bu yılki hedefleri ABD içinde özellikle Müslüman yoğunluğu olan yerlerde şube sayısını çoğaltmak.

Allah'ın insan fıtratına koymuş olduğu şehvet hissini, onu kullanım alanı adına kitap ve peygamberleri vasıtasıyla beyan buyurduğu çizginin dışına taşırmak son tahlilde insanoğlu için bir felakettir. Bu ve benzeri taşkınlıkların semavî ve arzî nice bela ve musibetlere sebebiyet verdiğini herkes bilmekte. Ferdi özgürlük deyip, onun fıtrat dışı sapkın inanış, anlayış ve uygulamaları kabullenen hatta kutsayan, bunun karşılığında toplumu ve onun maddî manevî sağlığını hiçe sayan bir anlayış, ne ABD'ye ne de bütün insanlığa felaketten başka hiçbir şey vermez/veremez.

Unutmamalı bizler de bu insanlık gemisinin içindeyiz. Gemi su alınca hep birlikte boğulmak mukadderdir. Öyleyse aman dikkat!

ELEKTRİK KESİNTİSİ VE
AHLÂKİ ÇÖKÜNTÜ

ABD gündem zenginliği bakımından artık Türkiye'yi aratmıyor. Malum Türkiye, gündeminin yoğunluğu itibariyle gazeteciler için cennet mekan sayılır. Özellikle yabancı gazetecilerin teşhisi olan ve onların baktığı perspektiften baktığımızda yüzde yuz doğru olan bu tespit şimdilerde Amerika için söylense yanlış olmaz diye düşünüyorum.

O kadar çok olay oluyor o kadar çok gazete ve TV haberlerine, tartışma programlarına konu oluyor ki bizim ilgi alanımıza giren olaylar, şahsen öncelik tanıma hususunda tereddütler yaşıyorum. Mesela neredeyse üzerinden 10 gün geçen ani elektrik kesintisi bunlardan bir tanesi. Etik değerler ve Amerika'lıların hissiyatı açısından her ne kadar vakit geçmiş bile olsa bir iki hususa temas etmek istiyorum.

"1965, 1977, 1958 yıllarında da elektrik kesilmişti. 4 bine yakın gasp hadiselerinden dolayı tutuklamalar, yalancı yangın alarm ve ihbarları, seferber edilen polis kuvvetleri, hapishanelerden kaçanlar vs. hepsini yaşadık. Ama bunların hiçbiri bu defaki gibi bir korku ve panik hali meydana getirmedi bizde." diyor yaşlı bir Amerika'lı. Ardından Allah'a teşekkür ediyor, "Eğer elektrikler, öğleden sonra saat 16.00'da değil de, daha geç vakitlerde; mesela hava karardıktan sonra kesilse idi, polisiye tedbirleri alma imkan ve fırsatı olmasaydı durum çok daha farklı olurdu." tespitini ilave ediyor.

Pekala, nedir bu defaki elektrik kesintisini diğerlerinden farklı kılan? Bunun bir tek cevabı var. Eminim Van'ın Güzelbahçe'sinde kar nedeniyle 6 ay en yakın yerleşim yeri ile ilişkisi kesilen köyde yaşayan bir vatandaşımız bile -yeter ki sadece TRT 1 haberleri ile dünya ile ilişkisini devam ettiriyor olsun- bu soruya doğru cevabı verebilir; 11 Eylül. Bir başka ifade ile yeni bir terörist saldırı endişesi.

Özellikle metropolitan bölgelerde yaşayan insanlar artık kendilerini eskiden olduğu kadar güvenlikte hissetmiyorlar Amerika'da. Olağandışı her hareket, her farklılık onlarda mevcut olan korkuyu derinleştiriyor. Sokak aralarına "Etrafınızda gördüğünüz şüpheli hareketi şu numaraya bildirin" yazılı levhalar asılmaya başlandı New Jersey'de. Sanırım terör ile çok daha önceleri tanışmış, onlarca aile ferdini teröre kurban vermiş, can, mal, namus güvenliği olmayan ülkelerdeki insanları daha iyi anlamaya başlamıştır sokaktaki Amerika'lı şimdi. Sadece TV ekranlarında, haberlerde, haftalık haber magazin programlarında, Hollywood filmlerinden tanışık olduğu manzaraların her an kendi başına da gelebileceği endişesi onları da sarmış durumda.

Aslında durum gerçekten bu kadar kötü mü? Amerikan idaresi 11 Eylül sonrası aldığı istihbarat ve güvenlik tedbirleri ile bu sorunu çözmedi mi? Çoklarına göre fazlası ile çözdü; ama bu halkta var olan korku ve panik halinin sürekli ve canlı tutulmasının, Bush yönetiminin şuurlu bir politikası olduğu söyleniyor buralarda. Neden? İç ve dış politikadaki uygulamaları adına kamuoyu desteğini alabilmek.

Fakat bu durum tabandaki insanın maddi ve manevi hayatını nasıl etkiliyor? Şahsi kanaatim her meselede ilmi düşünce ve verilere dayanarak, üniversitedeki öğretim görevlilerine müracaat ederek ya da anketler yaparak politika geliştirmesiyle ünlü Amerikan yönetiminin bu çerçevede ciddi bir analiz yaptığını söylemek oldukça zor.

İnsanı birbirinin kurdu haline getirecek bir yapıya doğru gidiyor Amerika. Yabancı düşmanlığı aldı başını gidiyor. 15 bine yakın Müslüman'ın sınırdışı haberi ile çalkalanmıştı haber bültenleri iki ay kadar önce. Şimdilerde geçici vize statüsüne sahip insanlar için Amerika cennet olmaktan çıktı. Fırsatlar ülkesi kavramı yabancılar adına artık tarih oldu. Green kartı olmayanlar iş bulmakta zorlanıyor. Mühendis kökenlileri göçmenlik bürosu işsizliği bahane göstererek reddediyor. Basit ama hayatın yalın ve çıplak gerçekleri bunlar.

Bu korku ve panik hali devam ettiği müddetçe de belki yönetim içeride yabancılara, dışarıda mesela Irak ve Ortadoğu politikasında halk desteğini arkasında bulacak; ama bu uzun vadede kendi bindiği dalı kesme gibi bir sonuç çıkartacak gibi.

Elektrik kesintisinde etik yön dedik yazının başında. O gün hemen herkesin endişe ettiği hususların başında yağmalama ihtimali gelmişti. Özellikle önceki kesintileri yaşayanların hafızalarında hâlâ canlı olan söz konusu manzaraların tekrarlanıp tekrarlanmayacağı merak konusu oldu akşama kadar. Sadece New York City'de 40.000 polis extra olarak görevlendirildi. Ertesi gün korkulan olmadı, denildi tüm haber bültenlerinde. Korkulan olmamasına rağmen 850 kişiyi tutukladı New York polisi o gece. Korkulan olsaydı sonuç ne olurdu onu kestiremiyorum!

Bütün dünya televizyonlarında gösterilen o güzelim dayanışma manzaralarının yanında bu tablonun da görülmesi gerekmez mi? Hırsızlığın en adi şeklinden biri değil midir yağmacılık?

Hem de insanların dayanışma, birlikte hareket etme mecburiyetinde olduğu felaket günlerinde. Şahsen ben o günden bugüne çok yakından takip etmeme rağmen yetkililerden resmi veya gayri resmi değerlendirme yazısı okumadım.

ÖLMÜŞ GENÇLİKLE SAĞ KALMIŞ MİLLET GÖSTERİLEBİLİR Mİ?

ABD'de hayatın çeşitli alanlarında yapılan birkaç istatistik sunacağım aşağıda: Üniversite talebeleri arasında en çok ölüm oranı trafik kazalarında.

Pekala ikinci sırada ne var dersiniz? İsterseniz bu sorunun cevabını vermeden, size doğru tahmininize yardımcı olma adına bir başka rakam sunayım; Time dergisinin 22 Mayıs sayısında verdiği habere göre, Pittsburg Üniversitesi ile Milli Anket Danışma Kurulu işbirliği içinde gerçekleştirilmiş anket sonucu çıkmış bu rakam. Üniversite 1. sınıf talebeleri arasında psikiyatri ilacı alanların oranı, inanılması zor ama gerçek; % 95. Yatılı yurtlarda oda arkadaşlarına zarar verme ve bu yüzden tazminat alma ile ilgili davaların ise haddi hesabı yok.

Neyse, sorumuzun cevabına geçelim; üniversite talebeleri arasında trafik kazalarından sonra en çok ölüm sebebi; intihar. Geçen sene tam 1.100 intihar vakası tespit edilmiş. Bu yüzden bazı üniversiteler tedbirler almaya başlamışlar şimdiden. Mesela; bir üniversite, intihar eksenli 4 sezonluk dersi mecburi kılmış talebelerine. Bir başkası, danışmanların tavsiyesi ile sorunlu talebelerine tedavi olmaları için her türlü imkanı seferber ediyor.

Bir başka manzara; liselerle alakalı. Dropout nation (okulu yarım bırakan millet) başlığı ile sunulan bir gerçek. ABD'deki her üç lise talebesinden biri mezun olamıyor bugün. Hispanik ve zenci kökenli Amerikalılarda bu oran % 50'ye çıkıyor. Düşük gelirliler, zenginlere nispetle 6 kat önde. Pekala ne yapıyor bu gençler diyecekseniz; o ayrı ve alabildiğine üzücü bir hikaye: Piyasada vasıfsız işçi olarak saat ücreti ile ne iş bulurlarsa çalışıyorlar. Fakat 200 kişiden 190'ı işi yarıda bırakıyor.

Bir başka ifadeyle, bu 200 kişi içinden daimi işe devam eden, meslek sahibi olan sadece 10 kişi. Ayrıca liseli talebelerden dolayı işe başlama yaşı 18'den 16'ya düşmüş durumda şu anda.

Yalnız bu da bir başka problem: Eğitimini yarıda bırakan bu talebelerin hadiseye bakış açıları. Derler ki: "Eskiden bizim durumuzda olanlara yardım edilirdi okul idaresi, aile ve çevre tarafından. Şimdi ise bir tekme de onlar vuruyorlar. Onun için, bu probleme bir isim koyacaksanız, dropout nation yerine 'pushout nation/dışlanan, itilen ve kakılan millet' demelisiniz."

Sunacağım bir diğer tablo, doğum oranlarındaki düşüşle alakalı. Gerçi bu sorun sadece ABD'nin değil, genelde gelişmiş, sanayileşmiş tüm ülkelerin en büyük sorunlarından bir tanesi. Avrupa'daki rakamlar ABD'ye nispetle çok daha korkunç ve ürpertici, ama buradaki rakamlar da Avrupa'dan çok düşük değil. Bu sonuç şaşırtıcı olmamalı sizler için; çünkü sözü edilen problemin sebepleri adına tespit edilen şeyler, aynıyla ABD'de de var, hatta fazlasıyla var. Yani gelir düzeyinin yüksekliği, az çocuk isteği, şehirleşmenin gelişmesi, kadınların eğitimi ile iş dünyasındaki etkinlik ve yoğunluğun artışı, geç evlilik veya evlilik oranlarının düşüşü, boşanmanın çokluğu vb. sebepler, içine girilen sürecin maddi sebepler açısından izahına yarayacak veriler.

Kanunun rakamlarla ifadesi ise şöyledir: Almanya 1,4, Polonya 1.2, İtalya 1.3, Rusya 1.3; ABD'ye gelince 2.1. Rakamı Avrupa'ya nispetle yükselten unsur, tahmin edeceğiniz gibi Hispanik ve Afrikan-Amerikan denilen zenciler. Oran, Hispanik kökenlilerde 1,9, zencilerde ise 2.

Rakamların diliyle resmetmeye çalıştığımız son manzara suç oranları ile alakalı. 2005 yılında, bir önceki yıla nispetle 56 bin 428 kişi daha katılmış suçlular listesine. 300 milyonluk dev bir ülkede 56 bin fazlalık bir şey değil diyebilirsiniz ilk etapta; ama dikkat edin sözü edilen rakam mevcuda ilave ve haftada bin kişi. Bu çerçevede bir başka gerçek, hapiste yatanların oranı ve mahkeme sistemi ile ilgili. Şu an hapiste yatanların % 62'si mahkemeleri neticelenmediği için içeride bulunuyormuş, yoksa mahkeme süreci bitmiş ve hükümlü oldukları için değil!..

Bu ve benzeri manzaraları bir araya toplayıp, resme bir bütün olarak bakmayı başarabilirseniz, ister ilgili ülke, isterse insanlık adına geleceğimizle alakalı doğru tahminlerde bulunabilirsiniz. Bu tablo göstermektedir ki, adına medeni ve modern dediğimiz Batı toplumu farklı ve yeni bir insan modeli oluşturmaktadır. Yeni oluşan bu modeldeki insanın, dünya görüşü, hayat tarzı, beklentileri, korkuları, ümitleri klasik dönemlere nispetle çok ama çok farklıdır. Bu tabloyu şekillendirenler, farklılıklara istedikleri ölçüde cevap bulamayan insanlardır.

Bir başka nokta, medeniyetlerin dönüşümü perspektifinden manzaraya bakıldığında ortaya çıkan sonuçtur. 16. yy'dan beri yaklaşık 4 asır, neresinden bakarsanız bakınız, Avrupa ve Amerika'sı ile Batı medeniyetinin insanlık üzerine hakim olduğu bir zaman dilimidir. Bu süreçte Batı, neredeyse tüm dünyanın farklı alanlarda kaderine hakimdir ve yöneticiliğini yapmaktadır. Baskıcı, dönüştürücü, başkalaştırıcı, ötekileştirici bu medeniyet anlayış ve uygulaması, kemal noktasından inişe geçmiştir. İşte söz konusu olaylar ve rakamlar, bu inişin resmidir.

Son husus; acaba bu manzara bir sonuç mudur yoksa daha kötü sonuçlara yol açacak bir sebep mi? Bulunduğunuz yere göre değişir bu sorunun cevabı. Dinî bir gözlükle bakıyorsanız; 'bir sonuçtur; çünkü ektiğini biçiyor, mazlumun ahı, İlahi adaletin dünyadaki aksi' der veya 'bir sebeptir, bundan çok daha kötü günler yolda' diyebilirsiniz. Toplum sosyolojisi, tarih felsefesi gözlüğü ile bakıyorsanız; 'sonuçtur; zira 'bilinen son, zaten bu aşamaya geleceği belliydi, ama bu kadar çabuk beklemiyorduk' veya 'sebeptir, bunun sonuçları yakın bir zamanda tezahür edecek' diyebilirsiniz. Fütürist bir gözlük kullanıyorsanız; inişe bedel çıkanları da nazara alarak, ömür biçmeye kalkar, tahminlerde bulunursunuz, bir çeyrek, iki çeyrek vs. dersiniz. Ardından hadiselerin sizi doğrulamasını beklersiniz.

Hasılı; resmedilen manzaraya, ister hemen her toplumda gözüken geçici, ara dönem krizi deyin, ister felsefî, dinî, ahlâkî, kültürel, sosyal, siyasî ve ekonomik yapının ortaklaşa ortaya çıkardığı sonuç deyin, içinde yaşadığımız problemli dünyanın bir kesitinden gerçek görüntülerdir. Biz ise bu gerçeğin içinde, yanında, önünde, arkasında hayatını sürdüren varlıklarız. Düzeltmek elimizden gelir veya gelmez ayrı bir hadise; ama en azından nerede ve hangi şartlarda yaşadığımızın farkında olmamız gerekmez mi?

Yazının başlığını milli şairimiz M. Akif Ersoy'dan mülhem koymuştum. Aslı şöyle:

"Bu hissizlikle cemiyet yaşar derlerse; pek yanlış.

Bir ümmet gösterin, ölmüş maneviyatı ile sağ kalmış."

Hakikaten var mı, ölmüş maneviyatı ile sağ kalmış bir millet insanlık tarihinde?

DİN-TİCARET İLİŞKİSİ VE C 28

Bu yazımda dinin ticarete alet edilmesi üzerinde duracağım. Yalnız baştan bir hususun belirtilmesi gerekli; din- ticaret ilişkisi konuşulduğu zaman İslâm, Hıristiyanlık, Yahudilik vb. din ayırımı yapmaksızın mutlak manada din deyip birtakım yargılara ulaşmak yanlış olur.

Çünkü her dinin ister hukukî isterse ahlâki seviyede müntesiplerine sunduğu değerler vardır ve bunlar birbirinden farklıdır. Mahiyet, yaptırım güçleri ve uygulama alanları itibarıyla farklıdır. Bir de değişmeyen temel esaslar istikametinde din alimlerinin yorumları ile zaman ve mekan şartlarına göre değişen ticarî dinî hükümleri de devreye koyarsanız kimilerine göre iş, içinden çıkılmaz hale gelir. Bu açıdan mutlak anlamda din ve ticaret demek, dinî değerlerin ticarette alet edilmesinden bahsetmek, söz konusu ayırım yapılmadığı müddetçe doğru değildir.

Bu genel girişten sonra sizlere üç örnek sunmak istiyorum: Bir emlakçı dükkanına ev almak için girdiğinizi ve daha merhaba bile demeden sekreterin veya dükkan sahibinin, "Önce Allah'a dua edelim" cümlesi ile karşılandığınızı düşünün; tepkiniz ne olurdu acaba? Veya, jimnastik salonuna gidiyorsunuz; duyuru panosunda bazı isimler ve altında: "Bu kardeşlerimizin sağlıklı bir şekilde kilo vermesi için dua edelim" cümlesi. Saçınızı tıraş ettirmek ve masaj yaptırmak için kuaföre yolunuz düşüyor; aynı manzara. Masaj yapanların liderliği altında Rabb'e dua ediyorsunuz. Tıraş ve masaja para ödüyorsunuz ama duaya hayır.

Bunların hepsi bugün ABD'de çok yaygın olmasa da karşılaşabileceğiniz manzaralardan. İsterseniz cadde ve sokaklarda görebileceğiniz birkaç levha daha sunayım sizlere örnek olarak: "Christian Bank: Hıristiyan Bankası; Christian Card Dealership: Hıristiyan Araba Galerisi; Christian Gym: Hıristiyan Jimnastik Salonu; Christian Faith Driving School: Hıristiyan Şoför Okulu; Christian Moving Companies: Hıristiyan Taşıma Şirketi; Christian Building Contractor: Hıristiyan İnşaat Şirketi; Christian Internet-Servise: Hıristiyan İnternet Servisi.

Bunlardan bir tanesi hakkında detaylı malumat sunayım sizlere; Küba asıllı Aürelin Barreta isimli bir Amerikalı vatandaş İncil'de bir bölüm adı ve âyet numarasından hareketle C 28 (Colossians 2:8) adını verdiği bir mağaza açıyor 11 Eylül'den sonra. "100 milyonu aşkın Hıristiyan var bu ülkede. Bunu ticarete dönüştüreyim diye düşündüm." diyor Aürelin. Bu karara varmasında en önemli etkenin, 11 Eylül'den sonra halk arasında çıplak gözle müşahede edilecek oranda artan dinî değerlere sahip çıkılması olduğunu belirtiyor. Genç Hıristiyanlara yönelik tamamıyla giyim, müzik, mücevherat vb. eşyaların satıldığı bir mağaza bu. Zincir mağaza olma yolunda ve 2001'den bu yana sayıları 6 olmuş. Para kazanıyorlar mı diyecek olursanız; elbette. 2 milyon dolara yakın ciro yaptığını söylüyor mağaza sahibi. Bu arada bir ek bilgi; 4 yıl önce 10 milyon dolar sermaye ile işe başlayan Hıristiyan Bankası'nın da şu an 590 milyonluk bir sermayeye sahip olduğunu yetkililer ifade ediyor.

Konumuza dönelim; C 28'lerin dinî bir misyonu da var; alışverişin ötesinde manevi açıdan bunalım geçiren, Hıristiyanlığı kilisenin öğretileri dışında öğrenmek isteyen insanlara yol gösteriliyor buralarda. Web sayfalarında da rahatlıkla görebileceğiniz gibi hedeflerinin Hıristiyanlığın öğretileri doğrultusunda hayat stillerini değiştirmek olduğunu açıkça ifade ediyorlar. 4 yıldan bu yana bu mağazalara gelerek -hadi bizim terminoloji ile diyelim- hidayet eden 1611 kişi olmuş. Her türlü sorunuza cevap alabiliyorsunuz buralardan.

28 Şubat'ın hâlâ devam eden ezici baskısını yaşamış/yaşayan ülkemizde böyle bir şeyin Müslümanlık adına yapıldığını tahayyül edebilir misiniz bilmiyorum? Harici ve dahili mevcut dengeler açısından bunun getiri ve götürüleri ne olur onu da tahminde zorlanıyorum. Yalnız ABD ekseninde verdiğimiz bu örnekten hareketle bir hususun gözden kaçırılmaması gerektiğini düşünüyorum: dinî fanatizm.

11 Eylül'den sonra başta ABD olmak üzere dünyada her şeyin değiştiğini herkes söylüyor, görüyor ve yaşıyor. Bundan en çok etkilenenler de hiç şüphesiz dünyanın neresinde yaşıyor olursa olsun Müslümanlar. İslâm dininin terörle özdeşleştirilmesi, Batı medyasının bindiği dalı kesercesine 'toptancılık ve heptencilik' mantığı ile bütün Müslümanları aynı kefeye koyması bu süreci Müslümanlar aleyhine hızlandıran bir faktör. Önyargıların hakim olduğu, bilgisizlik ve kayıtsızlığın etkin rol oynadığı bu sürecin İslâm dünyasında fanatik ve radikal grupların ekmeğine yağ sürdüğü, Amerikan karşıtı, Batı karşıtı bir eğilimi artırdığı da bilinen bir gerçek.

Ama bu yaklaşım Müslüman düşmanlığını esas alan bir çıkışla Hıristiyanlık ve Yahudilik içinde de bir fanatizme, bir radikalizme kapı aralıyor. Tarihî zeminin müsait oluşu faktörünü de buna ilave edecek olursanız karşımıza çıkan tablo gelecek nesiller adına ürperti verici.

Şahsen ben yukarıda örneğini sunduğum gerek C 28'lerin gerekse Hıristiyanlığı esas alan organizasyonların isimlerini bizzat zikrederek Hıristiyan müşterilere hizmeti düşünen ticarî yapılanmaların para kazanma mantığı ile kurulduğunu zannetmiyorum. Haydi öyle olduğunu kabul edelim; zaman içinde bu ve benzeri kuruluşlar önce zihniyet, daha sonra da hayatın içinde fiilî olarak Hıristiyan ve öteki ayırımının oluşumunu netice verecektir. Bu 'diversity; çoğulculuğu, çeşitliliği' kuruluş temeline oturtmuş, dinî, kültürel ve etnik yapısı ile bu tür bir yapılanmaya hâlâ muhtaç olan ve dünya gemisinin kaptan makamında oturan bir ülkede olursa tehlikenin boyutları daha da yüksek demektir. Sıradan hadiseler sıra dışı sonuçların meydana gelmesinde kimi zaman en büyük amil olur. Mühim olan teker teker karelere bakmak değil, o karelerin oluşturduğu ve yakın veya uzak gelecekte oluşturması muhtemel büyük resme bakabilmek ve ona göre düşünceler üretebilmektir. Stratejik düşünce bunu gerektirir. Sorumluluk anlayışı bunu amirdir. Ve bütün bunlarda hedef kendimizi düşünsek dahi tüm insanlık olmak zorundadır. Zira globalleşen bir dünyada başka türlüsünü ne düşünmek ne de uygulamak mümkündür.

KİLİSEDE AZALAN CEMAAT

"Üyelerinin gün geçtikçe azalması gelecek adına kiliseleri endişeye sevkediyor." Herald News'in manşeti idi bu cümleler geçen gün.

Haberin özeti şu; son yıllarda ölüm, evladlarının yanına yerleşme, huzur evlerine taşınma vb sebeplerle tedrici olarak azalan dindar, genç nüfusun kiliseye rağbet etmemesi ister istemez kilise idarelerini endişeye sevkediyor. Anlaşılabilir bir endişe bu. Bu endişenin basın yayın yoluyla kamuoyu ile paylaşılması ise destek toplama çalışmalarının bir uzantısı. Çünkü kilise cemaatını artırmak için alınan bir dizi tedbirler var ama bugün itibariyle o tedbirlerin kalıcı sonuçlar doğuracağı ayrı bir endişe konusu. Çünkü gözle görülür bir ilerlemenin olmadığı muhakkak.

Bir Müslüman olarak bu manzaradan dolayı sevinçlere gark olduğumu düşünmenizi istemem. Tam aksini düşünüyorum; Hıristiyanlık gibi bugün insanlık olarak sahip olduğumuz siyasal sistemlerden, kültürel yapılara, ekonomik ve hukuki doktrinlerden ahlâki değerlere varıncaya kadar hemen her alanda dün ve bugün, mazide ve halde kendisini gösteren, etkilerini hissettiren bir dinin konumunu muhafaza edememesi dünya genelinde başka problemlerin doğuşunu netice verir.

Hıristiyanlığa ister kendi içinden isterse dışarıdan sunulacak ve kitlelerin genel kabulüne mazhar olacak bir alternatif olursa, sözünü ettiğimiz başka problemlerin boyutu ve alanı daralabilir, azalabilir. Ama şu da unutulmamalıdır ki dinin alternatifi ancak bir başka din olabilir. Felsefi sistemler, ilahi mesnedden yoksun inanç ve ibadet öğretileri, beşer zihninden çıkan toplum hayatını düzene koymak için ortaya konan doktrinler dinin alternatifi olamaz. Bu çerçevede maziye doğru yapılacak bir yolculuk böylesi nice gayretlerin varlığını ve her defasında da iflasla neticelendiğini gösterecektir.

Kaldı ki Kur'an'ın "Allah dileseydi hepinizi bir ümmet yapardı" âyeti de unutulmamalı. Farklı dinler, farklı anlayışlar, farklı yorum ve tatbikatlar insanlık ailesini oluşturan mozayiğin parçalarından ibarettir. Burada parçalara yapılacak yıkma, yok etme hamlesi ve bir çok çözümü imkansız problemlere kapı açacaktır.

Belki bu düşünceye farklı bakış açılarından yaklaşıp karşı çıkanlar olabilir. Mesela, bazıları Batı'nın mevcud durumunu İslâm'ın hak din olarak Hıristiyanlar tarafından kabulünün zemini olarak görebilir. Doğru. Gerçekten Hıristiyanlığın ister akidevi, isterse pratik hayata yönelik getirdiği değerlerin aklı ve fiili tatminsizliğinden başka yollar arayanlar çıkabilir. Nitekim çıkanlar olduğu gibi. Ve bunların bir çoğunun yolculuğu İslâm ile tanışmakla neticelenebilir.

Ama bunların kitlesel anlamda gerçekleşmediğinin farkında olmak zorundayız. Onları İslâm'a çeken şey ferdi gayretler, birebir ilişkiler ve teorik düzeyde yapılan araştırmalardır. Kur'an-İncil mukayesesidir sözgelimi. Bu boşluk ve arayış noktasında rol oynayacak en etkili faktör, hiç şüphesiz İslâm'ın Müslümanlar tarafından hayatın hemen her alanında güçlü bir şekilde yapılan temsilidir. Ama ne yazık ki, İslâm dünyasında ferdi ve içtimai veya siyasi, ekonomik, kültürel, ahlâki hemen her alanda ciddi denebilecek ölçüde temsil zaafiyeti vardır. Günümüzün Müslümanları tarafından hayata tatbik edilen İslâm ile genel anlamda bir yere varılabileceği su götürür bir mevzudur. Onun için bizlerin başkalarının zaafiyetlerinden ziyade kendimize yönelmemiz,

İslâmi yaşayışımızı sorgulamamız gerekmektedir. İnanıyorum ki bu tarz bir yaklaşım daha kesin ve daha kalıcı sonuçlar doğuracaktır.

Bu hadisenin dikkate değer bir başka yönü, basının olaya yaklaşım tarzıdır. Türkiye'de basın ve din ilişkisini dünü ve bugününü nazara alarak bir mukayeseye gittiğimizde haberin manşet yapılmasından sunuş tarzına kadar bambaşka bir üslubla takdim edildiğini görürüz. Eğer böyle bir durum Türkiye'de İslâm için söz konusu olsaydı, yani camiler cemaatsiz, cemaatsizlikten kapanmakla yüz yüze bulunsaydı, herhalde eteklerine zil takıp oynayan bir sunum tarzı ile karşılaşırdık. Mensubu olduğu dinin taraftar toplaması için gayret gösterenler vatan haini ilan edilirdi. Hâlâ bir bardak suda kopartılan suni fırtınalara, okyanus aşırı ülkelerden bakınca din gerçeğini kavramada ne kadar yayan olduğumuzu görüyor ve utanıyorum.

Evet, bu hemen her fırsatta ısrarla vurgulanan zihniyet probleminin, dinin fert ve toplum hayatındaki yerini idrak edememenin göstergesidir. Halbuki tabiat boşluk kaldırmaz. Fıtrattaki kutsala, müteala inanç ihtiyacını görmezden gelirseniz, her fert bu boşluğu başka şeylerle doldurma çabası içine girecektir. Satanizm ve benzeri sapık akımların söz konusu ettiğimiz inanç boşluğunu vicdanında yaşayanlar tarafından benimsenmesinin altında bundan başka bir şey yoktur.

Keşke Batı toplumlarının genelinde var olan din gerçeğini kabul anlayışına sahip olabilseydik! Keşke din olarak İslâm'ın diğer dinlerle olan mukayesesini teorik düzeyde yapıp, elde ettiğimiz sonuçları içselleştirebilseydik. Keşke Kur'an ve Hz. Peygamberin genel geçer emir, tavsiye ve yasakları çizgisinde bir hayat şeklini hayatımıza hayat kılabilseydik. Keşke bu canlılığı şuur düzeyi alabildiğine yüksek biçimde her anımıza hakim kılabilseydik. Keşke!

ABD'DE SUÇ SAATİ

Her 3 saniyede hırsızlık kastıyla evlere girilme, her 4 buçuk saniyede kapkaççılık, her 15 saniyede bir hırsızlık, her 23 saniyede şiddet, her 25 saniyede oto hırsızlığı, her 37 saniyede şiddet düzeyi yüksek saldırı, her 1 buçuk dakikada soygun, her 5 buçuk dakikada ırza tecavüz ve her 32 dakikada bir öldürme olayı.

Bu, yeni açıklanan 2003 istatistik rakamlarına göre ABD'nin suç saati göstergesi. İsterseniz aynı gerçekleri bir başka dille ifade edelim; her 14 Amerikalıdan birisi öldürülme, taciz, şiddet, tecavüz ve hırsızlık suçundan etkilenmiş, her 6 Amerikalı'dan biri ise kapkaççılık ve oto hırsızlığına muhatap olmuş 2003 yılında. Tam rakamlar ise şöyle: 1.381.000 öldürme, taciz vs, 10.436.000 oto hırsızlığı, kundakçılık, 16.503 kişi ise öldürülmüş. Buna bağlı olarak 2,1 milyon kişi hapiste şu an. 4,8 milyon kişi ise şartlı tahliye edilmiş, polis ve yargı denetimi altında hayatlarını idame ettiriyorlar. Maddi açıdan 2003 bütçesinden suç ile mücadele adına harcanan para miktarı ise 120 milyar dolar.

Ne tarafından bakarsanız bakın, bu manzaranın iyi ve güzel gözüktüğünü söylemek zor olsa gerek. Bu yüzden ABD içinde şu anda gerçek anlamda hapiste yaşayan kişilerin kim olduğu sorusu ciddi ciddi soruluyor. Hapishanelerde yaşayan mahkumlar mı gerçek hapis hayatını yaşıyor, yoksa modern toplumda kendilerini özgür zanneden ama korkularının esiri halk kitleleri mi? Öyle ki bu insanların güvenli bir hayat sürebilmeleri için devlete ödedikleri verginin ötesinde ev ve arabalarını korumak için alarm sistemi, can ve mallarını muhafaza adına da güvenlik şirketlerine verdikleri paranın haddi hesabı yok.

'Amerikan dream; Amerikan rüyası' içinde uyuyan-kalkan bizim de içinde yer aldığımız kategorideki ülke insanlarına bu manzara bir şey anlatır mı bilemem; ama bu, hakikatin ta kendisi. 11 Eylül sonrası Afganistan ve Irak saldırıları için tabanın desteğini almak için sürekli pompalanan terörist saldırı korkusuna ilave edeceğiniz bu durum hayatı zehir etmeye yetiyor. Zaten yukarıda 'Gerçek mahkum kim?' sorusunun altında bu ruh haleti var. Bu topraklarda yaşayan hemen herkesin her gün yüz yüze geldiği ya da gelme ihtimali bulunan bu durum, muhtemel terörist saldırılarının çok daha önünde ABD insanının gündeminde ve zihnini meşgul ediyor.

Nitekim seçim sonrası kürtaj, eşcinsel evliliği gibi ailevi ve ahlâki değerler ile iç güvenlik konularında başkan adaylarının ortaya koyduğu projeler, bu projelerin inandırıcılığı seçimin galibini belirleyen faktörler arasında yer aldı. Hem de ekonominin çok çok önünde. Öyle ki oy kullanma sonrası yapılan anketlerde (exit poll) her 5 kişiden biri, ahlâki değerler ile iç güvenliği her şeyden daha çok önemsediğini belirtti. Yukarıda rakamlarla bizzat yetkililerin tasvir ettiği manzara, ahlâki alanda dibe vurmanın, yozlaşmanın itiraz kabul etmez göstergesi, iç huzurun adım be adım çökmeye doğru gittiğinin resmidir. Bu noktada insan şöyle düşünmeden kendini alamıyor; dünyaya nizamat verme adına ünlü üniversitelerinde, yine dünyaca ünlü bilim adamlarının ürettiği felsefi, siyasi, sosyal, ahlâki teoriler ilk defa bu toplum içinde aks-i seda bulmalı değil mi? Bu aks-i seda ferdi ve içtimaî anlamda maddi ve manevi açıdan herkesin ve her devletin imrendiği bir modelin ortaya çıkarmalı değil miydi? Cevap teorik olarak 'evet'tir. Ama pratiğin bu 'teorik evet'i yalanladığı gün gibi aşikâr. Öyleyse bu ikileme nasıl açıklık kazandırabilir?

Bilim adamlarının maddi bir gözlükle bu ve benzeri sorular dizesine verdiği cevaplar meydanda; zengin-fakir arasındaki derin uçurum, parçalanmış aileler, eğitim ve öğretimdeki aksaklıklar vs. Bunların hepsi doğru olabilir sebepler planında. Ama bunun İlahi kader nezdinde başka bir izah tarzı yok mudur acaba? İlahi adaletin bir tecellisi olamaz mı mesela? Ya da dünya çapında yapıla gelen haksızlıklara gerekli tepkiyi göstermeyenlere aynı türden sayılabilecek bir ikaz olarak değerlendirilemez mi?

Bu vesile ile insan hakikatinin değişmediğini bir kere daha hatırlamakta fayda var. İyi ve kötü yanları, dünya ve ukbaya açık özellikleri, şeytani ve meleki hususiyetleri ile insan hiç değişmiyor. Bu açıdan kutsal kitapların ve peygamberlerin yeryüzüne geliş gayesi olan insanı hakiki insanlık seviyesine çıkartma, bir başka ifadeyle, insan denilen varlıkta suret ve siret bütünlüğüne ulaşma çabalarına hız verilmesi gerekir. Zira yukarıdaki tabloyu değiştirebilecek tek şey budur. İnsanî ve evrensel doğrular taban nezdinde eğer İlahi bir kaynağa dayanmıyorsa, teoride olmasa bile pratikte kendine yer bulmakta zorlanıyor. Me'hazın kutsiyeti bu açıdan çok önemli.

Ama burada kutsala giydirilen anlam ve buna bağlı olarak kutsal kabul edilen değerler çok farklı olduğu için İslâm dünyası ve geleceği dendiği an akla, hayale sudur eden ümitten bahsetmek zor. Bununla Batı insanının ebedi hakikatlere bütün bütün bigane kalacağını söylemek istemiyoruz. Tam aksine; nasıl bizde Batı'nın duyguda, düşüncede, pratik hayatta süslü, şaşaalı ve cazibeli dünyasına teslim olan, etkilenen insanlar (mustağripler) çıktı ise, bu dünyadan da Doğu'nun temsilciliğini yaptığı İlahi ve ebedi hakikatlere bel bağlayan insanlar, nesiller mutlaka çıkacaktır. Yeter ki bu ezeli ve ebedi hakikatlerin bugün itibarıyla sahibi olan, temsilciliğini yapan ya da yapıyor gözüken insanlar davranışları ile Ona gölge etmesin.

ABD'DE VATANSEVERLİK ANDI VE SON TARTIŞMALAR

Her şey kendini ateist olarak tanımlayan Michael Newdow'-un Kaliforniya eyaletine bağlı Sacramento'da 9 yaşında ilkokula giden kızının her sabah okullarda söylenen vatanseverlik andındaki –yurttaşlık veya sadakat yemini de diyenler var– "Under God; Allah'ın koruması, muhafazası ve gözetimi altında" sözünü söylemesine yaptığı itirazla başladı. Kısaca "inanma veya inanmama hakkı" şeklinde özetlenebilecek dini özgürlüğe muhalif olduğu iddiası ile mahkemeye başvuran Newdow'un davası, şu anda Amerika'nın dinî, siyasî ve medya gündeminde tartışılan konuların başında geliyor.

Vatanseverlik andı, ilk defa 1892 yılında Francis Bellamy tarafından kaleme alınmış. Baptist bir vaiz olan Bellamy, aynı zamanda bir sosyalistmiş. Bellamy'nin yazdığı antta Amerikan bayrağına bayrağım diyen, bir millet halinde onun gölgesi altında birleşen herkese özgürlük ve adaletle muamele edeceğine yemin ediliyor. 1954'e kadar bir iki küçük değişiklikle –mesela "my flag; bayrağım" yerine "to the flag of the United States of America; Amerika Birleşik Devletleri'nin bayrağı"– yapısını koruyan ant, bugünkü tartışmalara temel teşkil eden değişikliği 1954 yılında almış. Başkan Eisenhower'ın "Savaşta ve barışta ülkemizi en güçlü kılacak olan, dinî değerlerdir." cümlesi ile müdafaa ettiği değişiklik teklifi Kongre tarafından kabul edilmiş ve ant "under God" ilavesi ile okunur olmuştur.

Bir kesimin iddiasına göre devlet okullarında her sabah 7,2 milyon olduğu söylenen ilk, orta ve lise çapındaki öğrenciler tarafından okunan bu yeminde geçen "under God" sözcüğü, anayasal bir hak olan din özgürlüğüne muhaliftir. Zira en iyimser tahminle söz konusu rakamın % 15'i, tek tanrılı veya hiçbir dine inanmayan bir kökene mensup Amerika'da. Devletin ise bırakın bu kadar insanı, bir tek kişiye bile inanmadığı bir şeyi ezberletme, söyletme hakkı yoktur. Ayrıca "under God" ilavesi ile vatanseverlik yemini ibadet/dua cümlesi olmuştur ki devlet okulları bunun yeri değildir.

Bu düşünceye şiddetle karşı çıkan kesim ise yurttaşlık yemininin;

1- İbadet formunda olmadığı,

2- Under God ilavesi ile yeni şekil alan antın Hıristiyanlık, Yahudilik ve İslâm gibi herhangi spesifik bir dine referans teşkil etmediği,

3- Hiç kimsenin bu yemini ezberleme, söyleme zorunluluğu bulunmadığı,

4- Sadece iki kelimeden ibaret olan bu sözcüğün, tek başına bir anlam taşımadığı gibi gerekçelere dayanarak itiraz ediyorlar.

Siyasî ve dinî çevreler bunu tartışa dursun halk ne diyor, diyecek olursanız, yapılan anketlere göre halkın % 90'ı andın hiçbir değişikliğe gitmeden bu şekliyle kalmasını istiyor. Bununla beraber bazı üst düzey çevreler 2004 Haziran'ında lokal mahkemenin söz konusu bölge okullarında yurttaşlık yemininin yasaklanması istikametinde karar vereceğine kesin gözüyle bakıyorlar. Eğer bu gerçekleşirse, Amerikan adalet sistemine göre mesele federal boyutta ele alınacak ve büyük bir ihtimalle tüm Amerika'da aynı karar geçerli olacak. Ya da yemin 1892'deki aslî şekline dönecek. Bu iki kesim arasında kalıp "under God" yerine "under Creator; yaratıcının koruması ve gözetimi altında" diyelim diyen arabulucu bir grubun da olduğunu hatırlatıp geçelim.

Amerika ve din perspektifinden bu olaya baktığımızda söylenecek çok şeyler var ama bunlar arasında en önemlisi, bunun 50 yıldan beri sistem hiç değişmediği halde ilk defa gündeme getirilmesi/getirme cesaretinin bulunmasıdır. Olayın bu açıdan incelenmesinin, zihniyet arka planı üzerinde durulmasının bizi daha sağlıklı sonuçlara ulaştıracağını düşünüyorum.

Bilmiyorum kehanet mi sayarsınız ama ben şahsen bu ve benzeri, söz gelimi eşcinsellerin evliliği gibi olayları da devreye koyarak sesi şu an cılız ama çok kısa bir zamanda daha gür çıkacağına inandığım ahlâkî ve dinî bir buhranın ayak seslerini duyuyorum. Nitekim tartışmaya taraf olan dinî çevreler de ihtimal aynı kaygıları taşıdıklarından meselenin bu boyutu ile daha çok ilgileniyor ve toplumsal barışın temininde ya da Amerika'nın bugünkü duruma gelmesinde dinî inanç ve onun etkilerine dikkat çekiyorlar.

Dinî çevreler bu çabalarında başarılı olabilirler mi? Umarım olurlar. Fakat söz buraya gelmişken bir gerçeğin mutlaka vurgulanması gerekir; Hıristiyanlık, Yahudilik veya sair ahlâkî doktrinlerin inanç ve amel değerleri, insan ve toplum hayatını kapsadığı alan ve son olarak bu değerlerin müntesipler üzerindeki yaptırım gücü, Müslüman bir insanın kafasında din denince canlanan mana ve manzaradan çok daha farklı. Bu farklılığın nedeni, onların "din" kavramına verdikleri anlamdan kaynaklanıyor. Zaten dinî ve ahlâkî krize sürüklenmenin temelinde de sanıyorum bu yatıyor. Keşke Batı dünyası hakiki hüviyetini, asli/orijinal mahiyetini muhafaza eden dinî değerler sistemine sahip olsaydı! Belki de o zaman tarih boyunca yaşanan savaşlardan tutun, yukarıda anlattığımız olaya kadar birçok şey yaşanmayabilirdi. Son tahlilde kazanan da sadece onlar değil tüm insanlık olurdu.

Vatanseverlik andı özelinde gündemde yer alan tartışmalar nereye kadar uzanır, mahkeme nasıl neticelenir, çıkacak karar federal bir mahiyet alır mı, almaz mı bilemem; ama bu ve benzeri din eksenli daha birçok konuya tartışma alanı olacak Amerika. Mesela bu mahkemenin neticelenmesinin hemen arkasından Amerikan paralarında yazılı olan "In God we trust; Biz Allah'a güveniyoruz" ibaresinin gündeme gelmeyeceğini kim garanti edebilir? Nitekim bunu şimdiden dillerine dolayan, yaptıkları medyatik küçük çıkışlarla kamuoyunu yoklayanlar var.

Artık siyasî, etnik, dinî, kültürel sahalardaki çok çeşitliliğin en geniş temsilciliğini yapan Amerika'da bu ve benzeri tabloların yaşanması hiç kimseyi şaşırtmamalı. Demokratik kültürün bir uzantısı olarak görmeli bütün bunları ve sonuçlarına da katlanmalı. Ama inancımız açısından dini değerler özelinde İlahi irade ile çatışan örnekler -eşcinsellikte olduğu gibi- için aynı rahat tavrı sergilemek imkansız.

Onun için insan şunu demeden edemiyor; keşke bu insanlar tartışmalarını müntesip oldukları dinin temel değerlerine yönelik alana kaydırsalar. Mesela, Hıristiyanlığın veya Yahudiliğin tarihsel sürecini sadece kutsal metinler ve onların sıhhati açısından incelemeye alsalar. Bizdeki tabirle "Atalar Kültü" yani atalarından buldukları, gördükleri şekilde inanmaktan öte imanı araştırma temeline dayansalar. Ulaştıkları sonuçları da çekinmeden açıklayıp, ona göre durum değişikliği içine girseler. İnanıyorum o zaman dünya hangi açıdan bakarsanız bakınız daha bir yaşanılır olacaktır. Dinler ve din mensupları arasındaki uçurumlar kapanmaya yüz tutacaktır.

Bu aslında Batı dünyasının oryantalist çabalarla hiç de yabancısı olmadığı bir süreç. Tekniği, donanımı, elemanları, kurum ve sistemleri bunun için hazır. Sadece alan değişecek. Biraz içe yönelecekler. İçe dönük bir gayret olacak bu. Böylece başkaları yaptığında "taraflı, şartlı" demelerin önünü kendileri almış olacaklar. Keşke bu cesareti ve kararlılığı gösterebilseler. Hepimiz kazanırız.

ON EMİR ANITI VE ALABAMA

"Allah birdir, Rabbin ismini boş yere ağza almayacaksın, Allah'tan başka Tanrı yoktur, şabbat (cumartesi) günü dinlenme günüdür, anne ve babana hürmet edeceksin, adam öldürmek, yalancı şahitlik yapmak, zina etmek, hırsızlık, komşunun malına ve ırzına göz dikmek yasaktır."

Bunlar Yahudilerce kutsal bilinen meşhur on emrin kısaca tercümesinden ibaret. Yahudilerce kutsal dedik; ama on emrin muhtevası İslâmî öğretilerle de birebir örtüşüyor. Öylesine ki her bir madde için neredeyse birebir ya bir Kur'an âyeti ya da peygamber beyanı göstermek mümkün. (Meselâ, İsrâ sûresi, 17:22-39 arasındaki âyetler.) Bu da ilahi ve semavi dinlerdeki kaynak birliğini akla getiren bir gösterge. Ama konumuz bu değil.

Geçen hafta CNN, MSNBC, FOX gibi televizyonların yayın akışlarını keserek naklen yayınladığı bir olay oldu Amerika'nın Alabama eyaletinde. Alabama mahkemesi önünde yaklaşık 2 yıldan beri dikili olarak duran 2,5 ton ağırlığında granit anıt/abide Alabama Anayasa Mahkemesi kararı ile kaldırıldı. Dünyaca ünlü TV kanalları yayın akışını kesip bu görüntüleri canlı olarak verdiğine göre bunun sıradan bir anıt/abide olmadığını anladınız sanırım. Üzerinde yukarıda tercümesini verdiğimiz on emrin yazılı olduğu bir anıt bu.

TV ekranlarından bu haberi canlı olarak izlerken, bende, bu hadisenin Türkiye'de büyük yankı uyaracağı kanaati hakimdi. Dine ve dindara bakış açısı malum bazı çevrelerin, demokrasinin beşiğinde gerçekleşen bu olaydan hareketle kendi ideolojik tezlerini savunacak güçlü bir malzeme daha bulduklarını düşünmüştüm. Avrupa mahkemelerinde başörtüsü başta, laik anlayışı temellendirebilecek kararlara sığınarak yapılan nice kampanyalara şahit olmuştum daha önceleri çünkü. Dolayısıyla bu kanaat ve düşüncemde haksız sayılmazdım.

Haksızlık etmeyelim; bu türlü bir yaklaşım dindar camiada da söz konusu. Dinî, siyasi, kültürel arka plan şartlarındaki farklılıklar hiç nazara alınmadan Batı dünyasında cereyan eden ve lehte kullanılabilecek herhangi bir olay, mahkeme kararı vb. şeyler dindar camia tarafından da kullanılıyor. Halbuki Batı ile din özelinde çok farklılığımız var. Batı mahkemelerinde verilen bir kararın müspet veya menfi anlamda İslâm dünyasında veya ülkemizde mukayeselere konu yapılması üzerine ciddi ciddi tartışılmaya değer bir olgudur.

Fakat yine haksızlık etmeyelim, bu türlü genellemelere gidilmesi yukarıda ifade ettiğim gibi din ve dindara bakışı malum çevreler tarafından daha çok kullanılmaktadır. Türk siyasi tarihinde dinin ferdî alana hapsedilmeye başlandığı, Batılılaşma, çağdaşlaşma, modernleşme kavramları ile izah edilmeye çalışılan süreçte bunun boyutu ve götürüleri konuyla ilgili herkesin malumu. Hele 28 Şubat ve sonrası süreçte olan şeyler hâlâ hafızalarımızda canlı.

Ama gel gör ki tahminim gerçekleşmedi. Yanıldım. Evet, itiraf ediyorum, yanıldım. Çünkü olay Türk basınında ciddi boyutlarda yer almadı. Mahut çevreler mal bulmuş mağribi edasıyla sarılmadı bu hadiseye. Yorum ve tevillerde bulunmadılar dişe damağa dokunacak ölçüde. Bağlamından koparılmış yorumlara girmediler.

Bu açıdan söz konusu yanılgı benim neşeme neşe, sevincime sevinç kattı. 'İyi ki yanılmışım!' dedim. Olayları kendi bağlamları içinde daha sağlıklı değerlendirmeye başladığımızın göstergesi gibi geldi. Belki bu kanaatimde de yanılıyor, en azından acele ediyorum. Zaman gösterecek.

Amerika'da anayasal özgürlük, din özgürlüğü, demokrasi ve özgürlükler, yönetimde din-devlet ayırımı, hukukun siyasallaşması, atanmış ve seçilmişlerin yeri gibi konuların yeniden tartışılmaya başlanmasına vesile oldu bu basit gibi görünen hadise. Mutlak anlamda özgürlükler safında yer alanlar bu kararı kabullenmeyip, Ulusal Anayasa Mahkemesi'ne (Supreme Court) gitme hazırlığı yapıyorlar şimdilerde. Meseleyi mahkemeye götüren Amerikan Sivil Özgürlükler Birliği'ne ateş püskürüyorlar. Bu kurumun halk kütüphanelerinde pornografik eserlerin yer alması karşısındaki övünç ve kıvançlarını nazara veriyor, çıplak Hz. Musa heykeline bir şey deyip- demeyecekleri varsayımı üzerinde tartışmalar yaparak onların çifte standartlarını konuşuyorlar. 'Mahkemelerde şahit, davalı, davacı vb. herkesin İncil, Kur'an veya kendi inancına göre mukaddes kabul ettiği şeyler üzerine yemin etme uygulaması ne olacak?' diye soruyorlar. Ferdin dinî hürriyetine halel verdiği düşüncesinden hareketle "emperyalist yargıçlar kendi dinî düşüncelerini bize dayatıyorlar" yorumlarını yapıyorlar.

Kararı destekleyenler ise ABD'de sınır tanımayan bir hürriyetten ziyade anayasal özgürlük ve anayasal demokrasinin var olduğunu öne sürüyorlar. Anayasal özgürlüğün hükümet gücünü dengeleyen diğer anayasal kurumlar, hukuk karşısında herkesin ayrıcalıksız biçimde eşitliği, adil ve tarafsız yargı ve din-devlet işlerinin birbirinden bağımsızlık ilkeleri üzerine kurulu olduğunu, mevcut durumun buna aykırılığından söz ediyorlar. Buna göre anayasanın çizdiği sınırın dışına çıkılamayacağını, ABD gibi çok kültürlü, çok dinli iç yapıya sahip bir ülkede sadece bir dinin öğretilerine ait anıtın adalet gibi devletin bütün vatandaşlara eşit davranması gereken bir kavramı temsil eden binanın önünde dikili duramayacağını savunuyorlar. Amerikan anayasasının insanlığa mal olmuş Eski Yunan, Roma'dan Hammurabi kanunlarına varıncaya kadar hukuk abidesi sayılacak eserlerden karma olduğunu hatta buna 'on emir'in dahil olduğunu, bu aşamada bunlardan bir tanesinin ön plana çıkartılmasının haklı bir gerekçesi olmadığı görüşündeler.

Hasılı, ABD'de sular ısınmaya başladı. 11 Eylül sonrası bizim sadece Müslümanlara yönelik olarak musahabe ettiğimiz ferdi hürriyetlerin hiçe sayıldığı, dinî kimliğini açıklama, her ne kadar kültürel de olsa dinî kimliği ele verir endişesiyle mesela Arapların entari giymediği/giyemediği, ibadetlerini halka açık yerlerde yerine getirmede yaşadığı tereddüt, Alabama hadisesi ile içe dönük bir mahiyet kazandı. Bunun arkasının geleceğini tahmin ediyorum. Nitekim Minnesota'da tıpkı Alabama'da olduğu gibi bir tanesi mahkemenin diğerleri halk kütüphanesi ve belediyenin girişine konulan on emir anıtları üzerinde tartışmalar başladı. ACLU büyük bir ihtimalle onları da mahkemeye verecek. Bundan öte paraların, Amerikan dolarlarının üzerinde yazılı olan; "Biz Allah'a güveniyoruz" ibaresi din-devlet ayrımına aykırılığı iddiasıyla gündeme gelecek.

CNN-USA Today-Gallup'un yaptığı ankette halkın % 77'si Alabama eyalet anayasa mahkemesinin verdiği kararın yanlış olduğunu düşünüyor. Bakalım ulusal anayasa mahkemesi (Supreme Court) ne diyecek? Şimdiden; "Ne derse desin, dokuz tane atanmış hakimin halkın genelinin kanaat ve inancının aksine bir karar vermesi bir anlam ifade etmez" diyenlerin çoğunlukta olduğunu hatırdan çıkartmayın.

Ne demiştik? Sular ısınmaya başlıyor.

KATRİNA VE 'OH OLSUN!' YORUMU

Katrina felaketi karşısında ABD'nin terörist ülkeler listesine aldığı Afganistan, İran vb. ülkelerdeki Müslümanların yardım kampanyaları düzenlemesi ne kadar insanî ve İslâmî ise, birtakım kendini bilmez sözde Müslümanların ABD'ye "oh olsun" çekmeleri o kadar gayri insanî ve gayri İslâmîdir.

İslâm inancına göre biz keşfedemesek, anlayamasak bile her işinde bin bir hikmet nümayan olan Allah'ın Katrina kasırgası vesilesi ile elbette başta felakete maruz kalan ülkede yaşayanlar olmak üzere tüm insanlığa sunduğu mesajlar vardır. Bu mesajı/ları anlayabilmek ve ardından alınan dersler istikametinde yeni bir düzenlemeye gitmek, herkes için hayatî ehemmiyete haizdir. Fakat bunu ABD'nin söz gelimi Irak Savaşı'nda sivillere yönelik yapageldiği şeylere bağlayıp "oh olsun!" demek, "Allah cezalandırıyor!" demek hiç şüphesiz ne insanîdir, ne de İslâmîdir.

Her şeyden önce bu kabil bir yaklaşım, Katrina kasırga felaketini bu şekilde okumak İlahî irade adına konuşmak demektir. Halbuki bu sadece bir yorumdur. Yorum ise literatürdeki tarifi ile 'doğru olma ihtimali olan yanlış veya yanlış olma ihtimali bulunan bir doğrudur.' İnsanın yaptığı bu yoruma 'mutlak bilgi' olarak bakması tek kelime ile had bilmemenin bir göstergesidir. Öte yandan yorum sıradan insanların yapacağı şey değildir. Bilgi temeli üzerine oturmayan, belli bir metodoloji takip edilerek yapılmayan hiçbir yorum hangi alanda olursa olsun bir anlam ifade etmez. Hele böylesi İlahî irade adına konuşma mutlak anlamda ehliyetli şahıslar ister. Zira bu dünyevî ve uhrevî mesuliyeti haiz bir iştir. Bunun için ABD'ye olan düşmanlığından dolayı -bu düşmanlık ne kadar haklı gerekçelere dayanırsa dayansın- söz konusu ehliyete sahip olmayan kişilerin Allah'ın muradı adına söz söylemesine meşru bir zemin teşkil etmez ve etmemeli.

Kur'an'ın bu çerçevedeki beyanları alabildiğine net ve açıktır. Hiçbir tevil ve tefsir gerektirmeyen beyanında Allah şöyle buyurmaktadır: "Ey iman edenler! Haktan yana olup var gücünüzle ve bütün işlerinizde adaleti gerçekleştirin ve adalet numunesi şahitler olun! Bir topluluğa karşı, içinizde beslediğiniz kin ve öfke, sizi adaletsizliğe sürüklemesin. Âdil davranın, takvâya en uygun hareket budur. Allah'a karşı gelmekten sakının! Çünkü Allah yaptığınız her şeyden haberdardır." (Maide, 5/8)

Tabii felaketler gözlüğü ile hadiseye dün ve bugün bağlamında baktığımız zaman, İslâm ülkelerinin de nice felaketlere maruz kaldığı herkesin bildiği gerçektir. Mesela; Türkiye'yi ele alacak olursak, 1999 Adapazarı depremini nereye koyacaksınız? Aradan geçen bu kadar yıla rağmen hâlâ yaralarını saramadığımız o müthiş felaket sonrasında dünyanın dört bir yanından din, dil, ırk ayırımı gözetmeksizin akın akın insana yardım gelmiş ve biz bunları takdirle karşılaşmıştık. Bu ülkelerin hiçbirinden başta ifade ettiğimiz düşünce tarzında bir yaklaşıma şahit de olmamıştık. Halbuki bu felakete istihkak kesbetmemiz açısından bizim hakkımızda da söylenebilecek çok yorumlar olabilirdi. Hâlâ da vardır. Fakat bunu musibete maruz kalan kişilerin -masum veya değil, o ayrı bir mesele- yaralılarını kurtarma, ölüleri gömme, enkazını kaldırma esnasında değil, çok daha sonraları ve yorum olduğunu bir an hatırdan çıkartmaksızın yapmak gerekir.

Bir başka açıdan; Allah'ın takdiri karşısında değil dünyanın en güçlü ülkesi, bütün insanlık bir araya gelse bir anlam ifade etmez ki! İnancımıza göre "ol dediği olan, olmamasını dilediği şey de olmayan" Kadir-i Mutlak'ın sözgelimi Asya kıtasını ortadan kaldıracak, karaları deniz, denizleri kara yapacak kahir iradesi tecelli etse, kim ne yapabilir ki? Bu açıdan Katrina kasırgası karşısında yetkililerin felaketin tahmin edilen boyutları ölçüsünde önceden alması gerekli olan tedbirleri almasındaki kusurları bir tarafa hiç kimsenin yapacağı bir şey yoktur.

Basın-yayına da kısa bir notum var; ne teorik dinî değerler, ne de 15 asırdır yaşanan Müslümanlık adına kati surette cevaz verilemeyecek "oh olsun" yorumunu bayraklaştırıp, dünyanın dört bir yanında Müslümanların düzenlediği yardım kampanyalarını görmezden gelmek, iyi niyetle bağdaşan bir tavır olmasa gerek. Kime hizmet ettiği belli olmayan bu tür yayınlar insanlar arasında var olan mevcut gerginlikleri artırmaktan, uçurumları derinleştirmekten başka bir işe yaramaz. Halbuki bu ve benzeri felaketlerin izlerini minimize etmek için el ele, omuz omuza yapılan çalışmaların bayraklaştırılması, söz konusu uçurumları kapatacak fırsatlardır. Adapazarı depreminde Yunanistan'ın yapmış olduğu yardımların, Türk ve Yunan halklarını bir araya getirdiği, birbirleri haklarındaki düşüncelerini yeniden gözden geçirme ihtiyacı duydukları inkar edilemez. Zaten o günden bu yana kültürel eksenli birçok ortak aktivitenin arkasında 17 Ağustos depremi olduğu sosyal gözlemcilerin müşterek kanaatidir. Hatta halkların bu yakınlaşmasının siyasete uzantısı olarak, Türkiye'nin AB'ye kabulü sürecinde Yunan tarafının görüşlerini yumuşattığı örnek olarak verilmektedir.

Son olarak şu sözü söylemenin tam yeri: 'Ne verdiniz ki ne bekliyorsunuz?' Sözde dinî kimlikleri ile ortaya çıkıp ABD'ye "oh diyen" ve İlahî irade adına konuşan bu kişilerin, Kur'an kursu ölçüsünde dinî eğitimleri var mıdır acaba? Hayatın sair alanlarında ihtisasa değer verip konunun uzmanlarından görüş almak için gayret gösteren, bunu bir maharetmiş gibi sayfalarında haber atlatma mantığı ile veren kuruluşlar, neden din söz konusu olduğu zaman sokaktaki vatandaşın his dolu, heyecan dolu yorumunu otoriter birisinin kanaatiymiş gibi verir; anlamak gerçekten zor!

Hasılı; İslâm insana önce insan olarak bakar. Sonra dinî, millî, kültürel ve meslekî değerler gelir. Buna göre; insan önce insandır, ardından Müslüman, Hıristiyan veya Yahudi'dir. Sonra Türk, Kürt, Arap, Alman, Fransız, Amerikalıdır. En son müdürdür, amirdir, memurdur, aşçıdır, şofördür. İnsanlara bu gözle bakmayan bir kişi her ne kadar Müslüman da olsa İslâm'ın insan bakış açısını temsil etmemektedir. Bir Yahudi cenazesi karşısında ayağa kalkan Hz. Peygamber'den (sallallahu aleyhi vesellem) O'nun öğreti ve uygulamalarından fersah fersah uzaktır.

SAĞLIK TERÖRÜ MÜ, ÖLME ÖZGÜRLÜĞÜ MÜ?

ABD'de 'Terri Schiavo'nun yaşama fişinin çekilmesi konusunda yaşanan hassasiyete bakınca insan sormadan edemiyor: Acaba dünyanın sair yerlerindeki insan hayatı/ları için de aynı hassasiyet gösteriliyor mu? İster bizzat isterse çeşitli çıkar mülahazaları ile sebebiyet verilen ölüm sahneleri nedeniyle...

Terri Schiavo 15 yıldır bitkisel hayatta yaşayan 41 yaşında bir kadındı. Kocası Michael. 1998, Michael'ın eşinin bitkisel hayat ünitesinin çekilmesi isteğini bildirdiği ve bugün ABD'yi ikiye bölen karışıklığın başlangıç tarihi. Ortada yazılı bir istek yok. Bu durum Terri'nin anne ve babasının yollarını mahkemeye düşürüyor. Onlar yazılı bir istek olmadığı için kızlarının doğal ölümle hayata gözlerini yumacağı ana kadar yaşaması gerektiğini iddia ediyorlar. Önce Florida yerel, sonra eyalet anayasa mahkemesi anne-babanın isteğini reddediyor. 5 yıl sürüyor Terri'nin anne-babası ile kocası arasındaki hukuki mücadele. Nihayet hukuken onaylanan bitkisel hayat ünitesinin çekim kararı 18 Mart 2005 günü uygulanıyor. Terri hastanede ölümünü beklerken dava ABD Federal Anayasa Mahkemesi'ne intikal ediyor. Mahkemenin davayı dinlemeyi reddetmesi, kamuoyunun baskısını devreye sokuyor ve olay ülke çapında siyasi bir boyut kazanıyor. Cumhuriyetçiler sırf Terri'yi yeniden yaşama ünitesine bağlayacak bir kanun hazırlayarak kongreden geçiriyor; ama ABD Anayasa Mahkemesi bunu iptal ediyor. Ve neticede 31 Mart Perşembe günü beklenen son gelip çatıyor; Terri hayata gözlerini yumuyor.

Çok kısa özetini sunduğumuz bu hadise Türkiye'de hangi ölçüde basın ve yayında yer aldı bilmemekle ya da bir Türk oku-yucusunu ne kadar ilgilendirir kestirememekle beraber hadisenin bazı boyutları itibarıyla okuyucuları bilgilendirmede bulunmak istiyorum.

Bir; bu olay ABD'de müthiş bir kafa karışıklığına neden oldu ve uzun süre medyanın birinci gündem maddesini teşkil etti. Gazeteler manşet manşet bu hadiseleri kamuoyuna taşıdı. Köşe yazarları yorumlar yaptı. TV'ler uzman görüşleri, özel tartışma programlarının yanı sıra canlı yayınlarla günlük yayın akışını ke-serek halkı bilgilendirdi. Öyle ki artık ABD'de Terri Schiavo'nun adını duymayan, davasını bilmeyen yoktur desek mübalağa yap-mış olmayız sanırım.

Ama bu manzara beni ve benim gibi pek çok insanı, insan hayatı üzerinde sağlık, hukuk, siyaset vb. bütün çevreleri ile bir-likte bu kadar titizlikle ve hassasiyetle duran ABD'nin acaba dün-yanın sair yerlerindeki insan hayatı/ları için de aynı hassasiyetle durup durmadığı konusunda düşündürdü. Bizzat kendilerinin çeşitli çıkar mülahazaları ile sebebiyet verdiği ve dünya genelinde sahip olduğu hegemonik gücü yerinde, zamanında kullanmadığı için dolaylı olarak sorumlu olduğu insanların ölüm sahneleri gö-zümün önüne geldi; geldi ve şöyle demekten kendimi alamadım; keşke aynı duyarlılık hiçbir çıkar mülahazası gözetmeksizin dün-yanın neresinde yaşarsa yaşasın, din, dil, ırk, cinsiyet ayırımı söz konusu edilmeden her insan için gösterilse. Bu içinde yaşadığı-mız yerküreyi daha yaşananılabilir kılacak önemli bir kabuldür.

İki; dini çevreler bu konuda ne dedi? Önce sorunu ortaya koyalım; ölümcül bir hastalığa yakalanmış, bitkisel hayat ünitesi ile hayatını devam ettirebilen ve bütün tıp dünyasının ittifakıyla sebepler planında iyileşmesi mümkün olmayan bir kişinin ölümü tercih etme hakkı var mıdır? Mahkemenin Terri'nin kocasına so-ruyu "Eşinin bu haliyle yaşamasını istiyor musun?" şeklinde değil de, "Eşin kendi hayatının bu şekilde devamı veya son bulması noktasında ne dedi?" diye sorması meseleye bakış açısının bu olduğunu gösteriyor.

İntihardan ayrı yanları olan ve tıpta ötanazi adı verilen bu uygulamaya Katolikler ve Yahudilerin cevabı ortak; hayır. Yahudilerin görüşünü bir gazeteye bildiren Rabbi Steplen Wylen diyor ki: "Sağlık teknolojisini biz ancak tedavi için kullanırız, tabii ölümü çabuklaştırmak için değil. Ölümcül hastalığa yakalanmış olanlar depresyon altındadır. Bu yüzden ölümü tercih edici sözleri bir anlam ifade etmez. Onlara karşı yapılacak şey ölüm ilacı verme yerine acılarını dindirici tedavi yapmaktır." Arkasından bir insan hayatının İlahi irade nezdinde ne kadar önemli olduğunu beyan sadedinde delil olarak şunu söylüyor: "Talmud'da; 'Bir insan bir kişinin hayatını kurtarırsa bütün insanlığın hayatını kurtarmış gibidir." Rabbi Wylen'ın dile getirdiği bu Talmud ayeti sanırım sizlerin de dikkatini çekmiştir. Zira Kur'an hemen hemen aynı lafızlarla şöyle buyurmaktadır; hem de bu emrin Yahudilere nazil olduğunu da açıkça vurgulayarak; "İşte bundan dolayı İsrailoğullarına kitapta şunu bildirdik: Kim katil olmayan ve yeryüzünde fesat çıkarmayan bir kişiyi öldürürse sanki bütün insanları öldürmüş gibi olur. Kim de bir adamın hayatını kurtarırsa sanki bütün insanların hayatını kurtarmış olur." (Maide, 5/32)

Belki çoklarımızın aklına Talmud ve Kur'an'da yer alan bu âyete rağmen mesela Filistin'de cereyan eden olaylar takılmış ve olup bitenlere mana verememişizdir. Bir kördüğüm bu. Ama bu kördüğümü Kur'an aynı âyetin devamında şöyle diyerek çözüyor: "Resullerimiz onlara açık âyetler ve deliller getirmişlerdi. Ne var ki onların çoğu bütün bunlardan sonra, hâlâ yeryüzünde fesat ve cinayette aşırı gitmektedirler." (Maide, 5/32)

Hıristiyan Katolik mezhebi ise hiçbir farklı yorumlamaya müsait olmayacak netlikte: "Hayat ve ölüm hakkı Allah'a aittir.

Yaratan O olduğu gibi öldürecek olan da O'dur. Dolayısıyla insanların kendilerini öldürme hakları söz konusu değildir." Katolikler buna başka bir teolojik boyut ilave ederek bağlılarını bir anlamda muhasebe ve murakabeye çağırıyor. Şöyle diyor William Paterson Üniversitesi'nde görevli olan Father Lou Scurtı: "Bizler bu ve benzeri şeylerde neden ben, neden o, neden şimdi gibi sorularla Allah'ın hikmetini araştırmalıyız. Hz. İsa'nın çarmıha gerilmesinden sonraki dirilişini hatırlamalıyız. Bugün benzer şekilde ölümcül hastalığa maruz kalan Papa da bizim için güzel bir örnektir. Hayat acılarla tatlılarla bir bütündür ve o bunu yaşıyarak bize gösteriyor."

Protestanlara gelince; bu mezhebin yapısı gereği resmi bir görüşten bahsetmek imkansız. Nitekim Time dergisinin söz konusu ettiğimiz anketinde Protestanların % 59'u Terri'nin ölümü tercih kararını desteklerken, %35'i 'hayır' diyor.

'İslâm hukuku bu konuda ne diyor?' denecek olursa; modern dönemlere ait sayılabilecek bu problem hakkında İslâm fukahasının görüşlerini nakletmeden önce şunu bilmekte yarar var: Hukukçular arasında ölümün beyin mi yoksa kalb ölümü ile mi gerçekleştiği tartışmaları tıp dünyasındaki tartışmalara paralel olarak devam etmektedir. Şu an itibarıyla kalb ölümü görüşü ağırlıklı. Bu temel üzerine muhtemel ölüm hadiselerinin ötanazi açısından değerlendirmeleri şöyle:

1- Kalb ölümü gerçekleşmiş kişinin beyin ölümü de peşi sıra gerçekleşeceği için tıbben ve dinen ölüdür. Söylenecek hiçbir şey yok.

2- Beyin ölümü gerçekleşmiş ama kalbde bir problem yok. Tıbbın bitkisel hayat dediği durum. Bu kişinin suni veya tabii yollardan beslenerek hayatının devamını sağlamak şart. Bu hastanın bitkisel yaşam ünitesinden çıkartılması caiz değildir.

3- Beyin ölümü gerçekleşmiş ama kalb ve solunum yollarında problem var. Tedavi imkanı olmayan bu hasta tıbben ölü kabul ediliyor. Hayatından ve tedavisinden ümit kesilen bu hastanın yaşama ünitesine bağlanması, yeni eziyetlerle hayat bile denilmeyecek yaşama süresinin uzatılması anlamına geliyor. Bu tip bir hastanın bitkisel hayat ünitesinden çıkartılması tedaviye son vermek değil, hayatı ve ölümü tabii şartlara bırakmak demektir.

4- Kalb ve beyin ölümü gerçekleşmemiş, tedavisinden ümit kesilmemiş; ama acıya dayanamadığı için ister kendisi isterse şuuru olmadığı durumlarda yakınları tarafından ölümü istenen hasta. Bu tip bir hastaya, hastalığı son tahlilde ölümcül bile olsa, öldürücü bir müdahalede bulunmak hiçbir şekilde câiz değildir.

İşin siyaset boyutu ise oldukça karışık; çünkü Beyaz Saray ve Federal Anayasa Mahkemesi'ne kadar giden bu meselenin gündemde bulunan başka dosyalar için bir ön hazırlık olduğu görüşünde çokları. Mesela; 2004 başkan seçimi propaganda dönemine damgasını vuran ve ahlâki açıdan günlerce kamuoyu tartışmalarına neden olan kürtaj, eşcinsel evliliği, kök hücre çalışmaları ile irtibatlı olduğu yorumları yapılıyor yazılı ve görsel medyada. Çünkü Terri davasında mahkemenin 'evet' demesi, ferdin şahsi hayatı adına kendi iradesinin üzerine devletin kanun gücüyle irade beyanı anlamına gelecekti. Bu da kürtaj ve eşcinsel evliliğinin yasaklanmasına emsal teşkil edecekti. Malum, ABD'de bu hadiseler üzerindeki tüm tartışmalar İlahi bir otorite kabullenilmediğinden dolayı ferdi özgürlükler üzerinde dönüyor. Bu nedenle olsa gerek, ferdiyetçiliğin bir anlamda kalesi sayılan ABD'de halkın % 70 ila % 75'i Terri dosyasında Başkan Bush'la aynı düşüncede olsa bile, siyasetin bu işe müdahalesini onaylamadı. Bu kamuoyu rüzgarının arkasında olduğunu bilen hukuki çevreler de "hukukun siyasallaşmasına" müsaade etmedi.

Hasılı, bitkisel hayat ünitesinin çekilmesi bir sağlık terörü müdür; yoksa saygı duyulması gereken iradi bir karar mıdır? Dini boyutu ağırlıklı olduğu herkesçe müsellem bu davada hukuk ve siyasetin yeri neresidir? Terri'nin ölümünden sonra dava nasıl bir seyir izleyecek? Bu sorular etrafında gerek ABD'de gerekse dünya kamuoyunda daha birçok tartışmaların yapılacağını kestirmek zor olmasa gerek.

ZENCİ, MARTIN LUTHER KING VE HAK MÜCADELESİ

Batı dünyasında son yüzyılda yaşanan en büyük gerçeklerden biri, neredeyse mücadele kelimesi ile özdeş biçimde anılabilecek olan zenci gerçeğidir.

Siyasi ve politik anlamda ön plana çıksa da, aslında insani düzeyde olan ve hâlâ devam eden mücadeleleriyle doludur zenci ve zencilerin tarihi. Derisinin rengi farklı; ama sureten insan olarak yaratılmış insanların yaratılıştan sahip oldukları hakları, haksız yere gasp edenlerden geri alma mücadelesi bunun bir diğer adı. Ve karşımızda ABD, Fransa, Somali vb. dünyanın dört bir yanında ülkelerin isimleri değişse de kaderi değişmeyen zenciler. Acılarla, eziyetlerle, işkencelerle, yokluklarla, göçlerle, istismarlarla dopdolu uzun bir zaman.

Söz konusu hak arama mücadelesinin yoğunluğu, genişliği ve kamuoyuna mal oluşu itibarıyla olsa gerek farklı nedenlerle de olsa hakkını ıstırdat etme mücadelesi verenlere zenci deniliyor hemen hemen bütün dünyada. Bu anlayışa göre Fransa'da başörtüsü ile devlet okullarında okuma mücadelesi veren Müslüman bacılarımız "zenci"; Amerika'da güvenlik sebepleri ile kanunun açık hükmüne rağmen haksız yere kuşkularla günlerce gözaltında tutulan Müslümanlar "zenci"; Türkiye'de üç nesil sonrasının gününü gün etmelerine mani olacak zann ve vehminin mahkûm ettiği nice hayırlı faaliyetlere imza atanlar "zenci". Listeyi uzatabiliriz; ama netice değişmeyecek. Hakk'ın ölçüleri ile dizayn edilmemiş, evrensel doğruları bulamamış beşeri otoritenin karşısına çıkan, az veya çok, küçük veya büyük oranda muhalefet eden herkes zenci bu dünyada.

Zenci kelimesi ABD ile birlikte anılınca farklı bir mahiyet kazanıyor dünyanın birçok ülkesine nispetle. Çünkü zenci şimdilerde eski; ama yeni dünyanın en büyük gerçeği. Zencilerin yeni dünyadaki serüveni kuruluş yıllarında karın tokluğuna çalışan köleler olarak başlamış. Yeni dünyanın efendileri onları zor kullanma dahil her yolu meşru ve mubah görerek yurtlarından yuvalarından etmiş. Binlercesinin Atlas Okyanusu'nda telef olması pahasına getirmiş onları gemilerle kendi refah ve saadetleri için.

Üç nesil, dört nesil ses ve soluğu çıkmadan kaderlerine razı biçimde hayatlarını köle olarak sürdürürken dünü, bugünü ve yarını birden gören içerden insanların varlığı ve yönlendirmeleri ile bir hak arama mücadelesi başlamış ABD'de. "Derimizin rengi farklı da olsa Hakk'ın hakkınız dediği şeyleri istiyoruz" bu mücadelenin ana teması olmuş. Ama adı üzerinde mücadele. Taraflar ise dünün ve bugünün köleleri ile kendisini her şeye kadir gören devlet. Güç dengesinin olmadığı böyle bir mücadelede sebepler hükmünü icra etmiş ve geride nice dul kadın ve erkekler, öksüz ve yetim çocuklar, seylaplar haline gelen gözyaşları, harap olmuş evler, yurtlar, yuvalar, ümitsizlik dünyasına dalıp intiharda çözüm arayan gençler, payimal olan ırzlar ve namuslar. Hasılı tek cümle ile bitmeyen, bitmeyecek olan çileler.

M. L. King belli bir kıvama gelmiş bu hak arayışının bir halkasında yani 20 yüzyılın ilk yarısında yaşamış akıllı birisi. Devlet ve devletin zenci politikasına arka çıkan beyazlarla olan mücadelesinde nereden, nereye, nereye kadar ve nasıl sorularına kendi içinde tutarlı cevaplar bulmuş ve onu hayata geçirmeye azimli bir aksiyon insanı. İnsan hakları özelinde, ABD'nin bütün dünyada estirdiği rüzgârın da yardımı ile müsait bir zaman ve zeminin sahibi.

Onun en büyük silahı sanırım silahsız mücadele yolunu tercih etmiş olmasıdır. "Medenilere galebe ikna iledir" cümlesi ile ifade edilen düstur, onun son nefesine kadar samimiyetle savunduğu bir hakikat. Bu yolu önermiş o renktaşlarına. Gösteriler esnasında zenci çocukların üzerine polis köpeklerinin salındığı bir anlayışa son vermenin yollarını göstermiş. Ölme ve öldürmelerin, yaralama ve yaralanmaların, tutuklanma ve işkencelerin kaçınıl/a/maz kader olmadığını her fırsatta ifade etmiş. Radikalizmin, en basit şekliyle dahi olsa terörizmin, haklı davalarında kendilerini haksız konuma sürükleyeceğini anlatmış. Bu düşünce ve faaliyetleri ile bazı renktaşlarının hain ithamına maruz kalsa da doğru bildiği yoldan vazgeçmemiş. ABD başkanı ile defalarca görüşmüş. Bazı zenci ayaklanmalarını bastırması için başkanın ricasına muhatap olmuş. "Bizim misyonumuz Amerikan ruhunu (çoğulculuğu) kurtarmaktır. Tarih beni çepeçevre kuşatmış durumda. Benim basit ve küçük hatalarım bu özelliğim dolayısıyla küçük değil büyüktür." demiş ve her adımını dikkatle atmaya çalışmış. Ve sonuç; bu düşünce yapısı ile birilerinin yürüyen tekerine çomak sokmuş ve faili meçhuller listesine yazılmış.

Fakat aradan zaman geçmiş, 39 yaşında, büyük bir ihtimalle devletle irtibatlı birimlerden birinin eliyle faili meçhul cinayetin kurbanı olan zenci kökenli M.L. King'in doğum yıldönümü bütün ABD'de resmi tatil ilan edilmiş. Yani itibarı iade edilmiş. Ve bu seneki törenlere bizzat ABD Başkanı Bush katıldı. Yaklaşan seçimlerin bu ziyarette rolü var veya yok ayrı mesele. Nitekim bu nedenle söz konusu ziyareti samimiyetsizce bulan, protesto eden insanlar da oldu kamuoyunda. Ama ABD'deki zenci tarihinin köşe taşı bu insanın mezarına giden, çiçek koyan, dua okuyan, siyasi alanda yorumlayacak olursak bütün bunlarla aslında özür dileyen ABD başkanıdır.

Görüldüğü gibi hayat, Kur'an'ın da işaret buyurduğu şekliyle tekdüze değil. Bugün galip olan yarın mağlup olabiliyor. M.L. King aslında bu zincirin sadece bir halkasından ibaret. Nerede haşa! kainatı kendisinin yarattığını iddia edecek derecede inkarı uluhiyet bataklığına saplanan, haşmetli, görkemli saltanatları ile bütün dünyaya meydan okuyan Nemrudlar, Firavunlar? Nerede topyekûn insanlığı savaşa sürükleyen Hitlerler, Mussoliniler, Stalinler? Ve madalyonun öbür yüzü; nerede çağdaşları tarafından taş ve tükürük yağmuruna tutulan; ama bugün azizlerden aziz kabul edilen peygamberler, peygamber dostları, havariler, ashaplar.

M. L. King'in hatırlattığı şeyler bunlar. Ama ülkemiz açısından düşünülecek olduğunda bazı şeyler ne kadar da birbirine benziyor değil mi? Biz de "Demokrasi Şehitleri" diye adlandırdığımız Adnan Menderes, Hasan Polatkan ve F. Rüştü Zorlu'ya itibarlarını iade etmedik mi? Biz de onların cesetlerini Yassıada'dan alıp devlet töreni ile İstanbul'a nakletmedik mi?

Neydi suçu onların? Zenciydi onlar. Statükonun yürüyen tekerine çomak sokmuşlardı. Taşralı oldukları halde şehirlilere hüküm etmeye kalkmışlardı. Bedevi iken medenilerin yarınlarına müdahil olmuşlardı. Tabii ki böylesi bir suçun cezası idamdan başkası olamazdı. Fakat işin aslı idam edilen bu üç kişi değil, onların arkasındaki milletti. Milletin düşüncesi, zihniyeti, imanı ve ümidi idi.

Bu perspektiften günümüze bakıyorum da, zenci üretmeye devam ediyoruz her nedense. Hiç şüpheniz olmasın yarınki nesillerin heykellerini dikecekleri nice insanlara zenci demesek bile zenci muamelesi yapıyoruz. Kendi doğrularımızı şaşmaz ve yanılmaz görüyoruz. İlim her şeyin temeli dediğimiz halde ilmi bakış açısını ıskalıyoruz. Söylenen şey benim doğruma muhalif ise değer vermiyoruz. Hepsinden öte yarın hem halk, hem tarih, hem de Hak huzurunda nasıl hesap vereceğimiz şuurundan uzak bulunuyoruz.

Sormadan edemiyorum kendime; neden büyüklerin büyüklüklerini hep onlar öldükten sonra takdir ediyoruz? Hayatta iken onları neden bin bir çile ve ıstırap ile yaşatıyor, cennet kevserlerine eşdeğer gözyaşlarının için için akmasına sebep oluyoruz? Bu, insanoğlunun şaşmaz ve değişmez kaderi midir acaba? Değiştiremez miyiz onu? Tabiri diğerle zenci üretimine son veremez miyiz? Ne dersiniz?

ZEN VE BİZ

"Bir kurbağa, hayatının her saniyesinde "Ben bir kurbağa-yım" diye düşünmüyor, hayatını kurbağa olma şuuru içinde ge-çirmiyor; çünkü o varlığı ile kimliği ile bütünleşmiştir. İşte bizler de öyle olmalıyız. İnsan olarak hiçbir şey ama hiçbir şey düşün-memeliyiz. Hiç sıfırdan farklıdır; zira sıfırın bir değeri vardır ama hiç'in yoktur. Hiç hiçtir."

Yukarıdaki sözlerin kime, hangi düşünce veya inanç sistemine ait olduğunu ve ne ifade ettiğini açıklamadan önce isterseniz insa-noğluna yapılan böylesi bir teklifin mümkün olup olmadığı üze-rinde düşünelim. İnsan fıtratının, adına 'insan' dediğimiz varlığa o ismi verdirten özelliklerin en başında düşünce yok mudur? Onu sair varlıklardan ayıran ve neredeyse tek özellik olarak nitelendi-rilen 'düşünce' değil midir? O halde insana "düşünme" teklifinde bulunmak, aslında 'varlığını inkar et" teklifi ile eş değerdir.

Ama gel gör ki bu 'düşünce!' etrafında binler-milyonlar ra-hatlıkla toplanabiliyor ve adına da din diyebiliyorlar. 'Zen Budiz-mi'nden bahsediyorum. Amerika'da istatistiklerin 'en hızlı yayı-lan din' diye gösterdikleri vakıadan. (İstatistiklerin doğru olup olmadığını bir kenara koyalım.) Sadece meditasyona inanan, beşeri veya İlahi kaynaklı dinlerde gördüğümüz tanrı, peygam-ber, ibadet, ahiret, cennet, cehennem vs. tüm unsurları dışlayan Budizm'in bir uzantısı sözde bir din bu.

Zen Budizmi elbette bu bir tek paragrafla anlaşılamaz, an-latılamaz da. Ama benim bu yazıda ele almak istediğim husus adına yeterli bir örnek bu. Benim üzerinde durduğum, son tahlilde gelip "nihilizme" dayanan bir anlayışın din diye kabullenilebilmesi. Hem de 21. asrın modern insanları, Amerika gibi Batı medeniyetinin en üst mertebede temsil edildiği, maddi hayat standartları itibarıyla tüm dünya insanlarını geride bırakan bir seviyeye sahip vatandaşlar tarafından.

Neden? İşte soru ve sorun burada. Bir zamanlar peygamberle temsil edilen "din" olgusu adına ciddi boşluğun, gerek Amerika'da gerekse dünyanın sair ülkelerinde yaşanıyor olması en temel sebep. Ve fıtratına, yaratılışına rağmen hareket edemeyen, etmesi de mümkün olmayan insan bu boşluğu doldurma arayışı içinde. Dolayısıyla ana–babasından gördüğü, öğrendiği dinden tatmin olmayıp arayışa geçenler, karşısına çıkan düşüncelere rahatlıkla inanabiliyor. Bu arada teknolojinin insanoğlunun hizmetine sunduğu tüm imkanları daha iyi ve zamanında kullanmanın, insan potansiyeli adına örgütlenmenin, organize olmanın kitlelere ulaşmada inanç adına öne sürülen değerlerden daha öncelikli rol oynadığını ifade etmek isterim. Diğer taraftan bahsi geçen sözde dinlerin, sunduğu değerler ve mükellefiyetlerin kişilerin yaşam standartlarını etkilememesi, külli değişikliklere gidilmesini gerektirmemesi kabul oranının artmasında -başka yerleri bilemem- Amerika'da ciddi rol oynuyor.

Tam bu noktada durup insan fıtratı açısından olaya bakarak rahatlıkla bir kehanette bulunmak mümkün. Er veya geç, bir gün bütün bu insanlar din adına tercih ettikleri bu yeni yolda da kendilerini tatminsizliğin bağrında bulacak ve ayrı bir cenderenin, arayışın içine yeniden düşecekler. Yalnız bu defa yaşayacakları maddi ve manevi sorunlar şimdikinden çok daha fazla oranda, şahsi hayatlarını, ailelerini ve son tahlilde toplumu etkileyecek.

Bu boşluk İlahi dinler tarafından kapatılamaz mı? Oldukça önemli bir soru bu. Yalnız cevabı o kadar kolay değil. Neden? Tek tek ele alalım isterseniz. Yahudilik. Evrensel bir hüviyete sahip değil ve bağlılarınca öyle bir iddia da söz konusu değil. Kaldı ki Yahudilik adına bir eksiklik de değil bu; çünkü yeryüzüne indirildiği mekan ve zaman itibarıyla İlahi iradenin tezahürü Yahudilik açısından bu şekilde tecelli etmiş. Öte taraftan dışa açılmayı inanç esasları açısından kabul etmeyen bir yapıya sahip Yahudilik bugün. Bir insanın Yahudi olabilmesi, ancak Yahudi olan bir anadan doğmasına bağlı. Babanın Yahudi olması bile yetmiyor. Yahudiliğin inanç adına ortaya koyduğu, Müslüman bakış açısına göre tahrif edilmiş ve İlahi iradeyi yansıtmayan değerlerin arayış içinde bulunan Batı insanını tatmin edip etmeyeceği ise su götürür bir konu.

Öte yandan siyasi ve ekonomik alanda Yahudilerin dünyanın kaderine hüküm etmeleri yargısı –doğru veya yanlış, bunu tartışma konusu yapmıyorum– Yahudilik adına ciddi bir dezavantaj. Bugün entelektüel camiada ve şuur düzeyine göre taban kitledeki hava Yahudilerin aleyhine.

Parçalanmış itikadi yapıya sahip Hıristiyanlığa gelince, kendilerinin evrensellik iddialarına rağmen, Yahudilik için geçerli olan evrensel olmama özelliği aslında onun için de geçerli. Bu bir. Parçalanmış itikadi yapı bir din için düşünce ve yorum zenginliği ifade edebilir. Ama bu Hıristiyanlık için geçerli değil, çünkü parçalanmışlık aslın sabit kalıp, farklılığın yorumlarda olması şeklinde tezahür etmiyor. Tam aksine farklılık asıllarda ve bu o kadar büyük ki grupların birbirlerini 'kâfir'likle itham etmelerine neden olabiliyor.

İki, Allah inancı konusundaki açmazları, bahsini ettiğimiz boşluğun doldurulması açısından memnun edici bir manzara arz etmiyor. Samimi üst düzey din adamları tarafından dahi artık açıkça dile getirilen bu gerçek kendini hemen her yerde gösteriyor. "İsa'nın anlattığı Allah'a inanıyor ama kilisenin değil" cümlesi bu anlayışın sloganı olarak kabul edilebilir.

Üç, dünyanın siyasi, ekonomik, kültürel kaderine hakim olan süper güçlerin genelde Hıristiyan olması ve bu hakimiyetin özellikle üçüncü dünya ülkeleri için sömürü, zulüm, haksızlık anlamına gelmesi menfi bir puan teşkil ediyor Hıristiyanlık için.

İkinci Bölüm

ABD'DE ÖTEKİLEŞTİRİLEN MÜSLÜMANLAR

ÖTEKİLEŞME VE ÖTEKİLEŞTİRME ÜZERİNE

Geçenlerde İspanya'da düzenlenen şarkı yarışmasında yarışmaya katılan bir şarkıda yer alan şu sözler oldukça dikkat çekiciydi: "benim kültürüm, Müslüman kültürü gibi deli değil; Müslümanların hayvan olup olmadığını anlamak için doğa kitabına baktım; gördüm ki orada hayvanlarla Müslümanlar Türkler aynı. Böylece kafamdaki kuşkular dağıldı. Ne kadar kötü yapmış Hitler Yahudileri katlederken, Müslümanları pas geçmekle." Basın-yayında gerekli ilgiyi görmediğimi sandığım bu şarkı güftesi 'ötekileştirme' eksenli bazı düşünce ve değerlendirmelere kapı açtı zihnimde. Bu yazıda onları sizlerle paylaşmak istiyorum.

Birbirinden alabildiğine farklı boyutları var bu kavramın. Herşeyden önce 'öteki' tabiri, kişilerin, cemaatlerin, toplumların, devletlerin kendilerini tanımlamak için kullandıkları ve genel kullanım alanına bakınca muhtaç oldukları bir kavram. Çünkü herkes kendisini öteki üzerinden tanımlıyor, farklılıklarını 'ötekine' işaretle gösteriyor. Bu açıdan baktığınızda aynı hanede yaşayan karı, koca için, anne, baba için, erkek kardeş, kız kardeş için bile öteki. İnsan ferdi ve ete-kemiğe bürünüp toplumda varlık sahnesine çıkmış tüzel kişiliğe sahip kurumların/yapıların gerçekten kendi kimliklerini ortaya koyabilmek için ötekiye ihtiyacı var mı ayrıca ele alınıp tahlili gereken bir husus ama bu bir gerçek.

'Ötekileşme' ve 'ötekileştirme'; insan irade ve fiilinin 'öteki' kelimesi üzerindeki taşaarrufu ile ortaya çıkan ve birbiri ile alakalı olsa da birbirinden farklı iki anlama sahip olan iki kavram.

Önce ötekileştirmeyi ele alalım; ötekileştirme yukarıda da işaret ettiğimiz gibi kimliğimizin adeta bir parçası. Bu açıdan masum ve gerekli bir şey gibi gözüken bu ameliye, toplumsal açıdan guruplaşmaların, hizipleşmelerin merkezi sebebi durumundadır. Zamanla ortak paydaların unutulması, menfaat paylaşımındaki hırs, hakimiyet ideali ve tutkusu gibi unsurların devreye girmesi ile grupları düşman haline getiriyor. Bu safhadan sonra kendisini tanımlamak için ihtiyaç duyulan ötekiler, birbirilerini yemekle beslenen düşmanlar haline geliyor. Yer kürede birbirlerine yer tanımıyorlar. Hakimiyetlerin, menfaatlerinin hatta varlıklarının önündeki tek engel olarak görüyorlar birbirlerini. Ne büyük törenlerle şaşaalı biçimde imzalanan evrensel insanı hakları beyannameleri bir anlam ifade ediyor, ne de evrensel adalet ve eşitlik ilkeleri gözetilerek yapılan hukuki anlaşmalar. Dün, bugün cereyan eden ve etmekte olan bütün dahili ve harici düşmanlıkların, kavgaların, çatışmaların, savaşların temelinde malesef bu felsefe yatmaktadır.

İlahi dinler Hz. Adem'in oğulları ile başlayan bu süreci önlemek amacıyla gelmiştir. Allah'ın ve yüce peygamberlerinin bu çerçevede ortaya koyduğu prensipler, emirler, yasaklar insanlığı ne kadar geniş coğrafyaya yayılırsa yayılsın tıpkı bir aile gibi kardeşane yaşamaya yetecek yeterliliktedir. Bir başka ve daha net ifadeyle, İlahi dinlerde ontolojik, siyasi, iktisadi, kültürel, dini farklılıklar, insanların hemcinslerini ötekileştirmesine dayanak olabilecek bir öğreti bulmak imkansızdır. Hatta bu yasaktır, günahtır, haramdır, dünyevi ve uhrevi cezayı gerektirir. 15 asırdan bu yana uzayıp giden İslâm tarihi boyunca çeşitli dönemlerdeki kırılmalar hariç, Müslümanların Müslüman olmayan unsurları ötekileştirmemesinin, genel-geçer insani prensipler ya da ortaklaşa kabullenilen anlaşmalar doğrultusunda herkesin kendi kalarak ortak bir platformda yaşayabilmesinin sebebi de budur. Müslüman olmayan unsurlara zimmi ya da azınlık denilmesi kimseyi aldatmasın. Onlar pratikteki kaymalar hariç, teorik temeller itibariyle hiç bir zaman öteki değildir ve olmamıştır. Ama aynı şeyi Batı dünyası için söylemek imkansızdır. Yazının girişinde aktardığımız şarkı güftesi de bunu göstermiyor mu? Ya da tarih boyunca yaşanan savaşlarda Müslümanların karşılaştığı davranış modelleri? Milosoviç'in şüpheli ölümü nedeniyle 90'lı yılların başlangıcında Avrupa'nın göbeği Bosna'da cereyan eden hadiseler yeniden hafızamızı tazeledi geçenlerde. Hem de dönemin süper güçlerininin nedamet kokan, 'ah keşke daha önce müdahale etseydik, soy kırımına seyirci kalmasaydık' beyan ve itirafları ile birlikte.

Özetle; ötekileştirme insanın kendi hemcinsine karşı almış olduğu fikri ve fiili bir tavrın adıdır. Belki de bir hastalıktır bu. Bir canavar misali hasmını yemeden önce ona verdiği bir isimdir. Menfaatlerini korumak, ziyadeleştirmek, arkadan gelen nesillerin istifadesine müncer olacak şekilde baki kılmak için yaptığı şuurlu bir tercihtir. Belki de bir entegraston, asimilisyon aracıdır. 'Ya hep, ya hiç' mantığının gözetildiği hayatiyetini devam ettirebilmenin ön şartıdır. Ya da gün geçtikçe zayıflayan, yok olmaya yüz tutan değerlerini yıkılmadan ayakta tutabilmek için ihtiyaç duyduğu düşmanın icadı için ortaya yine şuurluca konmuş bir uygulamadır.

Hakim ve güçlü unsurlar tarafından çeşitli sebeplerle ötekileştirilen kişi ve gruplar bir anlamda pasif olduğu için suçsuz ve masum kabul edilebilirler. Hatta bazıları bunu kendileri hakkında İlahi iradenin verdiği hüküm, dolayısıyla ezeli ve ebedi kaderleri olarak görebilir ve buna da inanabilirler. Fakat bu bakış açısının ve kabullenişin yanlış olduğu ortadadır. İnsan iradi bir varlıktır. Hayvandan farklı olan bu özelliği zaten onu insan yapmış, Allah'ın yeryüzündeki halifesi makamına yükseltmiştir. İnsan nesne değil, öznedir. İlahi emir ve yasaklar istikametinde tarih yapmak için buradadır. İlahi değerlere uygun olmayan gidişata dur demek, tarihe yön vermek, yanlış yere akan hadiselerin akış seyrini değiştirmek onun en birinci vazifesidir.

Bu açıdan ötekileşme sürecine sokulan kişi, grup, millet ve devletler ötekileşmemek için herşeye rağmen mücadele etmek zorundadırlar. Özellikle inanç esasları gereği kainata bir mehd-i uhuvvet –kardeşlik beşiği– nazarıyla bakan, ötekilerini Hz. Ali'nin beyanıyla 'yaratılışta kardeşi' olarak gören zihniyetin temsilcileri, içine girilen tutumun yanlışlığını diğerlerine en gür sesleri ile anlatmalıdır. Şimdiye kadar Ademoğluna felaketten başka bir şey getirmeyen ve getirmeyecek olan ötekileştirme çabalarını tiyatro oyunu seyreder gibi seyretmemeliler.

Tekrar başa dönelim; Batı dünyasının zihnen ve fiilen asırlardan beri öteki ilan ettiği ve onun için hayvanlara eş değer gördüğü dünyanın temsilcileri ve muhatapları olarak her birimiz, ön yargı duvarlarını –üç-beş nesil sonra bile netice alınacak olsa– aşacak, dini, dili, kültürü ayrı olsa da onlarla en azından insan olma ortak paydasında birleştiğimizi göstermek zorundayız. Ötekileşme, kim ne derse desin ve nasıl düşünürse düşünsün bizim kaderimiz değildir. Kim bilir ötekileşmeme uğrundaki çabalarımız onları da insafa getirir, orjinal haliyle kendi değerlerine dönmeyi, daha külli biçimde inançta, düşüncede ve amelde tasaffi etmelerine fırsatı sunar.

TRAVMA DÖNEMİNDE ÖZGÜRLÜK

New York City Belediye Başkanı Michael Bloomberg, finansal kurumlara yapılacak muhtemel bir saldırı sebebiyle yükseltilen alarm seviyesi ve güvenlik önlemlerini anlatan basın toplantısında her çeşit özgürlüğün sembolü olduğu için New York'un teröristler tarafından hedef seçildiğini anlattı. Her ikisi de yani hem New York City'nin özgürlükler kenti hem de bu nedenle hedef olması el-hak doğrudur. Ama vakti geçmek üzere olan akşam namazını bir mağazanın park yerinde kılan kişinin terörist olabilir endişesiyle yerel ve federal görevliler tarafından inceden inceye sorguya çekildiği de doğru. ABD içinde eyaletler arası seyahat yaparken ismi Ahmet, Mehmet, Mustafa, Muhammed olan kişilerin herkesten farklı ve herkesin gözü önünde özel kontrol ve aramaya tabi tutulduğu da doğru. İşin garibi havaalanı görevlilerinin bu konuda hiçbir sui-taksirleri yok. Çünkü uçağa biniş kartı alırken bilgisayarlar otomatik olarak bu isimlere sahip olanlara –double security check– işareti koyuyor.

Sadece bunlar mı? Elbette değil. 11 Eylül sonrası basın yayına yüzlerce defa konu olan ve özellikle Müslümanlar üzerinde yoğunlaşan nice sorgulama hadiseleri var ki, bunların yekunu Bloomberg'in ifade ettiği özgürlüklerden din özgürlüğünün varlığına kuşku ile bakılmasını haklı kılıyor. ABD'de Müslümanlara bakan yanıyla bir şeylerin yanlış gittiği muhakkak. Müslümanlar söz konusu olunca din özgürlüğü kavramının seslendirilmese de farklı bir şekilde yorumlandığı veya tanımlandığı kesin. Bu sürece girilmesinde hiç şüphesiz 11 Eylül ve sonrasının etkisi inkar edilmez. Hele kamuoyunun mağlubiyet olarak değerlendirmesine dayanak teşkil eden savaş sonrası her gün Irak'ta yaşanan terör olayları bu sürecin ateşleyici faktörü. Öyle ki bu faktör emir komuta zincirini de, sağduyuyu da, ABD'nin 200 yıllık tarihi içinde savunucusu olduğu özgürlük kavram ve kapsamı içine giren her türlü değer ve disiplini de unutturacak kadar etkin.

Halbuki ABD'yi ABD yapan en önemli unsurlardan birisi araştırma ve bilgiye verdiği ehemmiyettir. Üniversite sayısı, araştırma fonları, fen bilimlerinde yapılagelen icatlar ile bunların teknik ve teknoloji vasıtasıyla hayata aktarımı ve yaygın kullanımı, sosyal bilimlerde think-tank kuruluşları, isimleri marka olmuş, düşünceleri dünya genelini etkileyen bilginler... Hasılı neresinden bakarsanız bakınız bilgi, bu ülke medeniyetinin temelini oluşturuyor.

Dolayısıyla din özgürlüğü ve Müslümanlar özelinde ABD'den beklenen Türk insanının hiç de yabancısı olmadığı korku, endişe, çıkar, intikam, yanlış istihbarat gibi unsurlara dayalı vatandaş-devlet arasında uçurum meydana getiren zihniyet ve yaklaşımdan ziyade, uzmanların yıllar süren çalışmaları sonucu ortaya koyduğu ilmî yaklaşımları esas alarak insanlara davranmasıdır. Bu çerçevede yapılacak ilk iş, hiç ama hiç şüphesiz terör ve terörist kavramını nasıl tanımladığını açıklamaktır. Böylece herkes buna göre tavır belirleme şansına sahip olacaktır. Adı Ahmet, Muhammed, Mustafa olan -ki bu isimlerin bir Müslüman nezdinde ne kadar kudsi bir yer teşkil ettiği herkesin malumudur- her erkeğe, başı kapalı olarak çarşı pazarda dolaşan her kadına, Ortadoğu orijinli herkese potansiyel terörist muamelesi yapma, ilmî zihniyetle bağdaşmayan bir yaklaşım tarzıdır.

İstatistikler dünya genelinde Müslüman nüfusunun 1,7 milyar olduğunu söylüyor. Bunun üçte biri ise yabancı ülkelerde yaşıyor. Bu demektir ki Müslüman ve İslâm, 9 milyon Müslüman'ı bünyesinde barındıran ABD başta olmak üzere bütün Müslüman olmayan ülkelerin tartışılmaz bir gerçeğidir. Bundan sonra insanlık ulaşmış olduğu özgürlük düşüncesi, medeniyet seviyesi, din müntesipleri arası ferdi ve kurumsal olarak yürütülen diyalog faaliyetleri gereği bir devlet başkanının seslendirdiği "ya bizdensin ya onlardan" anlayışına prim vermediği ve vermeyeceğine göre, en akıllı davranış ortak paydalar üzerinde birleşen herkese eşit davranmaktır. Hele sistem gereği vatandaş, yarı vatandaş, geçici süreli çalışma izni verilmiş yabancılara bahsi geçen ve geçmeyen türden işlemler düşman üretme ile eşdeğer bir özelliğe sahiptir.

Bu arada bazı ilim adamları ve köşe yazarlarının tespitlerine göre, sistemin travma geçirdiği böylesi bir ara dönemde Müslümanların da davranışlarına dikkat ederek ilgili ülkeye yardımcı olması gerekmektedir. Ne kadar masumane olursa olsun sistemin ya da medyanın çarpıttığı imaj sonucu kuşku ile karşılanan hareketlere özen gösterilmesi şarttır. "Usturaya kafa sallama"nın hiçbir anlamı yok. Özgürlük deyip sanki 11 Eylül hiç olmamış gibi hareket etme, son tahlilde bu travma dönemini uzatmadan başka hiçbir işe yaramaz. Bu tür davranışlar, dünya gerçeklerine gözü kapalı yaşamanın ve yukarıda tenkidini yaptığımız ilmî düşünce ve aklıselime göre hareket etmemenin bir başka çeşididir. Ve bu süreçte kaybedenler hiç şüphesiz usturaya kafa sallayanlar olur. Bu açıdan bakıldığında 11 Eylül, ABD'den çok Müslümanları ve İslâm'ı vurmuştur. Fethullah Gülen Hocaefendi'nin dediği gibi Usame b. Ladin, İslâm'ın dırahşan çehresini kirletmiştir. Bu kirlenen çehrenin temizlenmesi İslâm'ın ancak Hz. Peygamber dönemi misali gibi temsili ile mümkün olur ki; bunun da asırlar alacağı muhakkaktır.

Evet, bütün bunları derken yıllardan beri Batı'nın Müslüman ülkeler üzerindeki sömürge faaliyetlerini ve bu faaliyetlerin oluşturmuş olduğu Batı düşmanlığı zihniyetini unutuyor değiliz. Mızrağın çuvala sığmadığı Filistin, Irak, Sudan vb. ülkeler ve mızrağın çuvala sığdığı diğer Müslüman ülkelerdeki ekonomik alanda sömürge deyimi ile ancak açıklanabilecek çalışmaların, kültürel, siyasal, sosyal alanlarda Müslüman kimliğinin oluşmasına zarar veren çabaların da farkındayız. Hepsinden öte, belki çoklarının gözden kaçırdığı Müslüman ülkelerdeki genç nüfus çokluğunun da şuurundayız. Özellikle akıl, mantık, muhakeme, uzun vadeli plan ve programlardan ziyade gençlik hevesatı, bir başka tabirle delikanlılık heyecanı ile hareket eden bu büyük potansiyeli zabt u rabt altına almanın zorluğu da meydanda. Ama başka çare de yok. Dünyanın neresinde olursa olsun bütün Müslümanların sadece yabancı bir ülkede değil, dünya genelinde tüm Müslümanlığa karşı girilen travma dönemini atlatmak için ciddi gayret sarf etmesi gerekiyor. Bu çerçevede herhalde ve hiç şüphesiz en büyük sorumluluk Müslüman toplum ve toplulukları yönlendiren sivil veya resmi lider ve kuruluşlara düşmektedir.

İSLÂM BARIŞ DİNİ Mİ?

"İslâm hakkında bugün çok farklı yorumlar duyuyoruz. İslâm bir barış dini midir? İslâm insan haklarına ne derece inanıyor ve bunu sağlıyor? O, insanlık içinde başkalarına saldırmadan varlığını sürdürebilir mi?" Sorular bu çerçevede devam ediyor. Peşi sıra söylenen, yazılan şeyler ise şunlar: "Bunlar bir tarafa, bizler Hıristiyan olarak kendi mazimize de bakmalı, kendimizi sorgulayabilmeliyiz. Mesela, Hıristiyanların Yahudilerle olan mücadelesi, Haçlı Seferleri diye anılan Müslümanlarla olan savaşlarından daha az değildir. Öyleyse, Hıristiyanlık nedir? İsa'nın geliş gayesi savaş için midir? Eğer bu soruya cevap hayır ise, mazimizdeki savaşların sebepleri nelerdir?"

Yukarıda okuduğunuz satırları 'Christianity Today" adlı bir derginin, "Is Islam a religion of Peace" yani "İslâm barış dini midir?" adlı makalesinden aktardım. Amacım, bu makaleden hareketle Batı dünyasının 11 Eylül sonrası İslâm hakkındaki düşünce, şüphe/tereddüt veya beklentilerini sizlere aktarabilmek. Sadece aktarmak mı? Elbette değil. Beklentiler, şüphe ve tereddütler doğrultusunda tam anlamıyla yapamadığımız vazifelerimize ışık tutmak.

Her şeyden önce Batı medyasını Müslümanlara bakış açısı itibarıyla ikiye ayırmak icap ediyor: Bir, her halükârda İslâm'a karşı şartlı bakış açısı olan ve kim ne derse desin, denilen şeyler ne kadar doğruyu yansıtırsa yansıtsın, bunlara karşı kulağını kapatıp, bildik ve hiç de yabancısı olmadığımız düşman tavrı sergileyenler.

İki, Müslümanların hepsini bir kefeye koyma haksızlığına düşmeyenler.

Sanıyorum yukarıda kapak dosyasından alıntı yaptığım dergi ikinciler arasında yer alıyor. Çünkü İslâm'ı ve Müslümanları sorgulamanın yanında kendilerini de rahatlıkla sorgulayan bir tutum izliyorlar.

Pekala denilenler neler? "Usame b. Ladin ve onun gibi düşünenler, onunla iş birlikteliği yapanlar gerçek İslâm'ı temsil etmiyor. Timothy McVeigh misalini unutmayalım. Oklahoma bombacısı Müslüman değil, Hıristiyan'dı." Kesinlikle doğru olan bu yargı, düşünüyorum da Müslümanların kaçta kaçı tarafından kabul ediliyor acaba? Çünkü 11 Eylül sonrası İslâm dünyasından gelen tepkilerde dikkati çeken en önemli husus "ama"lı, "fakat"lı kınamalardı. "Masum insanların öldürülmesi inancımıza göre yanlış, haram" diye başlayan ve hemen arkasında ilave edilen "ama"lar, "fakat"lar. Bu ikinci bölümde denilen şeyler genelde ABD'nin İsrail'e verdiği destek, İslâm dünyasının ekonomik, kültürel emperyalizme maruz kalması ve bunda ABD başta Batı devletlerinin rolü vs. idi. Bazen bu ilavelerle öyle bir noktaya varılıyordu ki, okuyucu rahatlıkla eylemin meşru olduğunu düşünebiliyordu.

Bu açıdan hangi meşru sebebe dayanırsa dayansın terörün İslâm dininde meşru olmadığına ve terör içeren eylemleri yapanların gerçek İslâm'ı temsil etmediğine Batı'lıların inanması ve kabullenmesinin yanında bizim de kabullenmemiz şarttır. Bir Hıristiyan dergisinde böyle bir yazının çıkmasının bizi rehavete sevk etmemeli; "Bakın gerçeği onlar da görmüş!" türünden yaklaşımları bir kenara bırakarak kendi içimize dönmeliyiz.

Yazıda dikkati çeken diğer unsur ise, benim şüphe veya beklenti olarak adlandırdığım hususlar. Diyorlar ki; Batı ülkelerinde Müslümanların dinlerini anlatması, yaşaması, propaganda yapması ve teşkilatlanması serbest ama İslâm ülkelerinde Hıristiyanlara ya da diğer din mensuplarına aynı imkan neden tanınmıyor?

İslâm'da dininden dönen insanların öldürülmesi hükmü doğru mu ve neden? Halbuki dinde zorlamanın olmadığını kutsal kitap Kur'an anlatıyor. Hz. Peygamber'in bir beyanlarında var olan cennetin kılıçların gölgesi altında olması neyi ifade ediyor ve neden kılıç? Cihat yani "Holy War" ne demek? Dini sebeplerle yapılan/yapılacak olan savaşın adı mı bu? Eğer öyleyse insanların din özgürlüğü nerede kaldı? İslâm toplumunda herkesin kendi dinini seçme hürriyeti yok mu? İslâm ülkesi, kafir/savaş ülkesi sınıflandırmasını nasıl anlatabilirsiniz? Müslüman nüfusun yaşamadığı ülkelere 'daru'l-harb/savaş ülkesi' adını koymakla varılmak istenen hedef nedir ve tabii ki neden? Kadın hakları konusunda İslâm tarihi boyunca gördüğümüz eksikliklerin nedeni dinî değerler mi; yoksa kültürel şeyler mi? Kur'an'da yer alan el ve ayakların çaprazlama kesilmesi âyetine nasıl izah getiriyorsunuz? İsrail-Filistin arasındaki savaşta rol oynayan dinî etmenler nelerdir?"

Bu kadar yeter sanırım? Bizim Müslümanlar olarak Hıristiyanlık ve Hıristiyanlar hakkında merak ettiğimiz, endişe duyduğumuz, açıklama beklediğimiz ve en masum şekliyle öğrenmek istediğimiz şeyler cinsinden sorular bunlar. Dolayısıyla "Bunların cevapları tarih boyunca verilmiş." şeklindeki bana göre umursamaz ve kayıtsız bir tavır içine girmemeli diye düşünüyorum. Çünkü bize göre "verilmiş!" olan o cevaplar, en iyimser bir yaklaşımla bu insanları tatmin etmedi veya ellerine ulaşmadı. Ya da yorum farklılığından kaynaklanan çeşitlilik, bunların başlarını döndürdü, bakışlarını bulandırdı. Nitekim bu açıdan meseleye bakınca bir Vahhabi yorumu İslâm anlayışının buralarda daha yaygın olduğunu rahatlıkla görebilirsiniz. Neden? Maddi sorunlarının olmayışı –çünkü arkalarında İslâm'ı tebliğ etmeyi vazifeleri arasında sayan ve gerek resmi gerekse sivil organizasyonlar vesilesi ile bu işe aktarılan milyon dolarların söz konusu olduğu bir maddi destek var arkalarında–, Batı'ya açılımlarını yıllar önce yapmış olmaları söz konusu. Dolayısıyla siz ne kadar Batı'lı insanın kabulüne vesile olabilecek gerçekçi yorumlara sahip olsanız da sesinizi duyuramadığımız sürece bir anlam ifade etmiyor. Belki şöyle demek daha uygun: Pratik sonuçları itibarıyla şimdilik bir anlam ifade etmiyor gözüküyor.

Diğer taraftan, İslâm'ı anlatmak için alabildiğine müsait, belki de her zamankinden daha fazla uygun bir zeminin olduğu muhakkak. Kaldı ki, dini anlatma bir Müslüman için namaz kılma ölçüsünde zorunluluk ve sorumluluk içeriyor. Öyleyse ikili ilişkiler başta her türlü zemin ve fırsatın değerlendirilerek bu vazifenin yapılması şart ve elzem.

Hasılı, Yusuf İslâm'ın dediği gibi teröristler yaptıkları bu son olayla uçaklara, masum insanlara, Dünya Ticaret Merkezi binalarına zarar vermekle kalmadılar, İslâm'a da ciddi zarar verdiler. Açılan bu geniş kapıdan girerek dinimiz hakkındaki imajı düzeltmek ise bize kalıyor.

KAVRAMLAR ETRAFINDA: CİHAD VE FUNDAMENTALİZM

Rivayet bu ya; Nasreddin Hoca kahvede otururken biri der ki: "Hocam! Elinde bir tepsi baklava olan birisini şuraya doğru giderken gördüm." Hoca gayet rahat, "Bana ne!" der. Bu defa o şahıs: "İyi ama hocam, o kişi sizin eve girdi." deyince Hoca yerinden hızlıca fırlar, koşarak kahveden çıkarken döner o şahsa ve "Sana ne!" der.

Öyle bir dünyada yaşıyoruz ki dünyanın neresinde ve ne türden olursa olsun hiçbir hadiseye Nasreddin Hoca'dan mülhem; ama Nasreddin Hoca gibi "Bana ne!" veya "Sana ne!" diyemiyoruz. Kapsam ve yoğunluğu değişse de yerkürede meydana gelen hemen her hadise, her siyasi karar, her teknolojik gelişme, her kültürel değişiklik herkesi olumlu veya olumsuz yönde etkiliyor. İster istemez yüz yüze olduğumuz bu gerçek karşısında tavandan tabana alınan tavır global anlamda sert ve devlet olarak varlık mücadelesine kadar uzayan uzun ve oldukça çetin bir sürece bizleri sokuyor.

Bu, yapı içinde kavramların ve o kavramlara giydirilen manaların çok önemli olduğunu düşünüyorum. Çünkü insanların da devletlerin de ilgili kavrama karşı tutum belirlemesi, tavır alması, kabullenmesi veya reddetmesi, son tahlilde o kavrama giydirilen anlam çerçevesine göre oluyor. Söz gelimi "cihad" Cihad, İslâmî düşünce içinde anlam kaymasına uğrayan kavramların başında gelmektedir. Cihad kavramının "savaş" boyutunun ön plana çıkartılıp diğer boyutlarının unutulduğu bu yaklaşımda, savaşanların gerekçesinin dine inhisar edilmesi ise meseleyi içinden çıkılmaz hale getiriyor. "Ya İslâm ya ölüm" sloganı ile açıklanan bu önyargıya göre cihad, "ötekilerin" Müslüman oluşuna kadar devam edecek dinî bir görevdir. Umumi anlamda düşünce, hususi anlamda da din ve vicdan özgürlüğü ile telif edilmesi imkansız olan bu anlayışın, İslâmi değerler nokta-i nazarında doğru olmadığı ise muhakkaktır.

Batı dünyasının bilinçli ya da bilinçsiz katkılarıyla âlemşümul hale gelen bu anlam kayması, günümüzde cereyan eden ve Müslümanlara izafe edilen terörist hadiselerle farklı bir boyut da kazanıyor. Çünkü siyasal, ekonomik, kültürel vb. nedenlerle yapıla gelen her türlü şiddet ve terörist hareketler cihad kavramının içine dahil ediliyor. Halbuki haklı veya haksız hangi tür nedenle olursa olsun, İslâm'ın temel değerleri ile taban tabana zıt terörist eylemlerin, eylemleri yapan kişilerin kimliklerinden hareketle "İslâmi Cihad" olarak adlandırılması önyargının, hasmane düşüncenin, yanlış algılama ve gözlemlerin ürünüdür.

Cihad'ın Batı'lılar tarafından böyle algılanması bugün insani ilişkilerden tutun devletlerarası her türlü münasebeti etkilemektedir. Özellikle Batı ülkelerinde hayatlarını -hem de o ülkenin vatandaşı statüsüne sahip olarak- sürdüren Müslümanların yaşadığı nice ibretlik hadiseler bunun en büyük delilidir. "İnsanı insanın kurdu" haline getiren bu anlayış ve yaklaşım; ahlâkî, hukukî, içtimaî tek kelime ile insanî ilişkilerin köküne kibrit suyu dökmekte, nice ihlallere sebep olmaktadır. Daha birkaç gün önceki The Guardian gazetesinin verdiği habere göre, 2001 Aralık ayından beri şüpheli olarak gözaltında tutulan bir Mısırlı Müslüman'ın çıkarıldığı mahkemede suçsuz bulunup salıverilmesi örneği bu çizgide cereyan eden hadiselerin ne ilki ne de sonudur.

Ayrıca insanlık tarihinin hiçbir zaman diliminde görülmeyen "terörist devletler" listesi hadisenin uluslararası boyutunu gösteren bir başka unsurdur. Hukukun en temel "Kişi, suçluluğu ispatlanana kadar suçsuzdur" ilkesinin tersine işletildiği bu çarpık anlayışa göre, o listede yer alan ülkelerin 7'den 70'e her vatandaşı teröristtir. Uygulamadaki farklılıklar bir kenara, en azından teorik olarak bu böyledir.

Fundamentalizm, bu çerçevede ele alınabilecek örneklerden bir diğeridir. İlk defa 1900'lü yılların başında Amerika Protestanları tarafından "The Fundamentals; A Testimony to the Truth: Temel Kurallar; Gerçeğe/Doğruya Şahitlik" başlığı ile neşredilen broşürlerde kullanılmaya başlanan fundamental kelimesi, daha sonraları bu grubun temsilciliğini yaptığı dinî düşünce akımına isim olmuştur. O güne kadar dünya genelinde hakim olan Alman ve İtalyan kökenli İncil yorumlarına karşı çıkan ve asıl/orijinal İncil'e dönüş çağrısını içeren bu akım sahipleri, kendilerini 'gerçek doğru'nun yegâne temsilcisi görmüş ve "ötekiler"in İncil'in çizgisinden çıktıklarını iddia etmiştir. Bununla yetinmemiş, kendilerinin 'anti-modern', ötekilerin de 'modern' olarak adlandırılmasını zevkle kabullenmişlerdir.

Bununla beraber birçok Batı'lı ilim adamı fundamentalizm üzerine yaptığı çalışmalarda, bu kavramın sadece dinî, siyasî veya kültürel bir grubu tanımlamada kullanılmasının zorluğu hatta imkansızlığı üzerinde durmuşlardır. Çünkü her ne kadar kavram, dinî sahada asıl İncil'e dönüş çağrısı ile ortaya çıksa da ilerleyen zaman dilimlerinde farklı alanlarda ve farklı anlamlarda kullanılmıştır. Söz gelimi; dinî hareketler üzerine yaptığı çalışmalarla ünlü Jeffrey K. Hadden; dinî, siyasî, kültürel ve küresel dört tip fundamentalizmden bahsetmektedir. 'The American Academy of Arts and Sciences' adlı bir kurumun fundamentalizm kavramı üzerine yaptırdığı araştırmalar toplam 8.000 sayfa tutmuştur. Bu çalışmada ideolojik ve organize açılarından fundamentalizmin olmazsa olmazlarının belirtildiği 9 madde oldukça önemli tespitleri ihtiva etmektedir. Bütün bunlar şunu göstermektedir: Bugün itibarıyla kavram, çıkış noktasından çok ama çok uzak bir yerde bulunmaktadır.

Şimdi; kavramın ait olduğu dünyadaki çıkış nedeni, hangi alanda kullanıldığı, günümüze uzayan süreçte geçirdiği evrimler ve bugün itibarıyla almış olduğu konum hiç nazara alınmadan, onu hem de alabildiğine menfi bir anlam çerçevesi içinde İslâm'a yamamak, İslâmî fundamentalizm diyerek kullanmak ne kadar doğrudur? Hatta şunu rahatlıkla söyleyebiliriz ki; çıkış noktası -ki dinin asıl kaynaklarına dönüşü ifade ediyordu- açısından İslâmî fundamentalizm çok müspet manalar içermektedir. Çünkü İslâm'ın aslî kaynakları Kur'an ve Hz. Peygamber'in sünnetidir. Bir Müslüman'ın dinini Kur'an ve sahih hadisten öğrenmesi değil tenkide, takdir ve teşvike layık bir olaydır. Ama gel gör ki bu kavram, İslâm dünyasında Ortodoksî bir yaklaşımla İslâm hukukunu günümüzde uygulamak isteyen ya da İran İslâm Cumhuriyeti'nin devrim ihraç komitelerini andıran tarzda İslâm ihracını -nasıl olacaksa!- amaç edinen kişi ve gruplara sıfat ya da isim olmuştur.

Cihad ve fundamentalizmde olduğu gibi özellikle çıkış noktasından kaymalar ve sapmalar yaşayan kavramların hoyratça ve sorumsuzca kullanılması, küreselleşmeyi doruk noktada yaşadığımız günümüz dünyasında herkesi ilgilendirmektedir. İşin garibi sadece bugünü değil geleceğimizi de, bir başka dille gelecek nesilleri de ilgilendirmektedir. Zira günlük politik karar ve uygulamalar buna göre yapılmakta, zihinler ona göre şekillenmektedir. Keşke insanlık, namus hassasiyeti içinde kavramlar üretse ve tüketse. Birlik ve beraberlik içinde daha yaşanabilir bir dünya için bu şart.

DİN DEĞİŞTİRENE ÖLÜM CEZASI VE BATI İNSANI

Afganistan'da, Hıristiyanlığı tercih eden Abdurrahman'a, Afgan yetkililerince verilen ölüm cezasının Batı'daki -özellikle ABD- yansıma ve etkileri çok sert oldu. İslâm dünyasının ya da sokakta günlük hayatını devam ettiren sade bir Müslüman'ın, bu tepkiyi ne kadar anladığı ve doğru değerlendirip-değerlendirmediği bu yazının konusunu oluşturacaktır.

Herşeyden önce Batı'lı bir insan nezdindeki dinin yerini belirlenmesi bu tepkiye anlam verme açısından öncelikli bir yere sahiptir. Yalnız Batı derken, ABD ile kıta Avrupa'sını mutlaka ayrı tutmak ve ikisini aynı kefeye koymamak lazım. Çünkü yapılan istatistikler göstermektedir ki; ABD'de kendisini ateist olarak tanımlayan ve hiç bir dine, dini değere inanmayan insan oranı %3 ila 9 arasında iken, bu oran Avrupa'da ortalama % 70'dir. Bu açıdan bakıldığında, ABD, Avrupa'ya nisbetle çok daha dindar bir görünüm arz etmektedir.

ABD insanının hayatında din, gerek inanç, gerekse fonksiyonel açıdan katiyen bir Müslüman ölçüsünde yer almamaktadır. Akidevi unsurların kendilerini tanımsızlığı, hayatın hemen her alanına dair dini ahkamın yokluğu veya azlığı, bu sonuçta en büyük rolü oynamaktadır. Haftada bir kiliseye gidip vaaz dinlemek, dindar vasfını kazanmak için yeterlidir. Bu ölçüde dindar olmayanların kilise ile ilgisi ise; düğün, doğum ve cenaze vesilesiyledir. Dolayısıyla, mutlak anlamda 'din' denince, akla ve kalbe tam oturmamış akidevi unsurlar, haftada ya da ömürde birkaç defa uğranan kilise aklına gelen bir insanın, din değiştirmeden dolayı verilen ölüm cezasını anlaması mümkün değildir.

Ferdi özgürlükler perspektifinden olaya bakacak olursak; baştan şunu kabullenmek zorundayız; ABD'nin, iç coğrafyasında yaşayan kişilere tanıdığı özgürlükler, İslâm dünyasının genelinde Müslümanlara tanınan özgürlüklerden çok daha fazladır. Söz konusu özgür alanda tercih edilen şeylerin dini değerlerle örtüşüp-örtüşmemesi veya ABD'nin dış politikasında aynı tutumu sergileyip-sergilememesi ayrıca ele alınması ve tartışılması gereken bir konudur. Fakat şurası kesin ki; monarşik ve totoliter rejimlerin hakim olduğu cofrafyadaki özgür ortamla, ABD'deki ortam mukayese dahi kabul etmez.

Bunun bir sonucu olarak, ABD'de, Hıristiyanlığı bırakıp Müslüman, Budist, Şintoist, Brahmanist vs. olan hiç kimseye, bu tercihinden dolayı müdahale edilmemektedir. Yeni tercihin ilgili kişi adına başta ailesi ve yakın çevresi ile ilişkilerde farklılığa yol açması normaldir; hatta dışlanması da. Ama bundan dolayı devletin vatandaşına ölüm cezası vermesi söz konusu değildir. Onun için böylesi bir ortamda yaşayan, dün Hıristiyan iken bugün Müslüman, Brahman, Budist olan kişi ile hemen her gün karşılaşabilen ve yine asırlardır kilise iken bugün cami olan mekanlarla yüz yüze gelen kişilerin, Afganistan'da verilen ölüm cezasını anlamaları herhalde imkansızdır.

Özellikle 11 Eylül sonrası sonrası artan ve tıpkı anti-semitizim gibi evrensel suç kategorisine girmesi gerektiği bazı çevreler tarafından sıklıkla dile getirilen 'İslâmaphobia/İslâm düşmanlığı', sözünü ettiğimiz tepkilerin bir başka nedenidir. Çünkü İslâm ve Müslümanlar hakkındaki düşünceleri ile birebir örtüşmüştür bu karar. Onlara göre: "Müslüman, Hıristiyan düşmanıdır. Tarih boyunca böyle olan bu zihniyet, bugün de devam etmektedir. İşte örneği; Hıristiyanlığı kendi özgür iradesi ile seçen kişiye ölüm cezası verilmektedir. Başka delile ihtiyaç var mıdır?"

Aynı perspektiften; olayın bir başka boyutu; İslâm dünyası hakkında oluşturulmak istenen imaja katkı sağlayacak bir delil olmuştur bu. Söz konusu çevreler, uygulayageldikleri ya da uygulamak için sırada bekleyen planlarına zemin hazırlayacak böylesi bir hadiseyi es geçmemişlerdir. Es geçmeleri beklenemezdi zaten.

Daha açık ifadeyle; baskıcı ve zalim rejimlerin altında inim inim inleyen insanlara özgürlük kazandırmak, demokratik rejimi onlara hediye etmek, evrensel insan haklarına sahip biçimde hayatlarını idame ettirmelerini sağlamak vb. söylemlerle, askeri operasyonlara bile giren bir zihniyet, elbette bu karar sonucu "Biz size dememiş miydik?" diyeceklerdi ve dediler de. Karikatür krizindeki protesto gösterileri ölçüsünde olmasa da, bu ölüm kararını başta yazılı ve görsel medya olmak üzere, Afganistan yetkililerine ricada bulunan, ya da ültimatom veren siyasi çevrelere kadar hemen her kesim, başta ifade ettiğimiz İslâm imajı için bu kararı malesef kullandı ve kullanmaya da devam edecekler.

Nitekim bu hadisenin hemen akabinde "Uluslararası Dini Özgürlükler" komitesi yeni bir raporla dini özgürlüğün bulunmadığı kara listeye alınmış ülkeleri teker teker saydı. Bu rapora göre; geçen seneden kara listede olan ülkeler şunlar: Afganistan, Suudi Arabistan, Çin, Eritya, İran, Kuzey Kore, Sudan, Vietnam. Bu sene içinde dini özgürlükleri hiçe sayan hadiselerden hareketle Pakistan, Özbekistan, Türkmenistan da kara listeye dahil edildi. Bengaldeş, Belarus, Küba, Mısır, Endonozya ve Nijerya ise "watch list" adı verilen gözetleme listesine alınmış durumda.

Ne önemi var bu raporun gibi bir soru aklınıza gelmemiştir umarım. Çünkü uluslararası anlaşmalara bağlı olarak birçok yaptırımları var bu raporların. Daha ötesi, ABD'de yapılan ve gazetelere yansıyan yorumlara göre bu listeler, ABD'nin terörle mücadelesinde hangi hükümetin kendisi ile arkadaş ve dost, hangisinin ise düşmanı ya da düşmanının düşmanı ile beraber olduğunu göstermektedir!

Son olarak dini çevrelerin tepkisi; tabii olarak bu kesimin tepkileri, siyasi çevrelerden farklı oldu. Ağzı olan herkes konuştu. Bilgili-bilgisiz, önyargılı-önyargısız, yetkili-yetkisiz hemen herkes. Bunlar içinde bir tanesi benim çok onuruma dokundu. Bir tavsiye idi bu; Afganlı din değiştiren Abdurrahman'a. Diyordu ki: "Eğer ölüm cezasını engelleme konusundaki tüm çabalarımız boşa gider ve sen ölümle yüz yüze gelirsen, tıpkı çarmıha gerilen İsa Mesih'in şu sözleri, son sözlerin olsun: "Father, forgive them; for they know not what they do" (Luke 23:34). Yani " Babacığım! Onları affet; çünkü onlar ne yaptıklarını bilmiyorlar."

Bu cümlenin onuruma dokunmasının sebebi şu; İslâm gerek Kur'an, sünnet ve onlara getirilen yorumlar açısından teorik temeller, gerekse Hz. Peygamber (sallallâhu aleyhi ve sellem) dönemi uygulamaları itibariyle, ferdi ve özgür iradesine bağlı olarak din değiştiren, İslâm ve Müslümanlar aleyhine aktif düşmanlıkta bulunmayan kişilere böyle bir ceza öngörmüyor.

SIRA KİMDE?

ABD ve İngiltere başta olmak üzere kıta Avrupa'sını ve bütün dünyayı kökünden sarsan 11 Eylül ve 7 Temmuz olaylarının ardından Batı'da yükselen seslerin başında, Müslüman dünyanın ulemadan siyasetçiye uzanan çizgide, terörizmi kayıtsız ve şartsız lanetlememeleri geliyordu. Bir yorumdan ve tespitten öteye geçmeyen bu sözlerin doğruluğu tartışılsa da bir an için doğru olduğunu kabul edelim ve diyelim ki; aradan geçen 4 yıl içinde bu alanda ciddi mesafe alınmıştır. Hem de bu eleştirileri İslâm dünyasına yönelten Batı'lıları memnun edecek seviyede.

Sözgelimi, 7 Temmuz Londra olaylarından sonra sadece ABD'de ülke çapında 173 İslâmi organizeyi temsilen 18 İslâm ulemasının imza koyduğu terörizmi 'amasız, fakatsız' lanet fetvası yayınlandı. Fetvada "hangi amaç ve sebeple, kime karşı olursa olsun her türlü terorist faaliyetler haramdır; Müslüman şahsa düşen, bulunduğu ülkenin kanun ve kurallarına tabi olarak güvenlik güçlerine yardımcı olmak, sivil ve masum kişilerin hayatlarını korumaktır" gibi hüküm ifade eden çok net beyanlar da bulunmaktadır.

Türkiye özelinde Fethullah Gülen Hocaefendi'nin teröre yaklaşımı 11 Eylül'den çok önceleri deklare edilmiş ve herkes tarafından biliniyor. Aynı çerçevede Arap İslâm dünyasından Uzakdoğu ve Pasifik ülkelerine kadar Müslüman bilginlerin fetvalar yayınladıkları bilinen bir gerçek. Fetvanın Müslümanlık hayatındaki fonksiyonu açısından hadiseye baktığımızda, bu fetvaların ne kadar müessir olacağını zaman gösterecek. Ama –Batı'lıların düşüncesine göre!- geç de olsa İslâm uleması üzerlerine düşeni yapmışlardır.

Burada can alıcı bir noktaya parmak basmak istiyorum: Batı'lıların Müslüman ilim adamlarından beklediği ölçüde bizim de Hıristiyan, Yahudi, Budist vs. din adamlarından terörü lanetlemelerini beklemek hakkımız olsa gerek. Sadece terörü lanet yetmez; terörizmin İslâm dini ve Müslümanlarla özdeşleştirilmesinin yanlışlığını da vurgulamaları gerekir. Siyasetçiler ve medyayı hedef alarak asırlık önyargıların baskıcı ağından azade biçimde hadiseleri soğukkanlı değerlendirmeleri ve böylece toplumdaki tansiyonu aşağıya çekici açıklamalarda bulunmaları şarttır. Tabii sık sık seslendirdikleri karşılıklı barış ve güvenlik içinde insanların birbirlerinin değerlerine saygılı olduğu bir yerkürede yaşama düşüncelerinde samimi iseler.

Bakın; İngiltere'de 7 Temmuz'dan bu yana polis kayıtlarına geçen irili-ufaklı Müslümanlara saldırı amaçlı 2.000 hadisenin olduğu söyleniyor. Bütün bu olup bitenler karşısında Batı'lı din adamlarının kamuoyunu yatıştırıcı bir açıklamasına şahit oldunuz mu? Ben olmadım.

Michael Graham, 7 Temmuz'un hemen akabinde yaptığı bir radyo programında yine İslâm dini ve Hz. Peygamber hakkında bildik hakaretlerini yaptı. Radyo yönetimi, kamuoyundan -tabii ki ağırlığını Müslümanlar oluşturuyor- gelen tepkiler üzerine Graham'ın programına ara vermek zorunda kaldı. Ama bu protestolar devam ederken bir tane din adamı çıkıp bunun yanlışlığını vurgulayıcı beyanda bulunmadı!

Daha üç gün önce Washington'ın hemen yanı başında Arlington adlı şehirde 23 yaşında hamile ve başı kapalı Müslüman bir bayana sokak ortasında 3 beyaz Amerika'lı saldırıda bulundu. Saldırı esnasında söyledikleri sözleri buraya kaydetmeye benim

İslâmi terbiyem müsaade etmiyor. Bu tablo karşısında devletin güvenlik güçleri görevlerini yapsa da din adamlarından bir ses duyulmadı.

Yine geçen hafta İllinois'te 50 yaşlarında bir adam -ihtimal Michael Graham ve benzerlerinin radyo programlarında yaptığı konuşmalardan etkilendi!- ABD'deki camileri bombalayacağı tehdidinde bulundu. Polis iz sürdü ve iki gün sonra adamı derdest etti; ama hiçbir kilise mensubundan bu yanlışlığı kınayan söz duyulmadı, yazı okunmadı.

Spesifik hadiseler bir yana umumi anlamda Katolik, Ortodoks ve Protestan bütün mezhepleri ile el ele Hıristiyan dini camianın en üst düzeyde ortaklaşa veya ayrı ayrı İslâm dini ile terörizmin özdeşleştirilmesinin yanlışlığını nazara veren ve bütün dünya kamuoyuna yönelik fetvasına(!) bugüne kadar rastlamadık. Bilebildiğimiz kadarıyla Müslümanlara yönelik sözlü ve fiili saldırılarda bulunan insanların tansiyonunu aşağıya çekici beyanları da olmadı. Merkezî teşkilatlanma konusunda yapılanmasını tamamlamış Hıristiyan dünyada sözgelimi Vatikan'dan bu anlamda yükselecek bir ses, dünyada ciddi dalgalanmalara yol açacak, "İslâmophobia" zihniyetinin kırılmasının başlangıcını oluşturacaktır.

Dünya genelinde cereyan eden terörizm olaylarına bütüncül bir gözle bakma ve değerlendirmeyi öylece yapmak şarttır. Yoksa terör eksenli her hadisede Müslüman'ı ve İslâm dinini suçlu ve tek sorumlu gösterip 'vurun abalıya' mantığı ile hareket etmek, dünyayı yaşanmaz kılacak, hayat şartlarını Müslüman'ı ile Hıristiyan'ı ile aleyhimize ağırlaştıracaktır. Mesela; bugün her bir Müslüman'ın Batı'nın dayattığı 'terörist Müslüman!' imajından sıyrılıp bir özgüvene ihtiyacı vardır, doğru; ama Batı'lının da farklı bir alanda özgüvene kavuşmaya ihtiyacı yok mudur? Zira ABD başta olmak üzere Batı dünyasında insanı canından bezdiren güvenlik önlemlerinin temel hareket noktası bu özgüvenin kaybedilmesidir. Çünkü kendine güvenini kaybeden, güvenlik önlemlerine başvurur.

Teorik açıdan Müslümanların kendi dinlerine ait bilgi seviyesinin yukarılara çekilmesi şarttır; doğru, ama aynı ölçüde Batı'lıların da İslâm'ın terör dini olmadığını öğrenmeleri gerekmez mi?

Müslümanların bütün Batılıları düşman görmesi gibi heptenci bir mantığı terk etmeleri gerekir; doğru ama aynı ölçüde Batılıların da Müslümanlara karşı Haçlı dönemindeki düşmanlık ruhuyla hareket eden heptenci ve toptancı anlayışı terk etmeleri şart değil mi?

Müslümanların krallık, oligarşi, monarşi vb. siyasi doktrinleri, bu esaslar üzerine düzenlenmiş siyasi idare anlayışı ve kadrolarını, insan hakları, özgürlük, adalet eksenli uygulamaları gözden geçirmeleri gerekir; doğru ama aynı ölçüde Batı dünyasının sözgelimi demokrasi ihracı düşüncesiyle okyanuslar ötesi ülkelere askeri operasyonlar düzenlemesini, bu uğurda sayıları on binlere ulaşan masum insanın öldürülmesini gözden geçirmesini istemek abesle mi iştigaldir?

Müslümanlar kendi içlerinde gelecekte insanlığın kâbusu olacak gerek dini, gerekse siyasi ve ideolojik alandaki radikalizmi önlemeye yönelik tedbirler almalı; doğru ama Batı dünyasının da aynı tedbirleri kendi içlerinde alması; radikalizmi doğuran ve sürdüren politikalarını gözden geçirmeleri gerekmez mi?

Hasılı; terörü besleyen siyasi, ekonomik, kültürel ve tarihi arka plan şartlarına dikkat kesilmeden bugün Londra'yı, ertesi gün Mısır'ı vuran ve yarın nereyi vuracağı belli olmayan terörü ne anlamak ve ne de önlemek mümkündür. Askeri güçle bir yere kadar varılır. Hatta bazen askeri güç kullanımı bu gibi çok boyutlu sosyal hadiseleri kördüğüm yapar. Terörizmi önleme eksenli çalışmaların gittiği yer de burasıdır. Umarız 11 Eylül ile farklı bir terör miladı yaşayan dünyamız, bugünlerde 'akıllılar' gürûhunun başı çekeceği iradi bir tercihle aksi istikamette bir milad yaşar.

KUTSALA BAKIŞ VE KUR'AN

Müslüman esirlerin Guantanamo Bay'da sorgulanması esnasında yaşanan Kur'an'a hakaret hadisesinin sebebiyet verdiği ve ölümle neticelenen protestolar hafızalarımızda hala canlı.

Amerikan resmî kaynaklarının detaylarını vermemekle beraber Kur'an'a hakaret olarak algılanabilecek beş olayın yaşandığını itiraf etmesi, tepki sürecinin uzamasında etkili oldu. Olay üzerinde İslâm ilim adamlarının akademik seviyede, gazetecilerin ise haber değerlendirme ve yorum şeklinde kaleme aldıkları birçok yazı yayınlandı. Müslüman bakış açısını veren bu yayınlar bir tarafa acaba Batı dünyasında, özellikle ABD'de yaşanan müspet ve menfi tepkilerin genel mahiyeti nedir? Bu yazıda onu ele almaya çalışacağım.

İslâm dünyasındaki fiili tepkilerin her ne kadar Kur'an'a hakaret sebebiyle başlasa da, anti-Amerikan bir çizgiye kaydığı ABD'de yapılan yorumların başında geliyor. Sözü edilen ve 15 ölümle neticelenen protestoların, Afganistan gibi ABD varlığının dünya genelinde tartışmalı olduğu bir ülkede olması bu yoruma destek veriyor. Newsweek'in haberini 4-5 gün sonra alabildiğine kışkırtıcı bir üslupla gündeme taşıyan İmran Khan'ın kimliği de, bu yorumların temellendirilmesinde etkili bir rol oynuyor. Zira muhalif partiye mensup İmran Khan, Pakistan ve Pervez Müşerref yönetimini "Amerikan kuklası" olarak nitelendirmektedir. Dolayısıyla Kur'an'a hakaret hadisesinin Khan tarafından gündeme getirilmesi, olayın bir iç politika malzemesi olarak kullanıldığını gösteriyor. Hadiseyi böyle değerlendiren Amerikalılar söz konusu protestoları, mahiyetini anlama noktasında kutsaldan bağımsız bir noktaya itiyor ve onları siyaset alanına sıkıştırıyor.

Bir başka grup, sözü edilen protestoların 'Anti-Amerikan protestolar' kapsamı içinde açıklanamayacak kadar önemli olduğuna inanıyor. Bunlara göre hadisenin dinî boyutu, siyasi boyutunun çok önünde. Bununla beraber bu gruba dahil kişiler, Kur'an'a hakaret meselesinin bu denli büyük gösterilere sebebiyet verecek derecede büyütülmemesi gerektiğine inanıyorlar. Daha doğrusu ölümle neticelenen protestolara bir anlam veremiyor ve veremediklerini açıkça ifade ediyorlar.

Her iki grup adına da sorun burada başlıyor; Kur'an bir başka tabirle kutsal anlayışı. Zira bütün mezhepleri ile Hıristiyan dünyanın önce kutsal ve sonra da Kutsal Kitap özelinde Kur'an'a bakış açısı kendi anlayışları ve kabulleri ile sınırlı. Bir başka anlatım tarzı ile İncil onların gözünde nasıl kutsal ise, Kur'an da İncil benzeri İslâm dininin kitabı olduğuna göre, o kadar kutsaldır.

Bu farklı anlayışta rol oynayan unsurların başında hiç şüphesiz Hıristiyanlığın İslâm'ı İlahi bir din olarak kabullenmemesi geliyor. Bu dediğimiz husus İslâm'ın sosyal gerçeklikten hareketle bir inanç doktrini olarak kabullenilmesinden çok farklıdır. Takdir edersiniz ki 1.5 milyarlık nüfusu ve dünya coğrafyasının beşte birini teşkil eden kara parçasına yayılmış yapısı ile Müslümanları kabul başka şeydir, İslâm'ın Hıristiyanlık ve Yahudilik gibi İlahi bir asla dayalı olduğunu kabul başka şeydir. İstisnalar hariç Batı dünyasının Hz. Peygamber döneminden bu yana İslâm'a yaklaşımı sosyal, siyasal ve kültürel gerçeklik açısından olmuştur. Yok edemediği ya da yok sayamadığı noktada başlayan bu zoraki kabuller, İslâm dininin öğretilerine bakış açısını şekillendirmiştir. İslâm dinine 'Mohammedanism', Kur'an'a haşa(!) Hz. Peygamber'in (sallallâhu aleyhi ve sellem) yazdığı bir kitap nazarıyla bakılmasının ardında yatan gerçek bu yaklaşım tarzıdır.

İkinci husus; Kur'an ve İncil mukayesesinde açığa çıkıyor. Kur'an, İslâm inancına göre kelimesi kelimesine, harfi harfine Allah'ın beyanıdır. Hz. Peygamber'in sağlığında dönemin yazı malzemeleri ile tespit edilmiştir. İlk halife Hz. Ebu Bekir döneminde ise kitap haline getirilerek günümüze kadar muhafaza edilmiştir. Onun en önemli özelliklerinden birisi, tek nüsha oluşudur. Birer cümle halinde değindiğimiz şu üç özellik açısından İncil'e gelince; İncil kelimesi kelimesine Allah'ın beyanı değildir. O, Hz. İsa'nın havarileri tarafından sonradan yazılmış bizdeki hadis kitaplarına benzer bir mahiyete sahiptir. Bunların kitap haline getirilişi Hz. İsa'dan çok sonra olmuştur. Nüshalardaki çeşitlilik ise 325 tarihli İznik konsili ile ancak dörde indirilebilmiştir.

Bahsini ettiğimiz ve etmediğimiz farklılıklar mahfuz, kutsal kitap ortak paydasında İncil ile birleşen Kur'an'a, İncil nazarıyla bakan bir Hıristiyan'ın, sözgelimi Kur'an'a abdestsiz dokunulmamasını, Türkiye Müslümanlığında tezahürü görülen Kur'an'ın göbekten yukarı tutulmasını, el işlemesi örgü ve kılıflarla evlerin en mutena yerine asılmasını anlamaları imkansız olduğu gibi, Kur'an için ölümü göze almasını anlaması da imkansızdır.

Gördüğünüz gibi iki ayrı kategoride ele aldığımız ABD kaynaklı bu değerlendirmeler, Müslüman'ı anlama ufkundan alabildiğine uzak bir noktada bulunmaktadır. Halbuki bugün Irak ve Afganistan savaşları başta tüm dünya insanlığını ilgilendiren İslâm coğrafyası merkezli hadiseler, İslâm dini tam anlamıyla bilinmeden anlaşılamayacaktır. Bir Müslüman için Kur'an başta İslâmi değerlerin insan ve toplum hayatında inanç seviyesinde dahi olsa ne kadar yer işgal ettiğini bilmeyen bir zihniyetin o dünyaya ait doğru politikalar üreteceğine inanmak zor, hatta imkansızdır. Batı dünyasının kendileri dışındaki herkesi "ötekileştirdiği" bu zihniyet devam ettiği müddetçe korkarım, böyle çok olaylar yaşarız.

EVRENSEL İSLÂM; KÜRESEL DİN!

Avrupa'da doğmuş, moda tabirle "Avrupai kültür" ortamında büyümüş ve nihayet onların eğitim sistemi içinde yetişmiş 2. ve 3. nesil Türklerin büyük çoğunluğunun Türkiye'de yaşıyormuşçasına 'Müslüman-Türk' kimliğine sahip olabilmeleri, Avrupalı ilim ve siyaset adamlarının şaşırdığı bir gerçektir.

Arap ülkeleri, Pakistan, Hindistan, Orta Asya ve Uzakdoğu Müslüman ülke vatandaşlarının durumları bundan farklı değildir. Akademik camianın şaşırmasının asıl nedeni, bu tablonun sosyal bilimler alanındaki çeşitli disiplinlerin verilerine uygun olmaması. Çünkü o veriler, yeni nesillerin Batı kültürü içinde erimesi, Batı değerleri ile örgülü bir kimlik kazanması gerektiğini söylemektedir. Bir başka anlatımla asimile olmalarıdır. Bu beklenti aslında Batı kültürünün bünyesindeki yabancı unsurları asimileleştirici, tek tipleştirici anlayışının itirafıdır. Siyaset dünyasının sakinliğine gelince; akademik camiadan farklı olarak gelecek endişesidir.

Ulus devlet formunun dünya genelindeki hâlâ en etkin koruyucusu bir zihniyetin temsilcileri olan Avrupa'lı devlet adamlarını bu problem karşısında kendi zaviyelerinden haklı görebilirsiniz. ABD'ye bu perspektiften bakınca farklı bir manzara ile karşılaşılmaz. Zira ABD yapısı gereği "çoğulculuğu" varlık temellerinden birisi haline getirmiş ve bunu anayasa ile koruma altına almıştır. Dolayısıyla azınlık gruplarının bu ülkede kendileri olabilmeleri, özellikle Avrupa ülkelerine nisbetle çok daha kolaydır. Her ne kadar 11 Eylül sonrası farklılık arz etse de, çoğulculuk zemini üzerinde hayatlarını sürdüren Müslüman ülke vatandaşları, AB-D'de nesiller boyu örfü-âdeti, gelenek ve göreneği ile kendileri olarak kalabilmişlerdir. Öyle ki 40 yıldır bu ülkede yaşadığı halde bir kelime İngilizce bilmeyen "Chine Town"da, "Little İtaly"-de, "Paterson"da yaşayan Çinliler, İtalyanlar, Türkler ve Araplar görmek mümkündür. Çünkü bunlar giyim kuşamlarından çarşı pazarlarına kadar her şeylerinin öz değerlerine uygun olduğu bu küçücük adacıklarda yaşamaktadırlar.

Bugün Müslümanlar için cari olan bu gerçekler, asırlardan beri başka toplumların bünyesinde hayatlarını idame ettiren Ortodoks ve muhafazakar Yahudiler için de geçerlidir. Yahudiler asırlardır dini ve milli değerlerinden taviz vermeden, şahsiyet ve kimlik parçalanmasına, erozyona maruz kalmadan, tam anlamıyla azınlık ruhunu koruyarak hayatlarına devam ediyorlar. Onlar yeni nesillerin 'kendi olabilecek ve kalabilecekleri' her türlü zemini, eğitim-öğretim kurumlarından sinagoglara varıncaya kadar kendi öz imkanları ile hazırlıyorlar.

Bu noktada can alıcı bir soru sormamız gerekiyor; gerek Türklerin, gerekse sair Müslüman ülke vatandaşlarının Yahudiler ölçüsünde birlik ve dayanışma içinde bulunduğu söylenemez. Onlar misali, Müslümanların azınlık ruhu ile hareket edip kısa, orta ve uzun vadeli hayatın bütününü kapsayan ve Müslüman olan herkesi içine alan beraberliklerinin var olduğu da iddia edilemez. Şimdiye kadar bu çerçevede atılan adımların başarısızlığı ya da somut neticelerin görülememesi, sanki hiçbir şey yokmuşçasına bizi bu kadar cüretkar konuşmaya itmektedir. Pekala buna rağmen Müslümanların 2. ve 3. nesillerinin Batı kültürü içinde erimemesinin sebebi nedir?

Benim kanaatimce bunun iki nedeni vardır: Bir, Batı dünyasının dinî ve kültürel değerleri ile çözülme dönemini yaşaması; iki, İslâm dininin evrensel değerleri ile alternatif teşkil etmesi. Öncelikle; bugün Batı dünyası ve değerleri Moğol istilası, Haçlı seferleri ve sömürgeleştirme dönemlerinde İslâm dünyasının sosyal, siyasal, ekonomik ve kültürel alanlarda içine düştüğü bunalımdan daha kötü bir bunalım ve kriz içindedir. Bundan daha kötüsü ise söz konusu bunalımın küreselleşmesidir. İletişim araçlarının marifetiyle dünya geneline yayılan bu bunalım, insanoğlunun yüz yüze olduğu en büyük problemidir. Bu durum Batı'da günü iyi okuyup, ileriyi görebilen akademik camiadan dinî liderlere, sivil toplum örgütlerinden siyaset adamlarına kadar her kesimin çalışma ve ilgi alanı içindedir.

İkinci faktör; İslâm bu atmosferde- ferdi yaşanan Müslümanlık hariç- geniş ölçekli, Hz. Peygamber veya Hülefa-i Raşidin dönemini andıran bir yapı içinde temsili yapılmasa da mevcut teorik öğretileri ile alternatif olarak durmaktadır. İslâm, değişen dünya gerçeklerine paralel olarak detay hükümlerde asırlardır yenilememesine rağmen, sabit ve değişmeyen değerleri ile medeniyet tasavvuru olan ve bunu hayata geçirebilecek dinamizme sahiptir.

ABD ve Kıta Avrupası'nda İslâm'ın en hızlı gelişen din olması bunun bir göstergesidir. İşte Batı'lıları şaşkınlığa sevk eden azınlık Müslüman nüfusun asimile olmaması, bahsini ettiğimiz hakikatin bir uzantısından ibarettir. Yalnız bir anlamda İslâm dininin küreselleşmesini netice verecek bu gidişattan çoklarının rahatsız olduğu bilinen bir başka gerçektir. Haçlı seferlerini andırır bir seferberlik izlenimi edinilmese de, bunu engellemek için hummalı bir faaliyetin olduğu dikkatli nazarlardan kaçmamaktadır. Her geçen gün adım adım uygulamaya konulan Batı'nın Ortadoğu, Orta Asya ve Kuzey Afrika politikalarından düşünce kuruluşlarının, Müslüman coğrafyaya yönelik yaptıkları gelecek tasavvurlarına kadar birçok çalışma bunu ispatlamaktadır. Geçenlerde okuduğum dinî bir dergide söz konusu gelişimi engellemek için önerilen şu maddeler zannediyorum başka bir perspektiften konuya bakmanızı sağlayacaktır. Aynen aktarıyorum: (parantez içindeki yorum ve sorular bana ait:)

"İslâm dünyasında Sünni-Şii ayırımını körüklemeliyiz. (Yapılmadığı söylenebilir mi?)

İran Şiiliğine nispetle daha ılımlı olan Arap Şiiliğini desteklemeliyiz. (Sistani'nin Batılılar tarafından Nobel barış ödülüne aday gösterilmesinin bununla bir ilgisi olmasın.)

İslâm karşıtı propagandada medyayı etkin biçimde kullanmalıyız. (Sükutun altın olduğu yer!)

Kur'an'ın güvenilirliğini sorgulamalı, bu hususta çalışmalar yapmalıyız. (Bundan bir ay kadar önce Kuveyt'te dağıtılan sahte Kur'an'ların bu tedbirler paketi ile ilgisi var mıdır acaba?

Terörizmi destekleyen İslâmi web sayfaları yapmalıyız. (Herkesin bildiği bir gerçek!)

İslâm dünyasında anti-Amerikan politikalara öncülük yapmalı, bu alanda yapılan gösterilere destek vermeliyiz." (İslâm coğrafyasında çığ gibi büyüyen anti-Amerikan protestolarında provokasyonlar mı var yoksa?)"

Fakat bütün bu tedbirler; Batı'lıların tabiriyle "İslâm'ın küreselleşmesine" engel olabilecek mi? Dünyanın nefesini tutup cevabını beklediği bir soru bu. Cevabını hep birlikte göreceğiz!

Üçüncü Bölüm

ABD'NİN TERÖRLE FLÖRTÜ

BATI'NIN TERÖRLE FLÖRTÜ

Siyasal İslâm, kökeni Emeviler dönemine kadar uzatılabilecek maziye sahiptir. Hilafetten saltanata geçişin yaşandığı o dönemde, temel İslâmî nasslar ve Hz. Peygamber dönemi yönetim ve ahlâk anlayışından kopuş bir iç çatışmayı/hesaplaşmayı meydana getirmiştir.

Siyaset yapma, hükümet etme, iktidar-halk ilişkileri özelinde başlayan çatışma/hesaplaşma günümüzde çıkış noktasından çok farklı bir yerde durmaktadır. Günümüzde 'siyasal İslâm' -adı üzerinde siyasî ajandası olan- daha radikal gündemlere sahip ve genellikle Batılı ülkeler veya içeride onlara piyon olan düşünce, ekol, doktrin, sistem ve kurumlara karşı reaksiyoner çıkışın temsilcisidir.

Din olan İslâm'ı bir anlamda siyasî bir ideoloji haline dönüştüren bu anlayış, iç dünyamız adına baktığımızda telafisi alabildiğine zaman alacak kırılmayı, öz değerlerden uzaklaşmayı ifade etmektedir. Başka bir yazının konusu olan bu husus bir tarafa, bu noktaya gelişte sömürgeci zihniyetin temsilci ve uygulayıcısı olan Batı dünyasının çok büyük rolü vardır. 19. yüzyılda kıta Avrupa'sı, şimdilerde de ABD ile temsil edilen bu süreç, İslâm dünyasında tabiatı icabı özgürlük ve bağımsızlık düşüncelerini doğurmuştur. Sömürgeci zihniyet ve uygulamaların insan hayatını hiçe sayacak dereceye kadar yükselen ve mahiyet değiştirse de hız kaybetmemesi direnişten teröre uzanan kapıyı aralamıştır.

Son örneklerini Irak ve Filistin vb. ülkelerde yaşadığımız, özgürlük ve bağımsızlık yanlısı 'siyasal İslâm' direnişçilerinin intihar saldırıları başta terörist eylem kapsamında değerlendirilen faaliyetlerinde Batı'nın rolü elbette ki inkar edilemez. Kaldı ki bu eylemleri yapanların düşüncelerinin 'siyasal İslâm' kapsamında değerlendirilip değerlendirilmeyeceği de ayrı bir tartışma mevzuudur. Söz konusu eylemlerin medyanın marifetiyle aklıselime vize ettirilmeden, hemen İslâm'la özdeşleştirilmesi ve İslâm dininin terörizmle eşdeğer olarak sunulması, o insanlarda ayrı bir nefretin, kin ve düşmanlığın kamçısı olmaktadır. Halbuki bu çarpık anlayış, terörle flört etmenin bir göstergesidir. İntiharı göze alacak ölçüde samimi hislerle din ve diyanetine bağlı insanların inançlarına yapılan bu iftira, elbette ve hiç şüphesiz onların nefret hislerini galeyana getirmekte ve intikam, kin, nefret, hırs gibi insanı adeta ölüm makinesi haline getirecek duyguları bilemekte ve ölümüne uzayan mücadeleye motive etmektedir.

Şu da bilinmektedir ki İslâm dünyası içinde sömürgeci emellerine nail olabilmek, iktidar ve etkinliğini devam ettirebilmek için iç dünyasındaki parçalanmışlığa izin veren, çifte standartlı politikalarla sürekli taraf değiştiren ve gerektiğinde askerî eğitim ve yardım vererek kendi çıkarlarını garantiye alan bir yapı vardır karşımızda. Fazla detayın baş ağrıtacağı bu gerçek, bugün belgeleri ile beraber kısmen açığa çıkmıştır. Afgan savaşı esnasında işgalci Sovyet güçlerine karşı kullanılmak üzere Müslüman ülkelerden toplanan gönüllü binlerce kişiye askerî eğitim verildiğini, artık resmî kaynaklar dahi kabul ediyor. 'Best seller' kitaplarda, eğitim gören kişilerin çarşaf çarşaf listeleri sunuluyor. Hepsi olmasa da büyük çoğunluğu "Rambo" olan bu insanlar, bugün söz konusu ülkelerin bir anlamda kâbusudur. Zira "gerçeklerin er veya geç açığa çıkma gibi bir huyu vardır." İnsanlar başkalarının emelleri uğrunda yıllar boyu kullanıldıklarını anladıkları anda, silahı kendilerini yetiştirenlere döndürmüşlerdir. Aslında bu gerçek "most wanted" listesi ile aranan kişilere daha dikkatli ve temkinli bakışın nedeni olmak zorundadır. Çünkü dünya genelinde gördüğümüz tablo dünkü plan, taktik ve uygulamaların hem sebebi hem de sonucudur.

Eğri oturup doğru konuşalım; Batı daha dün denebilecek kadar kısa bir zaman önce, kendi topraklarından uzak yerlerde cereyan eden terör eylemlerine 'düşük yoğunluklu çatışma' deyip seyirci kalmıştı. Uluslararası anlaşmaların gereğini yerine getirmede alabildiğine gevşek davranmış, milyonların kaderini bürokrasinin insanı verem eden ve alabildiğine yavaş işleyen çarkları arasına terk etmişti. 'Otoriter diktatörlükler iç reforma açıktır; ama totaliter diktatörlükler mutlaka dış güçlerle yıkılmalıdır' tezini ortaya atanlar da aynı ülkelerdi. Bu tez, onlara menfaatlerinin söz konusu olduğu ülkelerde hareket alanı sağlıyordu. Gerektiğinde içeriden dostlarına el altından destek veriyor, gerektiğinde okyanus aşırı mekandan gelip uluslararası anlaşmaları hiçe sayarak müdahale etme imkanı bahşediyordu. Halbuki bunların hepsi yukarıda yanlış bilgilendirme bağlamında ifade ettiğimiz terörle flörtün amelî yanını teşkil etmektedir ve ondan daha tehlikelidir.

Terörün seni beni olmaz. 'Senin teröristin benim teröristim' aklıselim sahibi kişilerin söyleyeceği bir şey değildir. Şu küresel dünyada terör birbirinden güç alarak beslenir ve besleniyor. Teröristler arasında, istihbarat örgütlerinin açığa çıkardığı kadarıyla dahi olsa var olan network bunu göstermektedir. Dolayısıyla teröre karşı mücadele çifte standartlı düşünce ve uygulamaları bir kenara bırakarak topyekün yapılmak zorundadır. Ulusal ve uluslararası anlaşmalara riayet edilerek, hukukun üstünlüğü ilkesi herkese eşit olarak tatbik edilmelidir. Aynı suçu işleyen birisi vatandaş denilip adil mahkemede yargılanırken, diğeri dünya kamuoyunda şaibeli, gözlerden uzak tutuklu kamplarına gönderilirse sisteme karşı düşman üretilmiş olur. O halde şu an bir samimiyet imtihanındayız. Eğer terör karşıtı söylemlerimiz, demeçlerimiz ve çabalarımız samimi ise ve yapmacık değilse, bu yazıda sözünü ettiğimiz iki büyük ve önemli yanlışın düzeltilmesi gerekir.

Tekraren ifade edelim; terörün İslâm ile özdeşleştirilmesi de, terör özelinde çifte standartlı davranışlar da terörle flört etmek demektir. Terörle flörtün olmayacağını ise 11 Eylül sonrası dünyada yaşananlar bir kere daha gözler önüne sermiştir. Terörü sahibini yutan bir canavar haline getirmemek şarttır.

Son söz; İlahi adalet. Allah mutlak adalet sahibidir. Dünyada da ukbada da O'nun mutlak adaleti mütecellidir. O kullarına zulmetmekten münezzehtir. Onun için Allah değil, insanlar kendilerine kendi yaptıkları ile zulmetmektedirler. Unutmayın; "Kötü işleri gizlice tasarlayıp kuranlara şiddetli azap vardır ve onların tuzakları da hep tarumar olur." (Fatır 35/10) fehvasınca yeri ve zamanı geldiğinde Allah mazlumun ahını yerde koymayacaktır. "Zalimin zulmü varsa mazlumun da Allah'ı var" hakikatini, küçük-büyük zulüm eden herkes zulmünün derecesine göre er veya geç müşahede edecektir.

KİLİSELERDE SAVAŞ RÜZGARLARI ESİYOR

'ABD-Irak Savaşı, 11 Eylül 2001 günü başladı.' Yanlış duymadınız, burada yapılan yorumlar savaşın 19 Mart 2003 akşamı değil, 11 Eylül 2001'de başladığı istikametinde.

Uluslararası meşruiyeti arkasına alamayan Bush yönetiminin bunu, kendi kamuoyunu iknaya yönelik bir argüman olarak kullandığı muhakkak. 11 Eylül'den bu yana halk arasında belki şuurlu bir politika gereği sürekli canlı tutulan terörizm korkusu, acı hatıraları hafızalardan hâlâ silinmeyen, yerli-yersiz, zamanlı–zamansız Tv ekranlarını süsleyen 11 Eylül manzaraları kamuoyunu bu bağlamda ikna etmeye yetecek mi bilmiyoruz.

Savaş öncesi yapılan istatistikler, ABD halkının büyük çoğunluğunun uluslararası meşruiyet olmaksızın Irak Savaşı'na hayır dediğini gösteriyordu. Bu bölünmüşlük, savaş öncesi kiliselere de yansımıştı. Katolik dünyasının lideri Papa, 'Savaş kararı alan Allah önünde sorumludur.' açıklamasını yapmıştı hatırlarsanız. Savaşın başlamasının ardından da savaşı durdurma çabalarında başarısız olan her iki tarafı kınayan bir mesaj yayınlandı. Şimdi asıl merak konusu, savaş esnasında kiliselerde var olan görüş ayrılığının nasıl bir şekil alacağı.

Çok keskin hatlarla olmasa bile var olan mevcut görüş ayrılıklarının ilk izlenimlerini gazetelerde görmeye başladık. İlk gün bunu Herald News birinci sayfadan üçüncü haber olarak "Kiliselerde savaş rüzgârları esiyor." başlığı ile verdi.

Katolik dünyasının en üst düzeyde yaptığı açıklamalarla karşı olduğu bu savaşa bazı fundemantalist kiliseler destek veriyor. İşin garip tarafı onlar savaşı, Bush'un Saddam'a yönelttiği aynı isimle "şeytana karşı tek çözüm yolu" olarak görüyorlar.

Savaş karşıtı kiliselerin şu an itibarıyla sesleri biraz daha cılız. Dolayısıyla onların söz konusu karşıtlıklarını ne kadar sürdüreceklerini bilmiyoruz. "Allah'ın Bush'un savaş planına onay verip vermediği konusunda emin değiliz." şeklinde oldukça sert sayılabilecek açıklamalar, gazete sayfalarında daha ne kadar yer alacak, bu pazar günü ayinlerde savaşa katılanlara dua edilecek mi, edilmeyecek mi, 'Bible (İncil) barışı emrederken savaşı nasıl izah edeceğiz cemaatimize?' diyenlerin sayısı artacak mı, bunları hep birlikte göreceğiz. Ama şimdiden şu kadarı söylenebilir ki kilise dünyasında kafalar oldukça karışık.

Bir şey dikkatimi çekti yapılan açıklamalar içinde, onu sizinle paylaşmak isterim; Baptist kilisesine bağlı bir papaz; "Bible vatandaşlara, liderlerine itaat etmesini emreder. Böylesi durumlarda Allah'a karşı sorumlu olan halk değil, o kararı alan liderdir. Dolayısıyla verilen bu karar yanlıştır veya doğrudur tartışmaları yapmak yerine başkanımızın vermiş olduğu karar doğrultusunda üniformalarımızı giyip savaşanlarla beraber olmak zorundayız." diyor.

Yapılan tahminler doğru ise her iki taraftan yüzlerce-binlerce cana mal olacak kara harekatı öncesi bu türlü zihni kabullere ABD vatandaşının ciddi ihtiyacı var. Zaten savaşın başladığı akşam hemen her Tv programında "Amerikan halkı hayat kaybetmeye hazır olmalı" cümlesi defalarca altyazı olarak geçti.

Vietnam ve 1. Körfez Savaşı sonrası yitirilen hayatlar adına tartışmaların kıyasıya devam ettiği bu toplumda, buna bir de Irak'ın ilave edilmesi rahat kabullenilecek bir durum olmasa gerek.

Öte yandan savaş karşıtı seslere sayfalarında yer veren gazeteler, Vietnam ve Körfez Savaşı'nda çocuklarını kaybeden annelerle röportajlar yayınlamaya başladı. Bu röportajlarda, olayın dramatik yönünün gazetecilik sanatının da kullanılarak çok iyi biçimde sergilendiğini rahatlıkla söyleyebilirim. Sayfa mizanpajı, cepheden yazılan mektupların fotokopileri, mutlu günlere ait albümden çıkartılan fotoğraflar, yetim ve öksüz kalan masum çocuklar ve ailenin şu an içinde bulunduğu ekonomik ve psikolojik sıkıntılar ve daha neler neler...

Dünyanın dört bir yanında yapılan savaş karşıtı gösterileri de bu zincire bir halka olarak eklemek icap edecek sanırım. Kara harekatı ve masum sivil halkın muhtemel ölümlerinin boy boy kamuoyuna mal olmasının ardından şu an itibarıyla umulanın çok üzerinde bir katılımla gerçekleştirilen savaş karşıtı gösteriler farklı bir boyuta ulaşabilir.

Savaş sonrası Ortadoğu haritasının değişeceği, yönetim sistemleri ve kadrolarında farklılıklar olacağı da bugün yapılan yorumlar arasında. Ama şimdiden rahatlıkla söylenebilir ki ABD içinde de şimdiden var olan bölünme daha keskin boyutlarda gerçekleşecek. Yukarıda ifade etmeye çalıştığım dini camianın bundan nasıl etkileneceğini, daha doğru bir tabirle nasıl bir rol oynayacağını hep birlikte göreceğiz. Bu çerçevede yapacağım gözlemlerimi zaman zaman sizlerle paylaşmaya çalışacağım.

BEDEL ÖDÜYORUZ!

11 Eylül'den beri beklenen ABD'nin Afganistan'a yapacağı saldırı 'gelecek, geliyor, gelmek üzere' derken geldi. Bunun sonu nereye varacak, onu hep birlikte göreceğiz.

Umarım insanlık adına hayırla neticelenir ve bu 'son' olur. Aslında bu türlü beklentiler her savaş öncesinde yapılmıştır insanlık tarihi boyunca. Nedendir bilinmez hiçbir savaş 'son' olmamıştır ve sanıyorum olmayacaktır da. Çünkü bu insanoğlunun kaderi. Hz. Adem'in oğulları ile başlayan iyi ile kötünün, doğru ile yanlışın, süregelen savaşı bu. O zaman bizim 'son olur' temennimiz boşuna demektir, zira söz konusu savaş kıyamete dek devam edecektir. Burada önemli olan, kimin iyi kimin kötü olduğudur. Şu anda bütün parmaklar her ne kadar Usame b. Ladin ve etrafındakileri gösteriyorsa da, bu bağlamda kesin hükmü tarih verecektir.

Afganistan'a yapılan çok uluslu saldırının hedefi gerçekten terör ve teröristler ise buna taraftar olmamak insanlık ayıbıdır. Çünkü terör, insanlığa karşı işlenen bir suçtur. Bu suç ile sahip olunan maddi-manevi tüm imkanları kullanarak mücadele etmek, insan olmanın asgari şartları arasındadır. Buraya kadar kimsenin itirazının olduğunu, olabileceğini düşünmüyorum. Ama Afganistan'a başlatılan saldırının sadece terörün kökünü kazımak maksatlı olduğu konusunda dünya kamuoyunda yoğun bir şüphenin bulunduğunu da hatırlamak icap eder. Hakikaten sadece bir insan veya ekibini yakalamak için böylesi büyük bir operasyona, -savaşa desek daha doğru olur sanırım-, gerek var mıydı? Veya şöyle diyelim: Onlar ABD'yi can evinden vurma cesaretini ve başarısını gösterebilecek seviyeye gelinceye kadar nerelerdeydiniz?

İki gün önce ABD gazetelerinin birinde bir karikatür yayınlandı. Karikatürde klasik kıyafetleri ile Usame b. Ladin ve ABD bayraklarını elbise olarak giyen bir vatandaş var. Birinin üzerinde İslâm, diğerinde ABD yazılı. İslâm, ABD'ye şöyle diyor; 'Niçin bana öyle bakıyorsun? Beni bu seviyeye getirenlerden birisi de sen değil misin?' Ne dersiniz hangi açıdan bakarsanız bakın doğru değil mi? Eğer üzerine İslâm yazılan şahıs Usame b. Ladin ise Afgan-Rus savaşı esnasında ve sonrasında şimdi onu düşman ilan edenlerin onunla ortaklaşa çalıştığını artık sağır sultan bile duydu. Yok bu şahıs ile din anlamında İslâm'ı kast ediyorlarsa, İslâm'ın haşa(!) bir terör dini olduğundan tutun, kadınlara hayat hakkı tanımamaya varıncaya kadar birçok uydurma, yalan yanlış beyanatlarla, sözde ilmî çalışmalarla, daha doğru bir tabirle ifade edecek olursak oryantalist faaliyetlerle, İslâm'ı Batı'da şu anda kabullenilen şekli ile tanıtan yine Batı'nın kendisi değil midir? Öyleyse?..

Başkan Bush "Bedel ödeyecekler!" demiş. Bütün ruhumla katılıyorum. Bedel ödeyecekler ve ödemeliler. Kimler? Sadece World Trade Center ve Pentagon saldırısında masum ve günahsız 6000 insanın ölümüne sebebiyet verenler mi? Hayır! Teröre yataklık yapan herkes! Ve her ülke! Filistin'den Keşmir'e, Azerbaycan'dan Çeçenistan'a, Bosna'dan Makedonya'ya, Cezayir'den Somali'ye varıncaya kadar iç ve dış kaynaklı terör hadiselerine sebebiyet veren, yapan, gücü yettiği halde çıkarları doğrultusunda hareket edip aheste revlik eden ve binlerce, milyonlarca masum insanın ölümüne sebebiyet veren herkes ama herkes bedel ödemelidir.

Biz İslâm dünyası olarak bu bedeli Osmanlı'dan bu yana zaten ödüyoruz. Kendimiz olamadığımız, sahabe ölçüsünde dinimizle bütünleşemediğimiz, Emevi seviyesinde olsun dini temsil edemediğimiz, Abbasiler ölçüsünde İslâm'la bütünleşemediğimiz, Osmanlılar gibi bir ruha sahip olamadığımız, dinin tekvini ve teşrii emirlerini iyi yorumlayamadığımız, içinde yaşadığımız şartları kavrayamadığımız için zaten bedel ödüyoruz. Beşer, İslâm dinine de Müslümanlara da zulüm ediyor, o kesin. İnsani ilişkiler yerini çıkar düşüncesine, kuvvet ve hakimiyete devredince bu sonucun ortaya çıkması gayet doğal. İhtimal biz de hak ediyoruz. Dolayısıyla beşer zulüm etse de kader adalet ediyor.

Umarım bu bedel, insanlığın kaldıramayacağı boyutlarda olmaz.

HIRİSTİYAN SİYONİSTLER VE PAT ROBERTSON

İsrail tarafını bakanlık düzeyinde -hem de turizm- açıklama yapmaya iten ve belki de hayatî bir boykot kararı aldıran sebepler nedir? Türk okuyucusunu alakadar etmesi açısından bu sorunun cevabı "Hıristiyan Siyonist" kavramı etrafında dönüyor. Yanlış duymadınız; Siyonist ve Hıristiyan...

Türk okuyucusunu ilgilendireceğini düşündüğüm iki noktayı ifade etmek amacıyla bu yazıyı kaleme alıyorum. Malum İsrail Başbakanı Ariel Şaron'un son hastalığı dünya siyaset kamuoyunun gündemine oturdu. Çok bilinmeyenli bir denklemin en önemli basamağında yer alan Şaron'un belki de kendisini ölüme götürecek hastalığı, denklemin bozulmasını isteyen istemeyen her çevre ve her devletin planlarını yeniden düzenlemesini gerektirdi. İşin bölgesel ve uluslararası sahadaki yönü siyasî yani bizim ilgi alanımızın dışında. Onun için meselenin bu yönünü bu çerçevede yazılmış makalelere havale ediyoruz.

Önemli gördüğümüz diğer iki noktaya gelince: Pat Robertson, ABD'de yaşayan, siyaset ve din dünyası ile ilgilenen kişilerin yakından bildikleri isimlerden biridir. Renkli bir kişiliğe sahip Robertson. 1930 doğumlu Evangelist bir din, politika adamı ve müteşebbis. Radyo ve TV yayını yapan CBN "Christian Broadcasting Network; Hıristiyan Yayın Ağı"nın kurucusu. Aynı zamanda Flying Hospital, uluslararası yardım organizasyonları, Regent Üniversitesi, hukuk ve adalet konularında çalışan sosyal organizasyonların vb. birçok sivil toplum kuruluşunun da kurucusu. Cumhuriyetçi kimliği ile açıktan açığa siyaset de yapıyor. Robertson, baba Bush ile 1998 yılında Cumhuriyetçi partiden başkan adayı olmak için de yarışmış. İslâm hakkında ise alabildiğine radikal söylemlerin sahibi.

Robertson'ın en önemli özelliklerinden biri, ülke gündemine oturan hemen her mevzuda demeçler vermesi. Zaman zaman Beyaz Saray'ı açıklama yapmaya itecek kadar sert ve radikal söylemleri olan Robertson, mesela 2004 Ekim'inde Venezuella Devlet Başkanı Hugo Chavez'in Amerikan çıkarlarına uygunluğu dolayısıyla suikastla öldürülmesi gerektiğini açıktan açığa söyledi. Robertson'ın ses getiren son demeci ise Şaron'un hastalığı ile alakalı söylediği sözler. Ona göre "Şaron, Gazze ve West Bank'den geri çekilme kararına karşılık İlahi bir cezaya maruz kalmıştır. Çünkü bu kararı ile Şaron, Allah'ın İlahi irade gereği gerçekleştirdiği toprakların taksimine müdahale etmiştir. Halbuki Allah, İncil'de 'Bu toprak benimdir' demekte, Şaron ise onu başkalarına geri iade etmektedir."

Tahmin edeceğiniz gibi bu açıklama İsrail canibinden çok sert bir tepki ile karşılık buldu. Turizm Bakanı Abraham Hirchson, Robertson grubu ile mevcut tüm ilişkilerin kesilmesi emrini verdi. Turizm Bakanlığı adına basın açıklamasını ise İdo Hartuv yaptı ve "Evangelistlerle ilişkiler adına kapılarının açık olduğunu; ama Robertson grubu ve bu açıklamalara katılan kişilerin bu kararın dışında olduğunu" söyledi.

Pekala nedir İsrail tarafını böylesi bakanlık düzeyinde açıklama yapmaya iten ve belki de hayatî bir boykot kararı aldıran sebepler? Benim başlangıçta Türk okuyucusunu alakadar eder diye düşündüğüm husus işte bu sorunun cevabı. Malum Siyonizm, her ne kadar tartışmalı da olsa, dinî değil siyasi ve milli ağırlığı olan bir kavram. Thedor Herzl'in fikrî ve kurumsal yapılanmada öncülüğünü yaptığı Siyonizm, iki ana temel esasa dayanıyor; bir:

Yahudi olmayanlar Yahudilere cibilli düşmandır. İki: Yahudiler kendilerini koruyabilmek için bir araya gelmek ve devlet kurmak zorundadır.

1948'de İsrail devletinin resmen kurulmasını netice veren bu düşünceye baştan bu yana destek veren Hıristiyanlar vardır. Tamamıyla dinî sebeplerle temellendirilen, dolayısıyla Müslümanlara nispetle bir tercihin uzantısı olan bu destek zamanla farklı alanlarda işbirliğine varan noktaya uzandı. İşte turizm bu noktada devreye giriyor. Mesela Hz. İsa'nın da doğduğu ve peygamberlik vazifesini ifa ettiği yerler olması hasebiyle Hıristiyan dünya tarafından kutsanan bu mekanlarda, Yahudiler Hz. İsa'nın vaaz verdiği ve bazı mucizelerini gösterdiği Galilee tepelerinde 140 dönümlük bir arsayı bedava Hıristiyanlara vermiş. Buna karşılık Hıristiyanlar basına yansıdığı kadarıyla 25 milyon dolar yardım yapmış. Geçen senelerde yayınlanan istatistiklerine göre bu kutsal toprakları ziyaret için gelen Hıristiyan sayısı 1 milyon kişi. Yapılacak yeni proje ve düzenlemelerle bu rakamın artması için çalışmalar da var.

Pat Robertson ise baştan bu yana Yahudilere hem maddi hem de manevi desteğini bu çizgide açıktan açığa vermiş. Mesela 2003 yılında İsrail'de yapılan konferansta konuşmasına Allah'ın varlığına delil olarak Yahudileri göstererek başlamış. Delili de tarih boyunca onca zulüm, işkence, soykırımına maruz kaldıkları halde varlıklarını devam ettirmeleri ve devlet kurmaları. Konuşmasında sık sık 'dayanıklı ve güçlü olun' diyen, "We are with you! (Sizinle beraberiz!)" cümlesi ile başlayıp beraberliklerinin nedenlerini anlatan, anti-semitizm ile mücadelede bir anlamda izin isteyen de o. Ama Robertson'ın son çıkışı büyüyü bozmaya yetmiş. Turizm Bakanlığı kanalıyla cevap verilmesi ve bu cevabın alabildiğine sert olması ilişkilerin bundan sonraki seyri adına yeterli bir ipucu vermekte bizlere.

Hıristiyan Siyonistler meselesi bir tarafa, benim aklıma takılan, acaba Türkiye'de bir din adamı aynı mevzuda ve aynı çerçevede bir açıklama yapsaydı İsrail başta dış dünyanın tepkisi nasıl olurdu? Hadi bu bir yana içimizde nasıl bir muamele görürdü? Devlet yetkilileri, bürokratik yapı, tabii ki basın-yayın, dinî çevreler ve sıradan insanların tepkisi gerçekten ne ve nasıl olurdu? Aslında bu sorunun cevabı veya cevap adına yapılacak doğru tahminler -ki elimizde yüzlerce veri var- bizim din, demokrasi, siyaset, düşünce özgürlüğü vb. konularda nerede olduğumuzu bir kere daha anlamak için kendimize bir ayna tutmaktır. Keşke bu aynayı A'dan Z'ye hepimiz tutabilsek! İşte o zaman ortak evrensel değerleri yaşamaya bir adım daha atmış oluruz. İşte o zaman dillerden hiç düşmeyen demokrasi, özgürlük eşitlik, adalet vb. kavramlarının yer aldığı tepeye doğru süregiden yolculuğumuzda bir adım daha mesafe kat etmiş oluruz.

BATI MEDENİYETİNİN ZEVALİ Mİ?

"Her kemalin bir zevali vardır" derler eskiler. Bu tespit insanlık tarihinin değişmeyen ve kıyamete kadar değişmeyecek olan alın yazısını ifade etmektedir.

İster insan tekini, ister devletleri isterse imparatorlukları ele alın, bu devvar u gaddarın azgın çarkları altında buğday tanesi gibi ezilmeyen birini göstermek mümkün değildir. Kur'an'ın nazara verdiği Nemrutların, Firavunların, Karunların saltanatları, Kayserlerin, Kisraların baş döndüren haşmetlerinin bugün olmaması bu gerçeğin ispatı değil midir? Ya Roma ve Pers imparatorluğu? Asırlarca insanlığa nizamat vermiş, dünyevi ve uhrevi mutluluğa giden yolda yegane rehber olmuş İslâm medeniyetine ne demeli?

Pekala bu mukadder son, yaklaşık iki asırdır bazılarınca insanlığın şaşmaz ve şaşırtmaz tek rehberi, tek kıblesi olarak kabul edilen Batı medeniyeti için de geçerli midir? Batı bu kaçınılmaz gerçek ile ne zaman yüz yüze gelecektir? Yıkılış gerçekleşti diyelim, insanlığın medeniyet adına yeni bir mihrabı olacak mıdır veya olmalı mıdır? İşin aslına bakılırsa Batı medeniyeti sahip olduğu teorik temeller itibariyle insan ve toplum hayatının vazgeçilmez unsuru olan maneviyata yer vermediği için zaten anomali doğmuştur. Başka bir ifade tarzı ile dini değerlerin sağlam bir esasa dayanmayışı, ahlâki değerlerin ne kadar İlahi ya da evrensel doğrularla örtüşürse örtüşsün yaptırım gücünün bulunmayışı onun tek kanatlı bir kuş olarak varlık sahnesinde yer almasına neden olmuştur. Bediüzzaman Hazretleri'nin şu tespitleri bu hakikatin daha şümullü olarak dile getirilmesinden ibarettir: Batı medeniyetinin içtimai hayatta dayanak noktası kuvvet, hedefi menfaat, hayat felsefesi cidal (kavga/! savaş), ortak paydası menfi milliyet ve meyvesi nefsi hisleri tatmin ile beşeri ihtiyaçları ziyade etmek. Halbuki yine Bediüzzaman'ın beyanları ile kuvvet tecavüzü; menfaat karşılıklı boğuşmayı; cidal, çarpışmayı; menfi milliyet yaşayabilmek için başkasını yutmayı gerektirir. Bu esaslar üzerine kurulu bir medeniyetin insanlığa huzur ve saadet vermesi ise imkansızdır. Nitekim Batı bu medeniyetini kurmak ve devam ettirebilmek için önce kendi içinde sonra dış dünyada muhalif olan herkesi -özellikle üçüncü dünya ülkeleri veya sömürgecilik faaliyetleri ile gelişmesine engel olup sonra da gelişmemiş ülkeler kategorisine koyduğu ülkeleri- askeri, siyasi, iktisadi, içtimai, hukuki, kültürel, dini ve ahlâki alanlarda saldırış, abluka altına almış, onlara hakkı hayat tanımamıştır.

Emperyalizm, bu faaliyetleri ifade için ortaya konan ve neresinden bakarsanız bakın tüm yanları ile Batı'ya işaret eden enfes bir kavramdır. İkinci Dünya Savaşı yıllarında bütün çıplaklığı ile gün yüzüne çıkan ve o gün bugün artan bir hızla devam eden Batı medeniyetinin bu çirkin ve gerçek yüzü, gün gelecek onu bitirecektir. Batı kulübüne ait ülkelerin ister tek başlarına, isterse birlik olarak son 50 yılda gerçekleştirdikleri savaşlara bakmak bu konuda fikir sahibi olmak için fazlasıyla yeterlidir.

Aslında 50 yıl gibi tarihin geri kalmış zaman dilimlerine uzanmaya, hafızalarımızı zorlamaya, arşiv karıştırmaya gerek yok; yakın geçmişte CNN'den naklen yayınlanan savaşlara bakmak bu manzarayı görmek için yeterli. Veya Ebu Gıreyb Hapishanesi'nde yaşanan rezaletlere bakmak. İster savaş manzaraları -ki siyasi iradenin ürünü- ister cinsel arzuları tatmin üzerine kurulu işkence sahneleri -ki şahsi ve ferdi iradenin ürünü- başta beyan etmeye çalıştığımız maneviyattan kopuk zihniyetin, medeniyet anlayışının ortaya çıkarttığı bir sonuçtur. Bu sonuçtan ne devletin karar mekanizmalarında oturan insanlar, ne de sokaktaki vatandaş müstağnidir.

Sokaktaki vatandaş denince, Batı dünyasında yaşanan ferdi ama üst üste koyduğunuz zaman koskocaman bir yekun teşkil eden ve son tahlilde bir zihniyeti, daha ılımlı bir yaklaşımla bir zihniyet çözülmesini ele veren o kadar çok hadise var ki zaten Batı medeniyetinin bir gün tarih olmasında bunlar, harici dünyada cereyan eden askeri, iktisadi, kültürel başarısızlıklardan daha fazla rol oynayacaktır.

İsterseniz bir misal sunayım sizlere; 4-5 yıl önceki Türkiye medyasının 3. sayfa haberlerine benzer sıradan bir haber.

Türkiye'de mesela Florya'da yaşayan bir insanın bile hayal dahi edemeyeceği lüks, debdebe ve ihtişam içinde yaşayan bir ailenin oğlu babasından para ister. Babanın 'hayır' cevabı oğlunu öfkelendirir ve baba-oğul tartışmasına dönüşür. Sonunda oğul babasını bıçaklar. Bıçaklanmış baba yere düşerken koltuğun altında sakladığı tabancaya sarılır, oğlunu vurur. Sonuç; her ikisi de yoğun bakımda.

Yukarıda ifade ettiğimiz gibi kuvvet, menfaat, cidal, nefsi hisleri tatmin üzere kurulu bir medeniyetin, bir zihin yapısının çocuğundan başka bir şey beklemek de abes olsa gerek. Bu, Batı medeniyetinin özellikle ona hayran edilmiş kitleler tarafından görünmeyen, görülmek istenmeyen ve en iyimser tahminle yanlış yorumlanan çirkin yüzü. Halbuki bu ve benzeri hadiseler Batı'da o kadar çok yaşanıyor ki, bunlar kurumsal, ulusal ve uluslararası seviyede yapılagelen uyuşturucu ve silah kaçakçılığı, fuhuş, rüşvet, ucuz işgücü elde etmek için köle ve organ nakli ticaretinden çok daha tehlikeli boyutlarda. Fakat bu ve benzeri hadiseler ferdi olarak değerlendirildiği ve dağınık bir coğrafyada gerçekleştiği, medya tarafından yeteri kadar önemsenmediği için, kamuoyunun nazar-ı dikkatini diğerleri kadar çekmiyor.

Şahsen ben başka başka vesileleri öne sürse de bugün ve yarınları adına güç ve kuvvetini binlerin-milyonların ölümü pahasına kullanan bir siyasi ve askeri zihniyetle, babasını harçlık vermediği için bıçaklayan zihniyet arasında bir farkın olmadığını düşünüyorum. Eşcinsel olduğunu açıklamaktan zerre kadar haya etmeyen, mahrem kelimesinin lügatinde yer almadığını ilan eden zihniyetle, Ebu Gıreyb Hapishanesi'nde işkence adı altında cinsel duygularını tatmin eden zihniyet arasında da farkın olmadığı kanaatindeyim. Ne de olsa aynı zihniyetin çocukları.

Bütün bunlar bir zamanların rönesans, reform, aydınlanma, çağdaşlaşma, pozitivizm, bilim, inkılap vb. sihirli ve efsunlu kelimelerle insanlığa rehber olan bir medeniyetin zevalinin işaretleri olarak algılanabilir sanırım.

Alternatifimiz ne? Bir tek alternatif var; insanlığı içinde bulunduğu medeniyet krizinden kurtaracak, sahil-i selamete ulaştıracak tek alternatif İslâm'dır. Vahyin rehberliği ışığında, akli ve mantıki gerekçelerle içinde yaşanılan zamana uygun sistemini kuran, kurduğu bu sistemde yer alan değerleri tavizsiz biçimde hayata geçiren ve kalp unsurunu devreye koyarak her işini mana eksenli ele alan İslâm medeniyeti. Bir zamanlar var olan ve insanlığı adeta cennet yamaçlarına denk huzur ikliminde, huzur adasında yaşatan mazideki İslâm medeniyetinden bahsetmiyorum. Aksine onun bugünkü müntesipleri tarafından imanla, iz'an ve idrakle yeniden yorumlanmış, tarih şuuru ile yoğrulmuş, yılma usanma bilmeyen çaba ve gayretlerle dünyanın dört bir tarafına ulaştırılmış, eğitim kurumları ile toptancılığa açılmış, hayatın her alanında yetiştirilen iyi rehberlerle yönlendirilmiş ve nihayet güç ve kuvvetle beslenmiş bir İslâm medeniyetinden bahsediyorum.

Zira teorik anlamda bu değerlere sahip sadece İslâm'dır. Bu değerleri pratik hayata taşıyacak Müslümanlar var mıdır sorusunun cevabı, bir başka yazının konusudur.

TERÖR SORUN DEĞİL, SONUÇ...

Kaba bir genelleme ile bugün dünya nüfusunun % 20'si yeraltı ve yerüstü zenginliğinin % 80'ini tüketmekte, yaklaşık 4 milyar insan da geri kalan % 20'yi kendi aralarında paylaşmaktadır.

Bu tabloda dillerden hiç düşmeyen eşitlik ve adalet olgusunun ne kadar gözetildiğini sizin iz'an ve idraklerinize sunuyorum. Sadece gözden kaçmaması için bir noktaya işaret edeyim; 1960'lı yıllarda en zengin ülke ile en fakir ülke arasında 3'e 1 olan fark, 1990'lı yıllarda 74'e 1 olmuştur. 1987-1993 yılları arasında günde bir dolardan az para kazananların sayısı 100 milyondan 1,3 milyara çıkmıştır. Bu rakam tahminlere göre 2015 yılında 1,9 milyar olacaktır.

Böyle bir girişle kasdımız yazının başlığında belirttiğimiz ve bugün insanlık ailesinin en büyük sorunu olan teröre farklı bir zaviyeden bakmaktır. İktisadi, siyasi, hukuki ve dini haklarda eşitsizlik/adaletsizlik dünya idaresine hakim olan siyasi ve askerî süper güçlerin ısrarla görmediği ya da sürekli olarak şuurluca göz ardı edip görmek istemediği en büyük gerçektir. Dıştan yapılan alabildiğine sathi bir gözlem insana; 'bu süper güçlerin düşündükleri tek şey kendi menfaatleridir' dedirtmektedir. Sözgelimi; imalat sanayiinin ucuz işgücü sebebiyle üçüncü dünya yani 'gelişmemiş ve geliştirilmemiş' ülkelere taşınması, başta petrol ve maden yatakları olmak üzere birçok yeraltı işletmelerinin şimdilik kapatılarak ilgili ürünlerin yine aynı ülkelerden ithali, bu menfaatin sürekliliğini sağlamak adına, siyasi yapı ve idareye müdahaleden iç karışıklığa, ülkeleri IMF, Dünya Bankası gibi kurumlarla borçlandırmadan sendika kurma haklarını engellemeye varıncaya kadar kısa ve uzun vadeli tedbirler uygulamaktadırlar. Tabii bunlar yapılırken dillerden hiç düşmeyen demokrasi, insan hakları, özgürlük, bağımsızlık kavramları hiç akıllara gelmemektedir.

Terör uzmanları terörün sebeplerini iki ana kategoride ele alıp incelemektedirler. Bir; dış odaklar, siyasal ve idarî istikrarsızlık, güvenlik güçleri, istihbarat, cezaevleri ve insan hakları ara başlıkları ile derlenen direkt etkenler; iki; işçi ve işsizlik, nüfus artışı, yolsuzluk, gençlik, eğitim, kültür, sağlık, medya, yerel yönetimler, tepkisizlik gibi dolaylı etkenler. Ulusal ve uluslararası terör örgütleri ayrı ayrı incelendiğinde farklı etkenlerin de devreye girecek olması mahfuz, yukarıda zikredilen ana başlıklar terörü sebepler bağlamında anlamak isteyenlere ciddi bir perspektif sunmaktadır.

Yukarıda arza çalıştığımız manzara karşısında akla gelen bazı çarpıcı sorular ve gerçekler var. Bunlardan birincisi; küreselleşme, iletişim ve ulaşım imkanlarındaki gelişmeye paralel olarak Müslüman dünyasındaki zihni yapının eskiye nispetle akıl almaz bir hızla değiştiği. Halk tabiriyle artık karşımızda yüzüne bir tokat vurup sırtından hırkanın, ağzından lokmanın alınmasına sessiz kalacak bir nesil yok. Tam aksine dünyadaki gelişmeleri ABD'li, Avrupa'lı insan gibi eşzamanlı evindeki televizyonundan, sürekli yanında taşıdığı bilgisayarından takip eden ve ona göre hayatına kısa ve uzun vadeli yön çizen insanlar var. Her üçüncü dünya ülkesinde eşit derecede olmasa da, bu zihniyete sahip kişilerin birçoğu devlet ve hükümet makamlarında, akademik camiada, ekonomi sahasında etkin ve yetkin mevkie sahipler.

'Artık eski çamlar bardak oldu.' Zihinleri körleştiren/köleleştiren politikalara prim verilmiyor. 19. yüzyılın ikinci yarısında gördüğümüz siyasi bağımsızlık mücadelelerinin bu defa farklı bir alanda yapılması gerektiğinin şuurundalar. Hatta diyebilirim; Batı'nın kendi refah ve saatini direkt veya dolaylı yönlerden nazara veren Hollywood filmleri, sözünü ettiğimiz dünyada kin, nefret ve intikam duygusunu körükleyici durumundadır.

İşte adaletsizliği her yanından salkım salkım dökülen bu mevcut manzara, teröre kadar uzanan, intihar saldırıları ile noktalanan karşıt politika ve mücadelelere sebebiyet vermektedir. Onun için diğer faktörleri de hesaba katarak diyoruz ki; terör bir sonuçtur. Bu aşamada sinekleri öldürme yerine bataklığı kurutma tercih edilse, terörle mücadelede çok daha kısa zamanda çok daha olumlu sonuçlar alınacaktır. Yukarıda sunduğumuz tablo ile alakalı olarak akla gelen sorular ise şunlar: Bir, yaşama hakkı başta insani haklarının, ferdi özgürlüklerin, unutulduğu, hiçe sayıldığı bir yerde, o insanların içinde yaşadıkları ülkelerin özgürlükleri bir anlam ifade eder mi? İki; fakirlik ekseninde ulusal ve uluslararası nice akademik çalışmalar yapılmakta, ilgili komisyonlara raporlar sunulmakta, bütçelerden milyar dolarlık yardımlar ayrılmakta, en üst düzeyde fakir bölgelere ziyaretler yapılarak 'yanınızdayız' türü siyasi nutuklar atılmaktadır. Ama fakirlik ekseninde yapılan bu çalışmaların onda biri ölçüsünde dünya kamuoyunun dikkatini gelir dağılımındaki adaletsizliğe çevirecek çalışmalar yapılmamaktadır. Neden? İktisadi alanda fakirliği besleyen ana damarın adaletsiz gelir dağılımı olduğu bilinmiyor mu yoksa?

Üç; yapılacak şey belli; İslâmi terminoloji ile konuşacak olursak; kendisi için istediğini din, dil, kültür, cins farkı gözetmeksizin insanlık ortak paydasında buluştuğu başkası için de istemek. Ama muhalefet ve iktidarıyla siyasi iradeyi ellerinde tutanlardan, akademik camiaya, düşünce kuruluşlarından ekonomik, sosyal ve kültürel konumunu kaybetmeyi ölümle eşdeğer görecek olan statüko mahkumlarına ve sahip olduğu ekonomik ve sosyal refahtan taviz vermeyi hayaline dahi misafir etmeyen sıradan halka kadar dünyanın % 80 yeraltı ve üstü zenginliği üzerine oturan insanlar bunu yapabilecekler mi?

Cevabı içinde gizli olan bu soruların gereği bir an önce yerine getirilmelidir. Yani insanlığı bir aile kabul edip dünya nimetleri adil biçimde yeniden paylaştırılmalı, zengin ile fakir arasındaki nihayetsiz uçurum kapanmalıdır. Unutmayalım, mevcut gelir dağılımı manzarası, beşeri iradenin kendine, kendi hemcinslerine karşı reva gördüğü bir zulümdür. Halbuki "Allah, zulmü kendine meslek edinen kimseleri hidâyet etmez, emellerine ulaştırmaz."
(Kasas, 28/50)

SÜNNİ-Şİİ ORTAK PAYDALARIN KEŞFİ

Geçtiğimiz haftaların dünya genelinde en önemli gündem maddesi hiç şüphesiz Irak'ta cereyan eden "Sünni-Şii çatışmasıdır. İslâm tarihinin kesintili dahi olsa çeşitli dönemlerinde hep şahit olduğumuz mezhep kavgasıdır hatta savaşıdır."

Tırnak içinde yazdığım durum tespiti yapan veya aktaran cümleler bana ait. Tırnak içinde yazmamın sebebi ise; iç dünyamızı tavsif ederken, cereyan eden olaylar zincirini aktarırken "ötekilerin" gözüyle kendimize baktığımızı ve onların dilini kullandığımızı göstermek. Zira herkesin bildiği gibi bir Batı'lı yazar da, muhabir de, akademisyen veya politikacı da bahsi geçen hadiseleri böyle aktarıyor, bu bakış açısıyla yorumluyor ve bu dili kullanıyor. Öyleyse bu çerçevede onlarla bizim aramızda ciddi hiçbir fark yok.

Hadiselerin yanlış anlama ve algılamalara konu edilen iki önemli boyutu var. Birincisi; cumhuriyet dönemi aydınlarında çok sık görülen ve günümüze kadar kesintisiz gelen oryantalist mantık ve oryantalizm gözlüğü ile kendimize bakma, onların belki de kendi dünyaları adına üretmiş oldukları literatürle gerçekleştirdikleri okumayı aynen kendi dünyamıza aktarma. Ali Bulaç Bey üst üste yayınlanan iki yazısında Batı'daki mezhep anlayışı ile bizdeki mezhep anlayışı ve yine Batı'da yıllar boyu devam eden mezhep savaşları ile bizdeki mezhep savaşları arasındaki farkı gayet net bir biçimde ortaya koydu. Sünni-Şii ayırımı özelinde örneklendirecek olursak; Batı'nın ve özellikle Hıristiyan dünyanın birbirlerini kâfir ilan ettikleri, başka bir dinin mensubu olarak gördükleri, onca ortak paydalarına rağmen yek-diğerinin ahirette kurtulamayıp cehenneme gittiklerine inandığı mezhep kavramı nerede, Hz. Peygamber sonrası hilafete kimin geçeceği ile başlayan ve ilk dönemler itibarıyla sadece siyasi bağlamda gerçekleşen düşünce farklılığını yansıtmak için kullanılan mezhep kavramı nerede? Demek istediğimiz o ki; Batılı klişelerle, literatürlerle kendimizi okumaya son vermemiz lazım. Aksi halde ne hadiseleri doğru okuyabilir, ne onların gerçek sebeplerini anlayabilir, ne de kalıcı çözümleri adına projeler üretebiliriz.

İşaret etmek istediğimiz ikinci husus ise; Irak'ta vuku bulan hadiselerin harici sebepleridir. İtiraf etmeseler ve edemeseler de Irak'taki hadiseleri tahrik eden dış mihraklardır. Demokrasi ihracı, kendi çıkarları rağmına işleyen coğrafyada rüzgarı yeniden kendi hesaplarına estirmek çabası içinde bulunan zihniyetlerin uygulamaya koyduğu bir projedir. Bu güçlerin başlangıçta olduğu gibi işin bu kertesinde de çok ciddi stratejik hata yaptıkları kesin. Dolayısıyla hem kendi kamuoyları hem de stratejik ortakları tarafından yalnız bırakılan söz konusu güçlerin bu oyunla bir yere varamayacaklarını şimdiden söylemek kehanet olmasa gerek.

Nitekim bu istikametteki benzeri nice düşünceleri bugünlerde Batı medyasında akademisyen ve politikacıların kalemlerinden okumak mümkün. Bu açıdan dış güçlerin oynadıkları, hakim ve baskıcı güçlerini kullanarak sahneye sürdükleri bir oyuna, hadiselerin perde arkasındaki hakiki aktörleri görmeden çalakalem 'Sünni-Şii çatışması' adını vermek, gerçekleri görmemek ve gizlemek olur. Hakikate karşı saygısızlıktır bu. Fakat bu demek değildir ki, özelde Irak'taki Müslümanlar, genelde ise dünün ve bugünün nesillerini bütünüyle içine alan İslâm dünyası suçsuz. Her şeyden önce zemini başkalarının oyun oynayabileceği hale getirme bizim suçumuzdur.

Unutmamalı; düşünce kuruluşları, sadece yaşanan günü ve zamanı değil, gelecek asırları içine alacak iç ve dış dünyaya ait planları, iktidarın el değiştirmesine rağmen değişmeyen istikrarlı dış politikaları, uzun soluklu ülke çıkarlarını hedef alan siyaset-üniversite-işadamları işbirliği sayesinde İslâm dünyasının hemen her şeylerine vakıf olan bir dünya var karşımızda. Bunun karşısında aynı çizgide hareket etmeyen, kendi değerlerine nihai bağlılık içinde aynı türden yapılanmalarla mukabelede bulunamayan bir dünyanın bu oyunlar karşısında tutunma şansı yoktur. Sünni-Şii meselesi 15 asra uzanan mazi içinde İslâm dünyasının yumuşak karnıdır. Bu yumuşak karnın Irak hadiselerinde gördüğümüz gibi küçük bir kıvılcımla patlayacak kıvamda tutulması da bahsini etmeye çalıştığımız uzun soluklu projelerin bir ayağıdır maalesef. Yaşayıp-yaşamadığı dahi İslâm tarihinde tartışma konusu olan Abdullah b. Sebe'nin asırlar önce çıkardığı fitnenin uzantısını günümüze kadar devam ettirebilmek başka türlü nasıl mümkün olurdu ki zaten?

İç dünyamızdaki ihtilaf noktalarımız adına ne yapıp, edip kalıcı çözümler üretmek zorundayız. Sünni-Şii ayırımı bu aşamada öncelikli bir yere sahiptir. 15 asırdan beri bunun yapılamamış olması şimdi yapılmamasının sebebi olamaz. Kaldı ki hiçbir şey yapılmadığı da söylenemez. Akademik ve dinî bağlamda, Sünni-Şii özelinde var olduğunu bildiğim bazı projelere hız verme, bunlara yeni projeler ilave etme zamanı gelmiş ve geçiyordur.[2]

Mesela, her iki tarafın da kabullendiği ravilerin rivayet ettikleri hadislerin derlendiği bir hadis mecmuası çalışması ve bunun taban kitleye yayılması gerekli olan ilk adımlardan biridir. Hakeza İmam-ı Cafer'in fıkhi görüşlerinin Hanefi, Şafii, Maliki, Hanbeli fakihlerin görüşleri ile mukayeseli biçimde çalışılması bir başka

---

[2] Şii-Sünnî yakınlaşması adına 200 Müslüman aydın, 20 Ocak 2007 tarihinde, Katar'ın başkenti Doha'da bir konferans tertip ettiler. (Y.n.)

önemli çalışma alanıdır. Bu ve benzeri çalışmalar her iki tarafın ortak paydalarını yeniden keşfini sağlayacaktır. Aslında burada 'yeniden keşfi' tabiri yerine 'bilmesini, öğrenmesini' demeliydik. Zira belki alan çalışması yapmış akademisyenler hariç, iki dünya birbirini bilmemekte ve tanımamaktadır. Ortak paydalarının farkında değildir. Evi ile işi, aşı ve eşi arasında mekik dokuyan sıradan bir Sünni'nin, Şii dünyasına dair ansiklopedik bilgiye sahip olacak bir kitap okuduğunu zannetmiyorum. Aynı şey Şiiler için geçerli.

Akademik anlamda sürdürülecek bu çalışmalara eşzamanlı olarak siyasi alan başta olmak üzere sanat ve kültürden spora kadar uzanan ortaklaşa çalışmalar ilave edilecek olursa bugün yüz yüze olduğumuz hadiseler sebepler planında tekrar yaşanmayabilir. Belki iki, belki üç nesil sonra bile olsa bu meyveyi devşirmek için bugünden harekete geçilmesi şarttır ve elzemdir. Diyanet İşleri Başkanlığı'nın öncülük ve başkanlığını yaptığı arabuluculuk girişimi takdirle karşılanacak bir davranıştır. Ama o, başarılı olması durumunda bugünü kurtarır, yarınları değil.

Hasılı; şeytan ile Hz. Âdem'in mücadelesi bütün hızıyla devam ediyor. Mücadele şekillerinin değişmesi kimseyi aldatmasın.

ABD FRANSA OLUR MU?

Bu başlıkla ne kastettiğim gayet açık; Fransa'da yaşanan ayaklanma benzeri hadiselerin ABD'de yaşanma ihtimali. Cevabım gayet net; why not; niçin olmasın?

Malum Batı basını her ne kadar Fransa olaylarını Müslümanlara mal etmeye çalıştı ise de işin gerçek yüzünü herkes biliyor. Çünkü mızrak çuvala sığmayacak kadar büyük. Bu olayların faillerine bakan yanı ile süreç 60'lı yıllarda üçüncü dünya ülkelerinden alınan işçi göçü ile başlıyor. İkinci, üçüncü derken dördüncü nesil, nüfus artışı, işsizlik, entegrasyon zorluğu, sosyal haklar, her ne kadar cumhuriyet, demokrasi, insan hakları dense de ulus-devlet yapısının gereği pratik hayatta kendine uygulama alanı bulan ırk ve din ayrımcılığı, bunun uzantısı olarak siyasette temsil oranı ile 3. ve 4. nesil Fransa vatandaşlarına bile hâlâ göçmen muamelesi ve benzeri problemler Fransa'yı savaş alanına çevirdi. Öyle ki ehli insaf yazarlar Fransızlar Cezayirlilerin yerinde olsaydı, yine aynı hadiseler patlak verirdi diyerek hadisenin dinî değil siyasî, içtimaî, iktisadî ve kültürel boyutlarına vurgu yaparak tarihe not düştüler.

Zaten Kıta Avrupası'nın gerek kendi içlerindeki kavga ve savaşları, gerekse dış dünyaya bakış açıları ABD'den farklı bir seyir izlemiştir ve izlemektedir. Sanayileşmenin hız kazandığı dönemde ihtiyaç duyduğu işçi açığını kapatmak üzere gönüllü olarak aldığı göçmenleri, aradan neredeyse 70-80 yıl geçmesine rağmen hâlâ benimseyememesi bu zihniyetin bir uzantısı olsa gerek. Farklılığa tahammül edememe, insanların dinî, millî ve etnik kimliklerini tanımama, buna bedel siyasî iradenin tercihi olan kimliği dayatma bu zihniyeti ifade eden açılımlardır. Fransa hadiselerinden hareketle Avrupalıların göçmenlere bakışını ifade için geçenlerde New Yorker dergisinde şunlar söyleniyordu: "İngiliz modeli; sen ebediyen bizden biri olamazsın. İskandinav modeli; seni destekliyoruz; ama bizden biri olana kadar bize gözükme. Danimarka modeli; entegre ol, asimile olmasan da. Alman modeli; misafir işçisin, işin bitince evine dön. Fransa modeli; bizden biri olmaya mecbursun."

Aslında bu yaklaşım şu an Avrupa genelinde yapılan göçmen sorunu, göçmenlere verilen bireysel haklar, asimile, entegrasyon ve azınlık statüsü tanıma tartışmalarına da bir açıklık kazandırıyor. Söz konusu tartışmalarda son sözü söyleme makamında bulunan kişi ve devletlerin, ferdî ve resmî bakış açıları bu olunca muhtemel sonucu tahmin etmek hiç de güç olmasa gerek.

ABD'nin Fransa olabileceği temasına geri dönecek olursak; eğer hadiselerin sebebi adına yukarıda anlatılan tespit doğru ise -ki olaylara tarafsız bir gözle yaklaşan hemen herkesin ortak kanaatidir bu- böylesi bir sürece ABD'nin girmesi imkan ve ihtimal dahilindedir. Neden?

İsterseniz sebebini daha bir hafta önce yaşanan bir hadiseyi esas alarak anlatayım; çok yakından tanıdığım bir bayanın çocuğunu acilen tedavi ettirmek maksadıyla hastaneye gittiğini öğrendim. Gecenin ilerleyen saatleri olmasına rağmen telefon açmakta, hal hatır sorup yapabileceğimiz bir şey var mı demekte tereddüt etmedim. Ahizenin karşısındaki tanıdık sesin bana ilk söylediği cümle şu oldu: "Bana birkaç tane İngilizce hakaret cümlesi söyler misin?" Şaşırmıştım; burnundan nefes alma tabiri ile anlatacağım bir kızgınlık, sesinin ve soluğunun her tarafından nefret damlayan hava içinde ısrarla bana isteğini tekrar etti. Uzatmayayım;

okulda oyun oynarken sağ elinin baş parmağı burkulan çocuğunun filmini çektirmek üzere öğle üzeri saat 13'te acile gelmişler. Tam 5 saat sonra filmi çekmişler, filmi değerlendirmek için de doktoru benim telefon açtığım saatlere kadar beklemişler ve hâlâ bekliyorlardı ki saat gece 22.00 civarıydı. ABD'nin sağlık sistemindeki aksaklıklar malum, ama acile getirilmiş bir çocuğun önemli veya önemsiz bir tedavisi için 9-10 saat beklenilmesinin -bekletilmesi demek daha uygun olacak- normal olduğunu söylemek ise imkânsız. O bayana göre bunun sebebi kendisinin başörtülü Müslüman olması. Çünkü nöbeti gece 9 sırasında devralan Pakistan'lı Müslüman bayandan sonra işler yıldırım hızıyla gidiyor ve 8-9 saattir yapılamayan işlemler yapılıyor, bulunamayan doktorlar bulunuyor.

11 Eylül öncesi ve sonrasını bu ülkede yaşayan, Müslümanlara karşı resmî ve sivil alanda davranış, tavır ve tutum farklılığını çok net müşahede eden birisi olarak rahatlıkla diyebilirim ki, basına intikal eden kadarıyla dahi olsa yukarıda dile getirdiğim bu ve benzeri önyargı eksenli hadiseler bu koca coğrafyada da her gün yaşanıyor.

Bu ülke her şeyden önce çoğulculuğu yapısının temel taşı olarak benimsemiş. Din, dil, ırk ve kültürel çoğulculuk bir zamanlar bu ülkenin hayat kaynağı, zenginlik emaresi, varlık ve bekasının teminat unsuru olarak görülmüş. Avrupalılara bedel, ABD göçmenlere karşı 'para kazan ve sınıf atla' modelini benimsemiş. Siyasilerin söylemlerine baktığınız zaman şimdi de değişen bir şey yok. Ama 11 Eylül sonrası 'eski çamların bardak olduğu' da tartışma götürmez bir gerçek. Dün zenginlik olarak görülen çoğulculuk, bugün tavandan tabana farklı değerlendirmelere konu oluyor. Fransa'da yaşanan sosyal adaletsizlik, insanlara sahip oldukları ırk, din ve kültürlerinden hareketle yapılan ayrımcılık, üstü kapalı ve açık bir biçimde burada da görülüyor. Ekonomik sorunlar, fakirlik ve işsizlik oranı, başkan seçimlerini birinci dereceden etkileyecek ölçüde büyük bir problem. İlk, orta ve lise düzeyindeki eğitimin kalitesi herkesin malumu.

Özellikle zenci ve hispanik nüfusun ağırlıklı bulunduğu bölgelerdeki başarı grafiği yıllardan beri sürekli eksi veriyor. Alkol ve uyuşturucu tüketimi, eşcinsellik, evlilik öncesi yaşanan ilişki ve genel anlamda ahlâkî yozlaşma almış başını gidiyor. Bir de bunlara artık Irak Savaşı ve savaştaki başarısızlıkla birlikte anılan dış politika hatalarının ülke halkına maddî ve manevî yansımalarını ilave edecek olursanız işin içinden çıkılır gibi değil.

İşte bütün bunlar sadece sayıları 8 milyon civarında olan Müslüman azınlığın değil, nüfusun büyük çoğunluğunu oluşturan zenci ve hispanik kökene bağlı insanların da, insaflı beyaz Anglo-Sakson kökenden gelen kişilerin de içten içe dengelerini bozuyor. Devlet-vatandaş ilişkisini zedeliyor ve aradaki mesafe devlet aleyhine gün geçtikçe açılıyor. Sonuçta karşımıza bir 'hınç' gerçeği çıkıyor. Eğer zamanında önlem alınmaz, Perşembe'nin geleceği Çarşamba'dan hesap edilemezse, kısa vadede olmasa bile orta ve uzun vadede bu 'hınç psikolojisinin' insanları Fransa benzeri eylemlere sürüklemesi imkân ve ihtimal dahilindedir. Çünkü dengesini kaybeden insan sağlıklı düşünemez. Akıl ve mantığının değil hislerinin sevkiyle hareket eder.

THE PASSION OF THE CHRIST

The Passion of the Christ. Mel Gibson'ın yönetmenliğini ve yaklaşık 30 milyon dolarla sponsorluğunu yaptığı son film. Hz. İsa'nın son on iki saatini, bir başka deyişle Hıristiyan inancı içinde Hz. İsa'nın ölümü ile neticelenen çarmıha geriliş hikayesini anlatıyor.

Film, öncesi ve sonrası ile çok farklı çevrelerin ilgi odağı oldu. Dinî çevrelerden eğlence sektörüne, sokakta yürüyen sıradan vatandaştan ulusal ve uluslararası akademik çevrelere kadar her kesim, filmi ilgi alanına giren yönleri itibarıyla tenkid ve takdir ediyor, müspet menfi görüşlerini bildiriyor. Film gösterime girdiği ilk gün yani 25 Şubat'ta toplam 26.556.573 dolar kazanarak tüm zamanların hasılat rekorlarını kırdı. 15 Mart itibarıyla toplam hasılatı ise 267.680.889 dolar. Meraklı iseniz www.boxofficemojo.com/movies internet adresinden filmin ABD içi ve dışı günlük hasılatını takip edebilirsiniz. Filmin ana teması Hz. İsa'nın ölüm öncesi çarmıhta iken çekmiş olduğu sıkıntı, eziyet ve işkencenin çapı ve büyüklüğü. 2 saat 6 dakika süren filmin yarıdan fazlası işkence sahnesi. Her taraf kan gölü. Kan tutması olanlar ile 17 yaşından küçüklerin izlememesi ve her halûkârda tok karna sinemaya gidilmemesi tavsiyeler arasında.

İşkencelerin bu ölçüde tahammülfersa oluşu Hıristiyan özellikle Katolik öğreti içinde gayet normal. Çünkü Hz. İsa'nın yeryüzüne geliş gayesi "original sin" dedikleri "aslî günah"ı af ettirmek. Yeryüzüne bu asıl günah ile gelen bir kişinin tüm insanlığın günahlarının affi için katlandığı bu çaptaki bir işkence az bile dedirtiyor. Dolayısıyla bir abartma söz konusu değil.

Teolojik ve tarihsel boyutta filmde resmedilen manzaranın doğruluğu ilgili çevrelerin tartışma alanı içinde şu anda. Fakat meselenin kamuoyuna yansıması bu düzlemde olmadı. Daha doğrusu meselenin bu boyutu çok dar bir çevre belki de sadece akademik camia ile sınırlı kaldı.

Filmde işlenen temaya göre; Hz. İsa'yı kabullenmeyen başta din adamları olmak üzere Yahudiler onun öldürülmesini istiyorlar. Bu nedenle müracaat ettikleri Roma valisi ise Hz. İsa hakkında suçlamaları yersiz buluyor ve cezalandırmak istemiyor. Ama önderlerinin çığırtkanlığı ve yol göstericiliği içinde ayaklanan Yahudiler, Roma'lı valiye baskı yapıyorlar. Roma imparatorunun valisine "yönetimin altında bulunan yerlerde kargaşa istemiyorum, aksine huzur ve sükunet istiyorum" tembihini çok önceden alan ve belki de ikbal endişesi ya da umudu içinde bulunan vali iki arada kalıyor. Sonunda vali, suçsuz olduğuna inandığı bir insana sırf kargaşa olmasın diye öldürmemek şartıyla oldukça ağır işkence yapılmasını emrediyor. Bununla Yahudilerin tansiyonlarını aşağı çekeceğini düşünüyor; düşünüyor ama bu düşüncesi maalesef gerçekleşmiyor. Sonunda tahammülfersa işkencelere rağmen bitmek tükenmek bilmeyen protestolar valiye "pes" dedirtiyor. Vali istemeye istemeye dahi olsa ölüm kararını veriyor.

Şimdi bu senaryo içinde -ki bunun İncil öğretilerine uygun olduğunu otoriter çevreler kabul ediyor- gerçek katil kim? Ölüm emrini veren ve infaz eden Roma'lı vali veya askerleri mi, yoksa Hz. İsa'nın öldürülmesi için her şeyi yapan Yahudiler mi?

Hıristiyan dinî çevreler, bu gerçeğin "secret; gizli" bir şey değil aksine ellerinde tuttukları İncil'lerde asırlardan beri yazılı olduğunu söylüyorlar. Farklılık, bu gerçeğin farklı bir dille yani sinema lisanıyla halka intikalinden ibaret. Fakat taban kitleden gelen tepkiler ve onların yoğunluğu bu gerçeğin filmde gösterildiği ölçüde ve netlikte bilindiğini göstermiyor. Dolayısıyla inanç bağlamında peygamberden çok daha öte bir makama sahip Hz. İsa'nın bu tarz ölümü, o ölüme sebebiyet vermede Yahudilerin rolü Hıristiyan tabanı ister istemez Yahudi aleyhtarlığına yönlendiriyor.

Nitekim bunu çok önceleri sezen Yahudi çevreler, filmin gerek çekimi gerekse vizyona girmesini engellemek istemişler; ama muvaffak olamamışlar. Hatta anlatıldığına göre Yahudi engellemesi ile karşılaşacağını bilen Mel Gibson da baştan beri yetkili ve etkili Hıristiyan çevrelerle diyalog halinde bulunmuş, her safhada onlardan onay almış. Bu nedenle olsa gerek Yahudilerin etkinliği ile tanıdığımız muhalefeti bir işe yaramamış.

Daha garip bir şey söyleniyor buralarda; filmin her şeye rağmen çekilmesi ve gösterime girmesi ABD'de Hıristiyanların Yahudilere karşı ilk zaferidir. 25 Şubat'tan beri gördüğümüz Yahudi kaynaklı muhalefet ve muhalefetin boyutunun genişliği ve derinliği bu tespite hak verdiriyor. Mesela Yahudi sermayesi ile kurulmuş bazı medya kaynakları filmi destekleyen yayınlarda bulunan kurumlara çoktan "Elite Media" adını taktı bile.

Film, yüzde yüz doğru bile olsa dünü bugünde yaşamak ve yaşatmayı amaçlayan düşmanlık esası üzerine kurulu ilişkiler toplumsal hafızaya faydadan çok zarar verecektir. Bu zararın izleri de yıllar ve nesiller boyu silinmeyeceği gibi, neticesi farklı alanlarda hep menfi biçimde yansıyacak düşmanlıkların hortlamasına sebep olacaktır. Halbuki inançsızlık, terörizm, AIDS, alkol, sigara ve uyuşturucu gibi kötü alışkanlıklar, sosyo-ekonomik dengesizlikler insanlık ailesinin mutlaka çözmek zorunda olduğu problemlerdir. Bu problemlerin çözümü ise birlik ve beraberlikten geçer. Öyleyse tarihte cereyan etmiş sosyal, siyasal, kültürel, dini birçok arka plan şartlarına bağlı olarak gelişen bu ve benzeri olaylar bir kenara bırakılarak birlik olma cihetine gidilmelidir. Bu açıdan bir anlamda Hıristiyan-Yahudi düşmanlığını doğurabilecek veya körükleyebilecek bu filmin barışa hizmet etmeyeceği muhakkaktır denilebilir.

Bundan daha ötesi ve tehlikelisi, taban kitlenin başrolleri oynadığı/oynayacağı bu düşmanlık aslında bir yangına benzetilebilir. Film, teşbihini yaptığımız yangının ilk kıvılcımıdır. Filmin gösterime girdiği ülkelerin de katılmasıyla küresel boyut kazanan tartışmalar gösteriyor ki yangın çıkmış ve alevleri yavaş yavaş tüm dünya kamuoyunu sarmaya başlamıştır. Halbuki bilinen gerçektir; yangını çıkartmak elimizde olsa da söndürmek, alevlerini kontrol etmek mümkün değildir.

Son bir nokta; tüm zamanların gişe rekorunu kıran bu film, bir başka açıdan bakıldığında, dinin yenilmez gücünü bir kere daha ortaya koymuş bulunmaktadır. ABD gibi tüm farklılıkları "melting pot; eritici kazan" içinde eritip materyalist bir dünya görüşünün tüm maddi imkanlarını vatandaşlarına sunan bir ülkede filme gösterilen ilgi, maddi doymuşluğun yanı sıra manevi açlığa işaret etmez mi? İki hafta içinde milyonlarca insanın milyonlarca dolar ödeyip, saatlerce kuyrukta bekleyerek –ki onlardan biri de benim– filmi izlemesi başka ne ile izah edilebilir?

KARİKATÜR KRİZİ; İLK DEĞİL SON DA OLMAYACAK

İlk yayınlandığı günden bu yana 5 ay geçmiş olmasına rağmen karikatür krizinin İslâm dünyasında gördüğü karşılık olan protestolar bir türlü bitmedi ve biteceğe de benzemiyor. Bu yazıda protesto şekillerini eksene alan ve çuvaldızı kendimize batıran bir tahlil denemesi yapmak istiyorum. Yalnız hemen ifade edeyim; aşağıda okuyacağınız tahliller bazılarının ifade özgürlüğü kapsamında meseleyi ele alıp Batı dünyasını haklı kılan düşüncelerine katıldığımız anlamını taşımıyor. İfade özgürlüğünün elbette bir sınırı vardır ve bu sınır başkasının kutsalına hakareti içine almaz.

Herşeyden önce şunu baştan kabullenmemiz gerekmektedir -ki hadiselerin gelişim seyri zaten bunu isbatlamaktadır- karikatür belli güç odaklarının İslâm dünyası üzerinde oynadıkları bir oyundan ibarettir. Hz. Peygamber'in (sallallahu aleyhi vesellem) bir Müslüman nezdindeki yerini gayet iyi tahlil eden bu zihniyet, masa başında hazırladıkları planı adeta satranç oyununda olduğu gibi yer ve zamanlamayı iyi yaparak gün yüzüne çıkartmaktadırlar. Dolayısıyla bu hadiseye tepki gösterecek olan iradenin tepki formunu belirlerken bu hususu nazarı dikkate alması gerekmektedir.

Bugüne kadar gördüğümüz manzara malesef ne ferdi ne de külli anlamda bunun dikkate alınmadığını göstermektedir. İslâmî heyecan ve helecana, Hz. Peygamber ve kutsallarımıza sahip çıkmaya kimsenin bir şey dediği yok ve olamaz. Zaten bu gayretin olmaması iman bağlamında ciddi bir eksikliktir. Ama bu heyecan ve helecan tepki formunu belirleyen tek ölçü olmamalıydı. İçinde yaşanılan şartlar ve karşıt cephenin niyeti akıllıca değerlendirmelere konu edilmeliydi.

Genel-geçer insani ilkeler, ulusal ve uluslararası siyasi anlaşmalar ve hukuki haklar muvacehesinde hiçbir taşkınlığa sebebiyet vermeden binlerin- yüzbinlerin bir meydanda toplanıp Müslüman vakar ve ciddiyetine yakışır biçimde, Danimarka ve karikatürü sayfalarına taşıyan diğer gazetelerin aid olduğu ülkeleri protesto etmelerine bir şey denilmese/denilemese de, bayrak yakma, konsolosluk binalarını taşlama, çevreye zarar verme, polisle çatışma, maksadı aşan sloganlar atma ve hele çıkan karmaşada birbirimizi öldürmeye uzanan taşkınlıklarda bulunmaya İslâmî açıdan izah getirmek oldukça zor, hatta imkansızdır. Karikatür bahanesi ile başlayan protestoların toptancı ve heptenci bir mantıkla Batı düşmanlığına uzanması ise ayrıca ele alınması gereken önemli bir nokta. Nitekim olayın görünen yüzü itibariyle devrede hiç olmayan ABD ve İsrail'in muhatap alınması çıkartılan yangının başka alanlara sıçradığının göstergesidir.

İşte İslâm dünyasının genelinden alınan bu parça parça karelerin oluşturduğu büyük fotoğraf, bizi tam da Batılıların gördüğü/görmek istediği konuma oturtmaktadır. Kendi elimizle verdiğimiz bu kozla onlar, gerek kendi halklarına İslâm dünyası üzerindeki politikaların haklılığını isbat etmekte, gerekse ezici, baskıcı, dönüştürücü istikamette yeni plan ve programlarını devreye koymaktadırlar. Bu da bütün haklılığımıza rağmen tepki metod ve dozajındaki yanlışlıktan hareketle kaybeden tarafın bir kere daha biz olduğunun göstergesidir.

Karikatür krizi Batı'nın İslâm dünyası üzerinde oynadığı ilk oyun olmadığı gibi son oyun da değildir. Bir anlamda yumuşak karnımız bu netlikle Batı tarafından bir kez daha keşf edilince, aynı alan etrafında dönen yeni komploların devreye girmesi büyük bir ihtimaldir. İhtiyaç olduğunda mutlaka ama mutlaka devreye konacak olan bu planlara karşı İslâm dünyasının şimdiden yeni stratejileri hazırlaması gerekmektedir. Komplo öncesi İslâm'ın gerçek yüzünü anlatma çabaları, muhtemel komplolar sonrası ise tavandan tabana ve tabandan tavana alabildiğince geniş kitleleri içine alacak tepki formları ile alakalı metod eksenli bilgilendirme ve şuurlandırma çalışmalarının yapılması şarttır ve elzemdir. Aksi takdirde bu defada olduğu gibi hazırlıksız yakalanacağımız, aynı türden tepkilerle sokakları slogalanlara boğacağımız, yumurtaya, domatese, ateşe, dumana ve kana bulayacağımız bir protesto şekli, maksadın aksi ile neticelenecek ve İslâm dünyasının genelini ilgilendirip gelecek nesillerimizi dahi etkileyecek yeni ipoteklerin zuhuruna sebebiyet verecektir.

Hz. Peygamber'in (sallalâhu aleyhi ve sellem) beyanıyla "Mü'min bir yılan deliğinden iki defa ısırılmaz." Bu bağlayıcı ve yönlendirici beyan bizim şu an itibariyle yolda olan yeni krizlere tepki formumuzu belirlemede rehber olmalıdır. Şahsen ben resmiyetin soğuk yüzünden çok daha öte halkın rehber ve lider kabul ettikleri kişilere bu çerçevede çok büyük görev düştüğünü düşünüyorum. 15 asırlık İslâm tarihine bu gözle bakıldığında, ister kendi iç dünyamızda şu ya da bu nedenle gerçekleşen devlet-halk ya da halkın kendi iç çatışmasında, isterse dış dünya ile olan kitlesel çatışma ve savaşlarda bu halk önderlerinin oynamış olduğu rol açık ve net biçimde görülecektir. Devletin kanuni otoritesine dayanarak silah kuvvetiyle yapamadığı şeyi bu önderler bir çift sözle yapmış, tansiyon aşağıya çekilmiş, birbirlerini öldürmek üzere kılıçlarını kinle bilemiş kızgın kitleler sarmaş dolaş evlerine geri dönmüştür. Teklifim muhtemel benzeri krizlerde muhtemel tepki formlarına ait hazırlanacak master planda bu halk önderleri ile şimdiden görüşülmesidir. Varoluşsal kimliğimizin ayrılmaz parçası olan Müslümanlığımız adına hiç bir anlam ifade etmeyen klişe sözler, anlayışlar, yaklaşımlar bu hususun hayata intikalinde bir engel teşkil etmemelidir. Nitekim ülkemiz için konuşacak olduğumuzda Fethullah Gülen Hocaefendi'nin tepki formu adına ortaya koyduğu düşünceler sadece Türkiye'de değil dünyanın geneline yayılmış büyük bir gönüllüler kadrosunu aklıselim ile harekete sevk etmeye yetmiştir. Sokakta protesto yapan, bayrak yakan, slogan atanlar ölçüsünde İslâmî heyecan ve helecana sahip bu kadronun daha medeni ve diplomatik yolları tercihinde Hocaefendinin bu beyanlarının etkisi elbette büyüktür. Aynı şeyler Yusuf Karadavî'nin yaptığı açıklamalar etrafında da söylenebilir.

Karikatür krizine gösterilen tepkilerin çeşitliliği İslâm dünyasının parçalanmışlığını, hakim devletlerin ötekiler üzerinde oynadıkları "böl-parçala-yut" değişmez prensibinin bizim dünyamız üzerinde uygulanmaya gerek olmadığı bir kere daha gözler önüne sermiş bulunmaktadır. Sevindirici olanı şu ki: Aradan 15 asır geçse de Peygamber sevgisinin tüm İslâm dünyasında ne kadar canlı olduğunu da göstermektedir. Futbol stadyumlarında bile "Canlar sana feda Ya Resûlallah" yazılı pankartların açılması herhalde tarihte ilktir ve Peygamber sevgisinden başka izahı yapılamayacak bir davranıştır. Şimdi bize düşen, bu dinamiği iyi kullanıp kalblerden başlayan ve uzayabildiği yere kadar uzayacak beraberliğimizi, ortak paydamız olan Hz. Muhammed (sallalâhu aleyhi ve sellem) etrafında gerçekleştirmekten ibarettir. Kur'an 'Umulur ki sizin hayır gördüğünüz şeyler şer, şer gördüğünüz şeyler hayırlıdır. Allah bilir siz bilmezsiniz" buyuruyor. Kim bilir bu karikatür krizi de zahir planda görülen onca şer vechelerine rağmen hakkımızda hayırlıdır.

EBU GIRAYB ABD GÜNDEMİNİ KİLİTLEDİ

Amerika Ebu Gırayb hapishanesinde yaşanan insanlık dramı ve rezalet görüntüleri ile çalkalanıyor. Gidişat o ki çalkalanmaya da devam edecek. Meselenin siyasi ve politik boyutu adına bir şey söyleme yeterliliğine sahip değilim. Alanım da değil zaten. Kaldı ki dünya gündemine oturan bu talihsiz hadiseler etrafında yapılagelen yorumların hemen hepsi zaten siyasi eksenli. Onun için bu yazıda biz ciğersuz olayların ahlâki boyutuna göz atalım istiyoruz.

Öncelikle ABD kamu oyundaki "savunma" psikolojisinden başlayalım. Hemen her çevre insanlık ayıbı olarak tarihe geçen bu olaylara değinirken; sayıları kaç olursa olsun söz konusu hadisenin kahramanları(!) olan askerlerin ABD ordusunu ve halkını temsil etmediğinin altını çizerek söze başlıyorlar. Haksızlar mı? Haşa! Sonuna kadar haklılar. Gerçekten insani değerlerden azıcık nasibi olan herhangi bir insanın düşmanı dahi olsa adı, kimliği, cinsiyeti, dini, dili, etnik kökeni ne olursa olsun sureten insan olan bir kişiye reva görmeyeceği/göremeyeceği zulmü ABD insanının denildiği gibi % 99'u onaylamıyordur. Dolayısıyla yapılan yanlışlığı genellemeler içinde ele almak neresinden bakarsanız bakın yanlış. Aklen yanlış, ahlâken yanlış, siyaseten yanlış. Bu doğru.

Ama bu doğruda bir yanlış var. O da şu; yüz kızarmadan seyredilemeyen bu hadiselere sözü edilen perspektiften yaklaşan başta medya olmak üzere siyasi ve kültürel çevreler, kendilerinin baş rolü oynamadığı aynı ve benzeri türden hadiselerde aynı tür yaklaşımı göstermediler. Hâlâ göstermiyorlar. Mesela; özellikle son yıllarda İslâmi değerlere taban tabana zıt terör, uyuşturucu ve silah kaçakçılığı, adam ve çocuk kaçırma vb. eylemleri gerçekleştirenlerin Müslüman kimliğine bakarak, bu menfur olayları "İslâmî terör, Müslüman teröristler" gibi genelleme içeren ifadelerle ele aldılar. Söz konusu çevreler bu yaklaşımın yanlışlığını vurgulayan gerek İslâm gerekse Batı dünyasında yükselen onca sağ duyulu seslere kulaklarını kapadı ve "doğru bildikleri(!)" yolda yürüdü, İslâm imajını safi zihinlerde kirleten bilinçli politikalarına devam ediyorlar. Bugün ABD'de elinize aldığınız günlük sıradan bir gazetede bu çarpıklığı her gün görmeniz mümkündür.

Bana göre burada hem bir mantık tutarsızlığı hem de bir ahlâk sorunu var. Eğer genelleme mevzuunda samimi iseler, bu bakış açısını başka din, sistem, millet ve kültürler için de kullanmak zorundalar. Yok bu ölçü sadece kendilerine özgü ise bunun ahlâki olduğunu söylemek imkansızdır.

İkinci nokta Ebu Gırayb hapishanesinde Iraklılara yapılan insanlık dışı eylemlerin -öncesinde de sonrasında da- engellenmesinde en önemli faktörlerden bir tanesi elbette ve hiç şüphesiz dini değerlerdir. İslâm, Hıristiyanlık, Yahudilik ayırd etmeksizin tüm dini değerler, ister ahiret, cennet-cehennem, mükafat-mücazat inancı, ister dünyada vicdan mekanizmalarının saat gibi çalışmasını sağlayacak, yeri başka bir şeyle doldurulamayacak şeylerdir. Ne hümanizm, ne seküler ahlâk, ne de ulusal ve uluslararası yaptırımlar bu çizgide dinin oynadığı/oynayacağı rolü oynayamazlar.

Meseleye bu zaviyeden bakınca; bir; ABD'de devlet okullarında din eğitimi yasak. Dini nitelikli okul açma serbest ama özel okul statüsüne giren bu okullara ancak gelir seviyesi iyi olan kişiler çocuklarını gönderebiliyor. Din eğitimi tamamıyla ailelerin ya da kilise-cami-sinagogların duyarlılığına, dini çevrelerle girilen ilişkilerin mahiyetine kalmış.

İki; ABD ordusunda askerlik yapan kişilerin bir çoğu eğitim ve gelir düzeyi düşük, problemli insanlar. Nitekim Time dergisi olaya adı karışan kişilerin bu yüzünü net bir biçimde açıkladı. Oldukça yüklü maaş karşılığında Irak'a giden bu kişilerin genelde temel düşünceleri kendi istikballerini maddi açıdan rahata kavuşturacak bir düzeye gelmeleri.

Şimdi can alıcı soru şu; siz bu insanlara din ve ahlâk eğitimi adına ne verdiniz ki ne bekliyorsunuz? Bununla devlet okullarında Türkiye örneğinde olduğu gibi en azından cinsellik eğitimi ölçüsünde din eğitimi verilmeli tavsiyesinde bulunuyor değilim. Demokratik ve laik olmayı devletin dinle olan tüm irtibatlarını resmi anlamda tamamıyla kopartma ve ayırma şeklinde anlayan ABD sistemine benim böyle bir imada bulunmam haddi aşmışlık olur. Ben bu sözlerimle mevcut manzaraya bir bütün halinde bakmanın daha yararlı olacağını düşünüyor ve net bir soru soruyorum; bu nesle din ve ahlâk adına ne verdik, ne bekliyoruz? Eğer bir şey verilmedi ise toplumun ekonomik, sosyal, siyasal sorumluluğu kadar ruh sağlığını da üstlenen insanların meseleye bir de bu zaviyeden bakmaları gerekmez mi?

Kaldı ki ahlâki bağlamda eşcinsellik Ebu Gırayb'da yaşanan spesifik hadiseden çok daha büyük bir sorundur. Özellikle Massachusetts eyaletinde eş cinsellere verilen kanuni evlilik hakkından sonra ferdi ve toplumsal alanda siyasi, ahlâki, dini, ekonomik, kültürel tüm boyutları ile federal hale gelen sorun, o gün bugün ABD gündeminden düşmedi. Kilise, sinagog, cami vb. ibadet yerlerine devam edenlerin oranı, devletin evlilere verdiği hemen her türlü hakkın resmen "boyfriend, girlfriend" ilişkisinin yol açtığı klasik evlilik anlayışındaki farklılık devlet-halk işbirliği içinde dikkatlice ele alınması gereken köklü problemlerdir bu ülkede.

Bir başka husus; acaba yaşana bu çirkeflik sadece ABD devletinin ya da insanın sorunu mu? Bence hayır. Bu hepimizin, dünya coğrafyasında yaşayan her insanın sorunu. Bugün Ebu Gırayb'da yaşanan çirkinliklerin yarın Sağmalcılar da, Mamak'ta, Buca'da yaşanmayacağını kim garanti edebilir? Hiç kimse! Öyleyse "Vur abalıya" mantığı ile olaya yaklaşmaktansa, bu hadiseyi içe dönük öz eleştiri, kendimizi kontrol adına bir fırsat olarak görmeli ve tabandan tavana herkes kendini, sistemini sorgulamalıdır. Bu türlü ahlâksızlıkların bugün ya da yarın sivil veya askeri alanlarda gönüllü veya gönülsüz olarak yaşanmasını engelleyecek tedbirleri düşünmelidir. Uzun vadeli projede eğitim, eğitim kadrosu ve müfredat bu çizgide öncelikli olarak ele alınması gereken unsurlardır. Polisiye tedbirler, kanuni yaptırımlar, gözetleme ve denetleme ise kısa vadeli tedbirlerden olsa gerek.

Dördüncü Bölüm

ABD MÜSLÜMANLARI VE İÇE YÖNELİK KRİTİK

SAVAŞ VE BARIŞ ŞARTLARINDA "ÖTEKİLER"

"Bizden olmayan kâfirdir" sözü bir anlayışın, bir kabulleniş in ifadesi. Kökeni tarihin derinliklerine uzanan ve başta din olarak sosyal, kültürel ve siyasi ayrılıklara gönderme yapan bir yaklaşım bu. Fakat bu özdeyişte dinî açıdan "ötekini" tanımlamada kullanılan "kâfir" sözcüğünün varlığı ayrımının sadece dinî temellere dayandığı kanaatine ulaştırıyor çoklarını.

Halbuki derinlemesine yapılacak dinî ve tarihî bir tahlil, söz konusu özdeyişe sadece dinî açıdan yapılacak izahların yetersiz olduğunu gözler önüne serecektir. Kur'anî perspektifi esas alarak inanç bağlamında insanların kategorilerine bakalım önce. Genel anlamda Kur'an'a göre insanlar Müslüman, kâfir/müşrik ve ehl-i kitap olmak üzere üçe ayrılır. Sabiiler, münafıklar vb. inançları da hesaba katacak olursak üç rakamını çoğaltabiliriz. Gerçi farklı tasnifler de vardır. Mesela Müslüman ve kafir ayrımını esas alıp, müşrik, ehli kitap ve münafıkları kafirler kategorisinin alt sınıfları olarak zikredenler buna örnektir. Ama biz genel anlamda meseleye bakacağımız için bunu Müslüman, kâfir/müşrik ve ehli kitapla sınırlandırılmasının daha doğru olacağını düşünüyoruz.

Bu bakış açısına göre inanç noktasında Müslüman olmayan ya da bizden olmayan kâfirdir veya ehli kitaptır. "Bizden olmayan herkese kâfirdir" denilmesi sözünü ettiğimiz Kur'anî yaklaşıma terstir. Böyle bir genelleme yapmak, "biz ve ötekiler" demek, yer yer bizim de şikâyet ettiğimiz "toptancı ve heptenci" bir anlayış içinde bulunmaktır ki, bu yaklaşım doğru değildir.

O halde doğrusu ne? Teorik temeller açısından doğrusu şu: Müslüman olmayan itikadî bağlamda kendisini nasıl tanımlıyorsa odur ve öyledir. Kâfir olarak tanıtıyorsa kâfirdir, münafıksa münafıktır, Mecusi ise Mecusi, ehli kitapsa ehli kitap yani Yahudi veya Hıristiyan'dır. Burada Müslüman olmayanların söz konusu tanımlamaya itirazının olmaması gerektiğini düşünüyorum. Bir insan "ben kâfirim" diyorsa, ya da "kâfirim" demese de o isimlendirmeyi gerektirecek inanca sahipse ona "kâfir" demenin onu rahatsız etmemesi gerekir. Tıpkı inanç ve amel açısından Müslüman'a "Sen Müslüman'sın", Yahudi ve Hıristiyan'a "Yahudi ve Hıristiyan'sın" denmesi onları rahatsız etmediği veya etmemesi gerektiği gibi. Çünkü hepsi de inanç adına kimlik belirlemesinden ibarettir.

Teorik düzlemde kısaca izaha çalıştığımız bu hususun, 15 asırlık İslâm tarihinde pratiğe hep bu şekilde yansımadığı da inkar edilemez. Özellikle ehli kitap ile münasebetlerde bunu yoğun bir şekilde görmek mümkün. Şöyle ki: Haçlı Savaşları başta her iki taraftan yüzlerce binlerce insanın ölümü ile neticelenen düşmanlık esası üzerine kurulu münasebetler sonucu, Müslümanlar yukarıda izah ettiğimiz teorik temellerden uzaklaşarak karşı tarafı ehli kitap olmasına rağmen kâfir diye adlandırmıştır. Bu yanlışlığı müdafaa edecek değilim; ama şu kadarını da ifade etmeden geçemeyeceğim: zannediyorum bu adlandırmada dönemin tarihsel şartlarının ciddi rolü var.

Mesela, Müslümanların ehli kitapla yaptığı savaşlarda karşı karşıya kaldıkları zulüm, eziyet, işkence, ırz ve namus iğfali, kutsal sayılan hemen her şeyin tahribi, Müslüman mantığını düşmanlarını isimlendirmede etkilemiştir. Güç ve kuvvetin kendisinde olduğu zaman bu ve benzeri şeyleri bırakın yapmayı aklından dahi geçirmeyen Müslümanların inanç ortak paydasında buluşmalarına rağmen onlardan ancak dönemin kâfirlerine yakışır böyle bir mukabele görmeleri ehl-i kitapı da kâfir kategorisine koymasına neden olmuştur. "Al birini vur ötekine. Değişen ne? Ehli kitap da olsa, kâfir de olsa aynı tür zulmün içinde" bu mantığın ulaştığı sonuçtur. Hele bunların "din adına" yapılıyor olması, dini en yüksek makamların bizzat izin, yönlendirme ve teşviklerinin bulunması söz konusu ayrımın gözetilmemesini derinleştirmiştir.

Ehl-i kitaba kâfir denilmesinin altında yatan bu tarihi sebeplerin de gözönüne alınması lazım. Kaldı ki bugün bu anlayış ve kabullenişin sürüp gitmesine neden olacak hadiseler dünü aratmayacak yoğunlukta maalesef devam ediyor. Bosna–Hersek'ten Afganistan'a, Irak'tan Filistin'e, Çeçenistan'dan Doğu Türkistan'a uzanan upuzun bir hat üzerinde bugün olanlar sözünü ettiğimiz zihni ayrışımın hakim unsurların dinlerine nispet edilerek değerlendirilmesine yol açmaktadır. Gerçi birçok dinî makam dünün aksine yapılanların yanlışlığını açık ve net bir biçimde vurgulamaktadır; ama neticenin değişmemesi, bahsini ettiğimiz değerlendirmelere dayanak olmaktadır.

Bu ayrımda gözetilmeyen bir başka husus da, savaş ve barış şartlarındaki münasebet şekillerinin farklılığıdır. Aslında gerek Kur'an âyetleri, gerekse Hz. Peygamber'in söz ve fiilerinde savaş ve barış şartlarındaki yaklaşım farklılığı net bir biçimde görmek mümkündür. Mesela, kâfirler için "De ki: "İşte Rabb'iniz tarafından gerçek geldi. Artık dileyen iman etsin, dileyen inkâr etsin." (18/29) ve "Ey kâfirler!.. O halde sizin dininiz size, benim dinim bana!" (109/6) diyen Kur'an-ı Kerim, bir başka yerde "Onları nerede yakalarsanız öldürün. Sizi çıkardıkları yerden siz de onları çıkarın. Dinden döndürmek için işkence yapmak, adam öldürmekten beterdir. Yalnız, onlar, Mescid-i Haram'ın yanında sizinle savaşmadıkça, siz de onlarla orada savaşmayın. Fakat sizi öldürmeye kalkışırlarsa siz de onlarla savaşın. İşte kâfirlerin cezası böyledir." (Bakara 2/191) demektedir. İlk âyetlerdeki davranış modeli fiili düşmanlığın olmadığı barış şartları için geçerli iken, son âyet savaş şartlarında nazil olmuştur.

Ehl-i kitaba; "De ki: 'Ey ehl-i kitap! Bizimle sizin aramızda birleşeceğimiz, müşterek ve âdil şu sözde karar kılalım: "Allah'tan başkasına ibadet etmeyelim. O'na hiçbir şeyi şerik koşmayalım, kimimiz kimimizi Allah'ın yanında Rab edinmesin.' Eğer bu dâveti reddederlerse: 'Bizim, Allah'ın emirlerine itaat eden müminler olduğumuza şahit olun' deyin." (93/64) çağrısı yapan Kur'an "Sırf nefislerinden ileri gelen bir kıskançlık sebebiyle, ehl-i kitaptan birçok kimse, gerçek kendilerine ayan beyan belli olduktan sonra, sizi imanınızdan uzaklaştırıp kâfir haline çevirmek isterler." (2/109) "Ehl-i kitaptan bir kısmı, sizi inancınızdan saptırmak istedi." (3/69–70) âyetleri ile onlardan bir kısmının bakış açılarını vererek Müslümanları uyanık olmaya çağırmaktadır. Bu âyetleri pratik olarak hayata taşıyan Hz. Peygamber'in hayatında da savaş ve barış şartlarındaki farklı uygulamalara şahit olmaktayız. Fakat tarihsel açıdan şunu kabullenmek zorundayız: Bugün ötekilerle münasebette Müslüman zihni savaş şartlarındaki hükümler çizgisinde şekillenmiştir. Nitekim "kâfirin hakkı hayatı yoktur" inanışı bunun bir uzantısıdır. Bugün elimizde mütedavil fıkıh kitaplarımız kâfirler ve ehli kitapla ilişki biçimleri adına savaş şartlarında yapılmış içtihatlarla doludur. Zaten hoşgörü ve diyalog çağrılarının Müslüman kesim içinde koparmış olduğu gürültü bu farklılığı anlayamamaktan, asırlara baliğ anlayış ve inanışı terk edememekten kaynaklanmaktadır.

Sonuç olarak; "Bizden olmayan kâfirdir" teorik açıdan yanlışlığına işaret ettiğimiz bir genellemedir. Bu anlayışın "Madem kâfirdir, öyleyse öldürülmeye layıktır, yaşama hakkı yoktur" şeklindeki uzantısı, savaş şartlarının ortaya koyduğu bir anlayış ve kabulleniştir. Bunun barış şartlarında makul bir izahı yoktur. İnanma da, inanmama da bugün din ve vicdan özgürlüğü kavramı ile ifade edilen haklar ve hürriyetler içindedir ve bizzat Kur'an'ın garantisi altındadır. O halde bizden olmayan sadece kâfir değil, kendisini nasıl tanımlıyorsa, nasıl tanımlanmasını istiyorsa öyledir. Bir Müslüman'ın onlarla münasebetleri ise savaş ve barış ortamlarına göre farklılıklar içermektedir.

DİN ÖZGÜRLÜĞÜ, SİYASİ VE KONJÖNKTÜREL AÇIDAN MİSYONERLİK TARTIŞMALARI

Türkiye'de son dönemlerde gündemi meşgul eden misyonerlik tartışmalarına farklı veçhelerden yaklaşılabileceğini düşünüyorum. Bir; din özgürlüğü açısından: Dinlerin çeşitli açılardan tasnifi yapılmıştır. Bu tasniflerden en önemlilerinden birisi inanılan dinî değerlerin başkalarına anlatılması özelinde yapılanıdır. Buna göre dinler misyoner olan ve olmayan diye ikiye ayrılır.

Burada misyoner sözlük anlamı itibarıyla kullanılmakta ve anlam çerçevesini dinin başkalarına anlatılma özgürlüğü doldurmaktadır. Bu çerçevede İslâm ve Hıristiyanlık misyoner (missionary), Yahudilik ise misyoner olmayan (non-missionary) dindir. Dolayısıyla her iki dinin mensuplarının temel insanî haklar arasında yer alan din özgürlüğüne bağlı olarak inandıkları dinî değerleri 'ötekilere' anlatması kadar doğal bir şey olamaz. Kaldı ki din özgürlüğü sadece dini başkalarına anlatma demek değildir. Din özgürlüğünün dört temel unsuru vardır. Bunlar, insanların istedikleri dini serbestçe seçebilmeleri (iman), inandıkları dinin kurallarını uygulayabilmeleri (amel), dinin eğitim ve öğretimini serbestçe yapabilme ve inançlarını yayabilmeleri ve sosyal birlik (cemaat) oluşturabilmelerini ihtiva eder.

Bu teorik yaklaşımın Türkiye başta olmak üzere özellikle 19 ve 20. yüzyıllarda Kıta Avrupası'nın sömürgesi olmuş İslâm ülkelerinde kolaylıkla kabul edilebileceğini zannetmiyorum. Çünkü bu ülkelerde misyonerlik kavramı, din özgürlüğünün bir parçası olarak değil, Edward Said'in oryantalizm için kullandığı şekliyle 'sömürgeciliğin keşif kolu' olarak tanımlanmaktadır. Gerçekten de başta W. Montgomary Watt olmak üzere sayısız oryantalistin de kabul ve ikrarı ile Kıta Avrupası ülkeleri 19. yüzyıl boyunca hatta 20. yüzyılın ilk çeyreğinde misyonerliği ve misyonerleri, sömürgeci emellerine alet etmiştir. Vukuu muhakkak yakın gelecekteki işgal hareketleri için istihbarat sağlayan ajanlar, işgal sonrası yıllar ve asırlar boyu sömürülecek yeraltı ve yerüstü zenginliklerini tespit eden ilim adamları İslâm ülkelerine hep misyoner kılığı içinde gitmişlerdir.

Bu arada Kıta Avrupası'nın İslâm ülkelerinde müesseseleşirken eğitim kurumları ile hastaneleri seçmesi de tesadüf değil, aksine şuurlu bir politikanın ürünüdür. Onların plan ve beklentilerine göre sömürge ülke vatandaşları eğitim ve tıp sahasındaki ihtiyaçlarını, bu Batı'lı kurumlarda görecek, onlar da ihtiyacını karşıladığı insanların medyuniyet psikolojisini kullanarak kendi dinlerini anlatacaklardır. Sömürgeciler tarafından 'devlet politikası' olarak benimsenen ve ilgili faaliyetlerde görev alan misyonerlerin hatıralarında bizzat kayıtlı olan bu hususun, İslâm insanının zihninde nasıl biz iz bıraktığı ise izahtan vareste bir husustur. Bugün Türkiye'de yaşanan ve hem de İslâm dini ile dindarlar kadar ilgi ve irtibatı olmayan insanların seslendirdiği "din elden gidiyor" feveranının altında bu zihnî arka planın önemli bir rol oynadığı muhakkaktır.

Türkiye'de misyonerlerin meydanlarda İncil dağıtması ile başlayan olaylara Batı dünyasının değerlendirmesi nettir; Türkiye'de din özgürlüğü yok. Misyoner faaliyetlere samimi ve içten tepkilerini koyanların zihnî arka planı ise yukarıda ifade etmeye çalıştığımız gibi. Burada sadece din özgürlüğü açısından karşılıklı zihniyet ve bakış açısının değişmesine ihtiyaç var; var ama bu değişikliğin her hal ü karda uzun zaman alacağı ve her iki tarafa da ciddi sorumluluklar düştüğü muhakkaktır. Özellikle Batılıların bizleri misyonerlik faaliyetlerinin bütünü içinde eski dönemlerde olmadığı şekliyle dinlerini anlatmanın ötesinde başka hiçbir art niyet taşımadıklarını bizzat göstermeleri ve ikna etmeleri öncelikli şart. Bizim de küreselleşme kavramı içinde yerini bulan sosyal, siyasal, ekonomik, kültürel arka plan şartlarındaki değişiklikler içinde Avrupa başta ABD, Avustralya gibi gayrimüslim ülkelerde camimizle, İslâmi merkezlerimizle hem de vatandaş olarak varlığımızı sürdürdüğümüz gibi ötekilerinin içimizde dinlerini anlatma haklarının olduğunu kabullenmemiz gerekir.

Ancak şu da unutulmamalı ki Adapazarı depreminde ayyuka çıktığı şekliyle insanların mağduriyetlerinden istifade ile yapıla gelen insanî yardımları ya da öğrencilere yönelik eğitim giderlerini karşılama gibi pozisyonları fırsat bilerek dini anlatma ve tarihin geri kalmış dilimlerinde gördüğümüz şekliyle farklı formlarda olsa da din değiştirme için güç kullanma bu çizgide katiyen kabul edilemeyecek davranışlar cümlesindendir. Bu, zihniyet değişimi için girilen süreçte yapılabilecek stratejik en büyük hatadır.

Türkiye AB'ye girse de girmese de şunu kabullenmeliyiz; artık dinî değerlerin başat kabul edildiği bir yönetim modeli yok dünyada. Dinî açıdan bizden olan ve olmayan şekliyle yapılan ülke tasnifleri de yok. Daha doğrusu olmamak zorunda. Pratikte yaşanan değerler klasik dönem teorilerini paramparça etmiş. Sadece Avrupa'daki büyük bir kısmı yaşadıkları ülkelerin vatandaşı olmuş, 5 milyon Müslüman Türk'ün varlığı bunun en büyük delili. Öyleyse Samuel Hungtington'un 'medeniyetler çatışması' tezini haklı tutum içinde bulunmak bindiğimiz dalı kesmekle aynı anlamı taşır. Ama dediğimiz gibi söz konusu zihniyet değişimi karşılıklı olmalı. Umarız bu süreçte her iki taraf da samimiyetle üzerine düşen şeyleri yapar, tarihî hatalar tekrarlanmaz.

İki; siyasî açıdan: Türkiye-AB ilişkilerinin 1963 yılından beri en yoğun ve ülkemiz açısından da en ümitli olduğu dönemi yaşıyoruz. Fakat şunu da biliyoruz ki bu süreci karşılıklı olarak baltalamak isteyen, endişelerini samimi veya değil yenemeyen, statüko kaybına uğrayacağı sancısıyla iki büklüm olan kişi, menfaat odakları ve ülkeler var. Bu bağlamda Türkiye'nin dinî, tarihî ve kültürel mirası ile son Cumhuriyet dönemi uygulamaları açısından olaya bakıldığında en problemli alanı dindir. Bir anlamda sistemin yumuşak karnıdır din. Resmi, akademik ve halk olarak tasnif ettiğimiz her çeşidi ile İslâm, bazılarının anlayış ve beklentilerine göre çok çabuk provoke edilebilecek bir olgudur. Bir dönemler "irtica" yaygaralarının gündemden düşmemesinin altında da bu kabul vardır. Ama zaman, 'muasır milletler seviyesine' çıkmanın, modernleşme, çağdaşlaşma, entegrasyon sürecinin önündeki en büyük engelin, söylenen ve iddia edilenin aksine İslâm'a karşıt cephedeki irticanın olduğunu gösterdi.

İşte özellikle 17 Aralık sonrası ülkede yaşanan bahar havasını hazmedemeyen, yerüstünde olduğu kadar yeraltında da varlıklarını sürdüren iç ve dış odaklar, bu süreci kesintiye uğratmak için yumuşak karından vurmayı düşündüler. Ve birdenbire Taksim Meydanı'nın göbeğinde bedava İncil dağıtan gruplar ile belki de samimi dinî duyguları suiistimal edilen Kur'an dağıtan grupları çıkardılar. Amaç gayet açık ve net; ülke içinde irticayı bir başka versiyonu ile hortlatmak, ülke dışında da Türkiye'nin AB üyeliğini istemeyen ülkelerin eline bu çizgide koz vermek. Kim bilir şimdilerde sivil grupların meydanlarda gördüğümüz çatışmalarına yakında yenileri eklenecek, devletin güvenlik güçleri devreye girecek, kilise evlerine baskınlar yapılacaktır. Bu kargaşadan belki başka evler de nasibini alacaktır. İnanıyorum ki Hz. Peygamber'in "Mü'min, bir yılan deliğinden iki defa ısırılmaz" fehvasınca basiretle davranan Müslümanlar şimdiye kadar düşmedikleri gibi bu defa da aynı türden bir tuzağa düşmeyecek ve ferasetle davranarak hareket tarzlarını belirleyeceklerdir.

Üç; konjonktürel açıdan: 28 Şubat sürecinde gazete köşelerinde, manşetlerde, TV ekranlarında boy gösterip Kur'an kursları ile imam-hatiplerin ortaöğretim kısımlarının kapatılması, din eğitimin seçmeli müfredat arasına alınması yönündeki politikalara bakılınca bu durumun konjonktürel davranış kavramı ile açıklanabileceği söylenmelidir. Bu meselenin hem İslâm hem de Hıristiyanlığa yönelik dinî bilgilenme, İslâm ülkelerinin dünya muvazenesindeki yeri ve konumu açısından müntesiplerinin sahip olduğu moral değerleri ihtiva eden kültürel boyutu ihtimal meselenin en önemli boyutudur.

KÜLTÜREL AÇIDAN MİSYONERLİK

Küreselleşmenin kültürel etkileşim ve başkalaşımı beraberinde getirdiği ve en çok yerel değerlerin kaybolduğu şikayetinin yapıldığı günümüzde: "Bizim dinimiz en üstün dindir. Gelsinler dinlerini anlatsınlar. İncillerini dağıtsınlar. Ne çıkar! Tarih boyunca şuurlu Müslümanlardan bir tane Hıristiyan olan insan gösterebilir misiniz?" vb. türden her tarafından hamaset fışkıran, siyaset meydanlarına özgü sözler acaba ne kadar doğruyu yansıtıyor?

Birinci olarak şu tespiti hatırlamak lazım; sosyo-kültürel alanda benzeşme küreselleşmenin tabii ve zaruri sonucudur. İletişim ve ulaşım vasıtaların tarihin hiçbir döneminde olmadığı kadar hızlı ve yaygın insanlığın hizmetinde olması, söz konusu ettiğimiz sosyal ve kültürel değerlerin 'ötekiler' tarafından bilinmesine, anlaşılmasına ve benimsenmesine yol açmaktadır. Teoriden öte pratik olarak yıllardan beri yaşanan bu etkileşim ve benzeşim olgusu, sosyologların en çok üzerinde durduğu ve yer yer şikayet ettiği hususlar arasındadır.

Giyimden kuşama, yemek alışkanlıklarından insanî ilişkilere varıncaya kadar yerel değerlerin, hakim global değerler tarafından eritildiği bu şikayetlerin başında gelmektedir. Tabii hakim global derken ABD ve Kıta Avrupa'sı ile birlikte Batı'yı kastettiğimiz izahtan varestedir. Blue Jean'den Mc. Donald's'a, aile içi ilişkilerden bayramlarda tatile kaçmamıza varıncaya kadar birçok şeyi bu çizgide örnek göstermek mümkündür. Bizim Almanya'da doğup büyüyen ikinci ve üçüncü nesli 'kayıp nesil' olarak nitelendirmemizin altında yatan gerçek bu değil midir? Ya da işin uzmanlarına bu problemi ifade için "Küresel Bunalım" dedirten?

Öte yandan; Hz. Peygamber ve sonrası dönemlerde 'Daru'l İslâm' ve 'Daru'l Harb' kavramları ile tam anlamını bulan "biz ve ötekiler" ya da "ya bizdensin ya da düşman" yapılanması artık günümüz dünyasında cari değildir. Avrupa'da bile kırılmaya yüz tutan ulus-devlet anlayışı -devletlerin siyasetine hakim olmasının ötesinde- taban tarafından her gün artan bir hızla benimsenmekte ve özümsenmektedir. Çifte vatandaşlıklar, geçici göçmen statüleri, yabancı evlilikler, beyin göçü, dış yatırımlar, sosyo-ekonomik statü atlamaları vb. başlıklarda sıralayabileceğimiz olgular dini, kültürel, ahlâkî farklılıklara rağmen insanların birlikte yaşamasını gerekli kılmaktadır. Bu da her ne kadar evrensel ortak paydalar etrafında birleşerek hayatlarını devam ettirseler de, günümüz insanın entegrasyon sürecinde kendi olmaktan çıkmasını, kimlik erozyonuna maruz kalmasını netice vermektedir. Polisiye tabirle vak'a-yı adiyedendir bu tip kaymalar ve sapmalar.

Böyle mi olmalıdır? Elbette hayır! Tasavvufi ifadesiyle 'kesret içinde vahdet' yani 'çokluk içinde birlik' yakalanmalı, herkes global dünyada 'ötekilerle' bir ve beraber yaşarken kendisi kalabilmeli, kendisi olabilmelidir. Nitekim çağdaşlaşma, modernleşme vb. kavramlara "Türk çağdaşlaşması, Türk modernizasyonu" denirken kastedilen mana da budur. Yani bir taraftan ekonomik, siyasi, teknolojik, bilimsel alanda, bir dünyalı olarak kaçmamız mümkün olmayan ve insanlığın başarısı sayılan uygulamalar, icatlar, doktrinlerinden ötekilerle birlikte istifade etme, öte taraftan kültürel, sosyal ve dini alanda kendimiz kalabilme; asırlar ve yıllar boyu bizi biz yapan tarihi değerleri asimileye uğratmama; böylece kesret içinde vahdeti yakalayabilme.

Pekala bu etkileşimle başlayıp benimseme ve başkalaşma ile son bulan bu süreç dini alanda kendini gösteremez mi? Bir başka anlatımla bir Müslüman Hıristiyan, Budist, Hinduist, agnostik veya tersi olamaz mı? Bu sorunun net bir cevabı vardır; olabilir. Ama bu cevabın nedeni sadece kültürel etkileşim değildir; her ne kadar kültürel etkileşimin rolü büyük olsa da. Dini eğitim ve öğretim yeterli düzeyde verilememesi etkileşim ve başkalaşım sürecini hızlandıran bir faktördür. Halbuki dini eğitim ve öğretim etkileşim ve başkalaşım sureci içine ister istemez giren fert için savunma mekanizmasını harekete geçirecek önemli bir dinamiktir. Şöyle ki; İslâm dini dogmatik öğelerden uzaktır. Ne inanç ne de ameli unsurları bazı başka dinlerde olduğu şekliyle akli ve mantıki değerlerle çatışır.

Bu açıdan onun müntesibine sunmuş olduğu, inanmasını ve yaşamasını istediği her bir emir ve yasağın 'tahkiki iman' seviyesinde kabullenilmesi gerekir. Kur'an'ın 'atalar kültü' olarak adlandırdığımız, inanç unsurlarını üzerinde düşünme, araştırma, inceleme yapmadan kabullenmeyi kınamasının nedeni de bu değil midir? Literatürde "taklidi iman" olarak isimlendirilen bu husus için bakın Kur'an ne diyor: "Onlara: 'Allah'ın indirdiğine uyun!' dense; 'Hayır, biz atalarımızı üzerinde bulduğumuz yola uyarız!' derler. Peki, ama ataları bir şey düşünmeyen, doğru yolu bulamayan kimseler olsalar da mı (atalarının yoluna uyacaklar)?" (Bakara, 2/170)

Şimdi soralım; misyonerlerin faaliyetlerine: "Gelsinler İncil dağıtsınlar, dinlerini anlatsınlar, bizden hiç kimse din değiştirmez" rahatlığı içinde bakan kişi ve kurumlar, acaba İslâm dinini başta kendileri olmak üzere yeni nesillere tahkiki seviyede öğretme adına ne yaptılar, ne yapıyorlar ve gelecekte ne yapmayı planlıyorlar? Yeterli seviyede dini bilgiden mahrum, anasından-babasından duyduğu, gördüğü şekliyle dini bilen, halk arasında kullanılan ifade ile "kafa kağıdı Müslümanı"nın dini alanda bu etkileşim ve başkalaşım sürecinden etkilenmeyeceğini kim garanti edebilir? Güncel hayatta zaten namaz, oruç gibi ibadetleri, içki içmeme, zina etmeme, faiz yememe gibi dini yükümlülükleri hayatına tatbik etmekte zorlanan kişilerin, İslâm ile mukayese edildiğinde alabildiğine serbestiyet içeren ibadet ve hükümleri havi başka dinleri tercih etmesi gayet -en azından teorik olarak- doğal değil midir? Nitekim sayıları az dahi olsa Türkiye ve başka ülkelerdeki bazı Müslümanların din değiştirmelerinde gerek dini bilgisizliğin gerekse ibadet ve yaşam özelindeki serbestiyetin rolü yok mudur dersiniz?

ABD'de geçen yaz belli bir etnik kökene sahip insanların kümelendiği bir coğrafyada hizmet veren kiliseyi ziyaret ettiğimizde dudaklarım uçuklamıştı. Zira kiliseyi ziyarete gitmiş, karşımıza koskocaman bir okul çıkmıştı. En üst düzeydeki yetkili şahıs bu mekanın (after school/okul sonrası eğitim binası) olarak kullanıldığını ve her gün normal devlet okullarından saat 3.30'da ayrılan öğrencilerin arabalarla kiliseye getirildiğini ve akşam saat 7.00'ye kadar eğitim- öğretim gördükten sonra anne babaları tarafından alındığını söyledi. Kaç talebeniz var dedim; hafta içi 700 dedi. Hafta içi diye vurgulamasının altında, hafta sonunda da (weekend school) dedikleri ayrı bir programları olmasından. İnanamadım; 700 tane, ilkokuldan liseye kadar her seviyede talebe hem de her gün kilisenin hazırladığı imkanlarla ikinci bir eğitim görüyor.

Yeri geldiğinde % 99'u Müslüman diye övünerek anlattığımız ve asırlar boyu İslâm'ın bayraktarlığını yapmış bir ülkede, İslâm dinini hem devlet hem de halkın katkıları ile bu ciddiyet, samimiyet ve kararlılık içinde ele alıp anlatmadıktan, gelecek nesillere bu çizgide bir şuur ve eğitim-öğretim vermedikten sonra "gelsinler, anlatsınlar" rahatlığını anlamak zordur.

Bu anlamdaki eğitim ve öğretimin ardından yapılan din değiştirmelere gelince; buyursunlar değiştirsinler. Çünkü dinde zorlamanın olmaması Kur'an'ın bizzat emridir. Din hürriyeti bunu amirdir ve bunu engellemeye ne fert, ne aile, ne devlet kimsenin gücü yetmez. Fert bu tercihin dünyevi ve uhrevi karşılığını kendi özgür iradesi ile üstlenmeye hazır olduktan sonra bizim bir şey söylemeye elbette yetkimiz ve hakkımız yoktur.

MÜSLÜMAN UYAN!

Omid Safi yeni Müslüman olmuş bir Amerikalıdır. Syracuse'da bulunan Islamic Center'a her hafta sonu bir saatlik bir mesafeden gidip gelmektedir. Düşüncesi gerek kendisi gerekse eşi ve çocuğu adına İslâmî bir havayı tatmak, dindaşları ile muhabbet etmek ve namazlarını cemaatle kılmaktır. Belli bir müddet sonra bir şeyi hazmedemez Safi. Kendisi erkeklere mahsus ön kapıdan, eşi de kadınlar için ayrılan arka kapıdan camiye girmekte ve kadınlar caminin alt katında —ona göre bodrumda— çocuk ağlama ve bağırmalarının eşliğinde ibadet etmektedir. Sırf bu ayrımcılıktan dolayı Safi artık Syracuse'a gitmemektedir.

Omid Safi tek örnek değil. Safi gibi niceleri var. Çünkü istatistiklere göre ABD'de yaşayan 6 milyon Müslüman'ın 2 milyonu Amerika'lı. Nedir bu insanların derdi ve isteği? Sadece kadınların camiye ayrı kapıdan girmesi değil, itiraza medar olan. Başka şeyler de var. Hadi bunları da işin içine katarak soralım; şuurlu bir tercihte bulunarak din değiştiren bu insanlar iradi tercihleri öncesi şu anda itiraz ettikleri, kabullenmekte zorlandıkları veya reddettikleri hüküm ve uygulamaları bilmiyorlar mıydı? Tercihleri "buna rağmen mi" idi yoksa "bununla beraber mi"? "Rağmen" ise iyi niyetten söz etmek mümkün değil, "beraber" ise bu şikayet niye?

Başka neler diyeceksiniz? Diyorlar ki; "Kadınlar Amerika'daki İslâmî organizasyonlarda lider pozisyonuna sahip olma bir kenara, yönetim kurullarında üye bile olamamaktadır. Cami görevlilerinin neredeyse hiçbiri akademik kariyere sahip değil. Birçoğu

Arap ülkelerinden gelme. ABD toplum gerçeklerini bilmiyorlar. Kendi yetiştikleri kültür dünyasını bütün boyutları ile taşıyorlar buraya. Giyim-kuşam buna en güzel örnek. Dış görünümü iç huzura, Allah ile münasebetteki derinliğe tercih ediyorlar. İngilizceleri anlaşılmayacak kadar kötü. Aksan problemini aşamamışlar."

Yalan mı Amerika'lı Müslümanların şikayetine sebep olan bu konular. Hayır, yalan değil. Her biri doğru ve vak'anın raporundan ibaret. Ama yorum açısından –elbette bana göre– yanlış olanları da var. Mesela kadınların erkeklerin arkasında namaz kılması, onlara daha az önemli olduğu hissini vermekteymiş. Amerika'daki hayat stili, kadın-erkeğin eşitliği esası üzerine kurulu olduğu için buna çare bulunmalı imiş. Yani namazda kadın ile erkek aynı safta bulunmalıymış. Bulmuşlar da nitckim. Side by side. Yan yana. Geçen sene Washington D.C'de yapılan ilk toplantılarında böyle namaz kılmışlar zaten.

Bu ve benzeri görüşler etrafında birleşen Amerikalı Müslümanlar, "Müslüman uyan!" anlamına gelen "Muslim Wake Up" adında bir vakıf kurmuşlar. Web sayfaları var. İşin açıkçası bunlar Amerika, İslâm adına başkalarının okyanus aşırı ülkelerden getirdiği yorumların şekillendirdiği bir hayaletler ülkesi olmadan, İslâm'ın Amerikancası için harekete geçmişler. Nitekim Herald News gazetesi bu ve benzeri bilgilerin yer aldığı makaleyi harfi harfine terceme ile söyleyecek olursam, "Adapte Müslümanların yaşayışı Amerikan hayat stiline uygun" başlığını uygun görmüş. Sadece bu başlık bile başlı başına bir anlam taşıyor.

Şimdi ben "İslâm elden gidiyor. Ey Müslüman uyan!" edebiyatı yapmayacağım. Buna gerek de yok zaten. İslâm evrensel değerler mecmuası olarak hiçbir müntesibin yardımı olmaksızın da ayakta durmasını bilir. Asırlardan beri biz de dahil İslâm coğrafyasında veya başka yerlerde Müslümanların sahip çıkması ile mi İslâm bugünlere geldi? Eğer o sahip çıkma olsaydı İslâm dünyası bugün böyle mi olurdu?

Fakat bu sürecin çok hayırlı neticeler doğurmayacağını söylemek kehanet olmasa gerek. Her şeyden önce dün Müslüman olmuş kişiler hangi ilim ve irfan, hangi fıkıh, hadis, tefsir ve usul bilgisi ile İslâm adına düşünce üretmeye kalkıyorlar? İçtihad, ilmi yeterliliği gerektiren bir çaba değil midir? Allah'ın ve Resullulah'ın muradını anlama sıradan insanların –ne kadar samimi olurlarsa olsunlar– yapacağı bir iş midir?

İslâm'ın değişen zaman ve mekana göre bir başka ifade ile sosyal, siyasal, kültürel, ekonomik arka plan şartlarına bağlı olarak yoruma açık olan nassların yorumlanmasına evet. Ama bunun mihverine "İslâm'ın Amerikan hayat stiline oturması" konulabilir mi?

"Tabiat boşluk kaldırmaz" demişler. Gerçekten öyle. Teorik boyutta dahi olsa, ABD'de gerek yukarıda alıntıladığım itiraz noktalarının tatmin edici boyutlarda cevaplandırılması, gerekse içtihada açık alanlarda yerel şartlara bağlı olarak yeni ahkamın ortaya konması için ehil insanların bir an önce harekete geçmesi gerekiyor. Aksi halde bugün hidayetine sevindiğimiz insanları yarın "İslâm'ı içeriden vuruyorlar" ihaneti ile suçlamamız kaçınılmazdır. Hele ikinci ve üçüncü nesillerin yerinden oynamış, zemini kaymış düşüncelerin hakimiyeti altında yetiştiğini düşünecek olursak, Allah korusun, tarihteki mezhep kavgalarını andırır çatışmaların yaşanması da kaçınılmaz olur.

Buna zaten var olan etnik kökene bağlı İslâmi yapılanmayı da hesaba katarsanız işin boyutlarının daha geniş olacağını rahatlıkla söyleyebiliriz. Bugün Amerika'da, bir zamanlar cemaat Müslümanlığı bağlamında gerek Türkiye gerekse Avrupa'da yaşanan parçalanmaya benzer bir yapı var. Kimse inkar etmesin bu yapıyı. Mısır, Filistin, Pakistan, Türkiye Müslümanlarının organizeleri birbirinden bağımsız ve daha kötüsü temel noktalarda bile aykırılıklar söz konusu. Zenci Müslümanların başlı başına bir organize olduğu herkesin bildiği bir konu. Bence asıl uyanması gerekenler mühtedilerin söz konusu alanlardaki ihtiyaçlarını karşılayabilecek ehil insanlar. Vakit geç olmadan.

AMERİKAN İSLÂM'I!

Benim için hiç şaşırtıcı olmadı 18 Mart 2005 Cuma günü New York'ta bir kilisede Dr. Amina Wadud'un erkek-kadın karışık bir cemaate cuma namazı kıldırması. Çünkü "Müslüman uyan!" başlıklı bir önceki yazımda Müslümanlığa geçmiş Amerika'lıların kurmuş olduğu "Muslim Wake Up: Müslüman Uyan!" adlı vakfın çalışmalarına temas etmiş ve ehl-i sünnet çizgisi içinde İslâm'ı yeniden yorumlama çalışmalarına hız verilmesi gerektiğine işaret etmiştim.

Aksi takdirde yorum tekniği ve metodu açısından yetişmiş oldukları kültürü baz alan bu insanların, yarın karşımıza çok farklı uygulamalarla çıkabileceğini, Washington D.C.'de kadın-erkek yan yana, omuz omuza saf durarak kıldıkları namazı da örnek göstererek bunun bir ilk adım olduğunu açıkça söylemiştim. Nitekim sponsorluğunu ve organizatörlüğünü "Muslim Wake Up: Müslüman Uyan!" ve "Muslim Women's Freedom Tour: Müslüman Kadınların Özgürlük Turu" adlı organizasyonların üstlendiği son cuma namazı hadisesi bu öngörüleri ispatladı. İddialı konuşmayı sevmemekle beraber rahatlıkla diyebilirim ki bu, son adım değil ve olmayacak da. Yarın merkezine Amerikan hayat stilinin oturtulduğu başka içtihat ve uygulamalarla karşılaşmamız mukadderdir.

Dünya kamuoyunun dikkatini çekmek, istenilen ve hedeflenen noktaya ulaşmak için namazın bu şekilde kılınacağı anonsu çok önceden yapılmasına rağmen yerinin söylenmemesi, bomba ihbarları, bu iş için bir kilisenin seçilmesi, kilometrelerce ötelerden insanların kendi ifadelerine göre 'tarihe tanıklık etmek' üzere gelmeleri, 'üzerinde iyi düşünülmüş bir organizasyon' kanaatine ulaştırıyor bizleri. Maksadım bizim gazetelere ve bazı TV tartışma programlarına konu olduğu şekliyle meselenin dinî boyutunu ele almak, bir başka anlatımla 'Kadın; Cuma, bayram veya günlük namazlarda erkeklere imamlık yapabilir mi?' sorusuna cevap aramak değil. Amacım başta ifade ettiğim ve bu spesifik mevzudan çok daha önemli bir yere sahip olan teorik veya pratik İslâmi değerlerin yeniden yorumu meselesidir. Yazının başlığına 'Amerikan İslâm'ı' deyişimin sebebi de bu.

İslâmi ilimlerle ilgisi olan hemen herkesin bildiği gibi İslâm dini "İslâm" ve "İslâmiyet" ya da "ed-Din" ve "Diyanet" olarak iki ayrı şekilde mütalaa edilir. 'İslâm' ve 'ed-Din' Kur'an ve sünnetin değişmeyen, sabit, statik normlarını ifade ederken, "İslâmiyet" ve "Diyanet" değişen, dinamik formlarını anlatır. İnanç, inanılması gerekli olan değerler ve ibadetler formları ile birlikte dinin sabit bölümü içinde yer alır. Bunlar üzerinde 'içtihada mesağ' yani içtihadi yaklaşımlara yer yoktur. Ama muamelat, ukubat gibi bölümlerde ise belli bir metodoloji eşliğinde Kur'an ve sünnet kaynakları yeniden yorumlanabilir. Asli delillere bağlı yapılacak bu yorumlar, ister-istemez İslâmi davranışın formunu değiştirecektir. "İslâmiyet" veya "ed-Diyane" dediğimiz şey de işte budur.

Burada en önemli şey içtihad ehliyetine sahip olan ilim adamlarının varlığı ile yeni yaklaşımlara ihtiyacın olmasıdır. İhtiyaç olmaksızın içine girilecek böyle bir süreç fantezi arayışından öte bir mana taşımaz. Hakeza ehliyetsiz insanların ortaya koyacağı üretilmiş düşüncelerin İslâmi kimliği her zaman tartışmaya açıktır.

Amerika, Müslüman göçmenler ile din değiştiren yerli insanları bünyesinde barındıran koca bir coğrafya. En az 8 milyon

Müslüman'ın varlığından bahsediliyor bu koca coğrafyada hayatını sürdüren. Ayrıca istatistikler İslâm'ın ABD'de en hızlı gelişen din olduğunu söylüyor. Müslümanların özellikle göçmen kesimin birinci nesli kendi kültür, örf ve âdetlerini buraya taşımışlar. Birinci neslin camileri, düğünleri, giyim kuşamları vb. özellikleri ile "Afganistan, Pakistan, Mısır, Türkiye İslâm'ı" nitelemesine uygun yaşantıları olduğunu ifade etsek de, aynı tespiti ikinci ve üçüncü nesil için yapmak bir ölçüde imkansız. Her ne kadar asimile olmasalar da, dinî kimliklerini etkileyecek ölçüde içinde doğup-büyüyüp, yaşadıkları kültürün etkisinde kaldıkları muhakkak.

Göçmenler böyle bir manzara arz ederken, din değiştiren -zenci veya değil- yerli Amerika'lıların farklı olmasını beklemek imkansız. Onlar Müslüman olurken 'malumat-ı sabıkalarını' bir kenara bıraksalar bile, örf ve âdetlerini, bu örf ve âdetlerinin şekillendirdiği kişiliklerini beraberlerinde getiriyorlar. İşte bu insanlar belki de alabildiğine samimi duygu ve düşüncelerle İslâm'ı mevcut örf ve adetleri ile beraber yaşanabilir kılmanın peşindeler. Şu yaklaşımlar bu tespiti ispatlamıyor mu: "Kadınların camiye arka kapıdan girmesi, namazda erkeklerin arkasında saf bağlaması, yönetimde yer almamaları, onlara daha az önemli oldukları hissini veriyor. Öyleyse kadın-erkek eşitliği esası üzerine kurulacak bir düzenlemenin yapılması şart."

Yalnız burada göz ardı edilen iki şey var: Bir; bu işin tefsir, hadis, fıkıh, kelam vb. ilim dallarında söz söyleme yeterliliğini elde etmemiş, metodoloji bilgisinden mahrum, ehliyetsiz kişilerle yapılması. Çünkü 'Amerikan hayat tarzına uygun olma' neredeyse yapageldikleri yorumların yegane gerekçesi. Bu durum da başta belirttiğimiz, dindeki sabit ve değişkenlerin karıştırılmasını netice veriyor. Karşımıza çıkan ürün de bugün dünya kamuoyunu meşgul eden kadının cuma namazı kıldırması ki bu onlara göre ihtiyacın çok çok ötesinde bir zaruret.

İki; özne olması gereken İslâm'ın bu kabil yorumlarla nesne haline geldiği ya da getirildiği gerçeği. Halbuki İslâm Hıristiyanlıktan farklı olarak hayatın tüm alanlarını içine alan "hayat modeli" sunmuş ve müntesiplerinden bunu tatbik etmesini istemiştir. Bir başka ifade ile asıl nesne olması gereken İslâm değil insandır. İstenen, mevcut örf ve âdetlere Kur'an ve sünnetin uyarlanması değil, Kur'an ve sünnette yer alan teorik ve pratik değerlere göre Müslüman'ın hayatını düzenlemesidir. Tabiat boşluk kaldırmaz. Ehil insanlar eğer ellerini çabuk tutup bu boşluğu kapatmazlar, değişen ve gelişen şartlar çizgisinde içtihadî düşünceye açık alanlarda üzerlerine düşen vazifeyi yapmazlarsa, PBS'ye verdiği röportajda kendisini 'postmodern' olarak tanıtan ve cuma hutbesi verip namaz kıldıran daha nice Amina Wadud'lar çıkacaktır.

Son söz; onların İslâmi dirilişte (İslâmic resurgence), İslâmi kimlikte yeni bir model/şekil (reconfigurations of idendity) düşüncesine evet; ama aslî kaynaklara bağlılık içinde.

EVLİLİK ENGELLERİ VE DİN

Yahudi anne, Hıristiyan baba ve iki çocuk. Süregiden evlilik hayatları boşanma ile son buluyor. Mahkeme çocukları annesine veriyor. Haftada bir babanın çocuklarını alma hakkı var. Annelerinin yanlarında iken Yahudilik dinî esaslarına göre eğitilen çocuklar, babanın yanında geldiğinde kilise değerleri ile tanışıyorlar. Çünkü baba, çocuklarını kiliseye götürüyor her ziyaretlerinde. Anne, bu durumun çocukların iki din arasında kalıp dinî kimlikleri bulanık şahıslar olacağı iddiasıyla mahkemeye başvuruyor. Geçen hafta mahkeme kararını açıkladı; baba, çocuklarına tıpkı anne gibi dinî eğitim verme, dolayısıyla kiliseye götürme hürriyetine sahiptir.

Basın-yayına malzeme olan bu konu Yahudiler, Hıristiyanların yanı sıra gayrimüslim ülkelerde yaşayan Müslümanların da problemlerinden bir tanesidir. Çünkü kadın-erkek Müslümanların gayrimüslimlerle evlilikleri azımsanmayacak kadardır. Bunların yine sayıları azımsanmayacak ölçüde çok olan boşanma sonucu çocukların dinî eğitimi, dinî kaygıları olan ebeveynler için büyük bir sorun olarak karşımızda durmaktadır.

Yalnız meseleye boşanmış ailelerden geriye kalan çocukların dinî eğitimlerinden ziyade gayrimüslimlerle evlilikten başlamak gerek. Müslümanların gayrimüslimlerle evliliğinin aşağıdaki âyetler genel çerçevesini belirlemiştir: "Müşrik kadınlar iman etmedikçe onlarla evlenmeyin. Mümin bir cariye, çok hoşunuza giden müşrik bir kadından daha hayırlıdır. Mümin kadınları da onlar iman etmedikçe müşriklere nikâhlamayınız; mümin bir köle hoşunuza giden bir müşrikten daha hayırlıdır. Müşrikler sizi cehenneme dâvet ederler. Allah ise sizi kendi izniyle, cennete ve mağfirete dâvet eder ve üzerinde düşünüp gerekli dersi alsınlar diye âyetlerini insanlara açıklar." (Bakara, 2/221) ve "Namuslu, zinaya girmemiş ve gizli dostlar edinmemiş insanlar halinde yaşamanız şartıyla, müminlerden hür ve iffetli kadınlarla, sizden önceki ehl-i kitaptan hür ve iffetli kadınlar da mehirlerini verip nikâhladığınızda size helâldir." (Maide, 5/5)

Buna göre genel anlamda kadın-erkek Müslümanların kafirlerle evliliği yasaklanmış, Müslüman erkeklerin ehli kitap bayanları ile evliliğine ise müsaade edilmiştir. Müslüman bayanların ehli kitap erkeklerle evliliği ise Kur'an'da açık ve sarih bir âyetle yasaklanmamasına rağmen, erken dönem İslâm tarihinde yapılagelen içtihad ve uygulamalar bunu da yasak kapsamı içine almıştır. Bu husus son dönemlerde yeniden İslâm hukukçularının tartışma alanı içine girmiş olup, ferdî anlamda müsbet ve menfi birçok içtihadî yaklaşımlara konu olmuştur. Yasaklamanın dönemin sosyal ve siyasal şartlarından kaynaklanıp kaynaklanmadığı müzakerelerde kilit rol oynamaktadır.

Müslüman bayanların ehli kitap erkeklerle evliliğini bir kenara bırakıp meseleyi Müslüman erkeklerin ehli kitap bayanlarla evliliği açısından ele alalım.

Öncelikle ehl-i kitabın kim olduğu üzerinde İslâm alimlerinin farklı yaklaşımları vardır. Hanefilere göre bozulmuş dahi olsa aslen İlahî vahiy eseri olan kitaba inanan kişiler ehl-i kitaptır. Bunun karşısında 'sadece kendilerine Tevrat ve İncil gelen İsrailoğulları ya da Hz. Peygamber'in peygamberliği öncesindeki Yahudi ve Hıristiyanlar ehl-i kitaptır, vefatından sonrakiler değildir' gibi alanı çok daraltan görüşler de vardır. Hanefilerin görüşü esas alındığı takdirde 'günümüzde Müslüman erkeklerin Tevrat ve İncil'e inanan Yahudi ve Hıristiyanlarla evlenmesinde mahzur yoktur' hükmü geçerlidir. Yalnız evlenme yasağını bildiren âyetlerde yer alan 'müşrik' kelimesinin 'ehl-i kitabı', bir kısım alimlerce de 'ehl-i kitabın kafirlerini' içine aldığı yorumları da yapılmaktadır.

İkinci olarak; yukarıda verdiğimiz âyetin siyak-sibakından da anlaşılacağı üzere ehl-i kitap bayanlarla evlilik 'muhsan' iffet ve namusuna düşkün olmaları şartıyla geçerlidir. Hatta âyetteki sıralamadan hareketle ehl-i kitap bayanlarla evliliğin Müslüman bayan olmaması durumunda geçerli olabileceği kanaatine hakim alimler de vardır.

Bu iki husus, ehl-i kitap bayanla evliliği düşünen Müslüman erkeklerin evliliklerine engel teşkil eder mi? Özellikle müşrik kelimesinin kapsama alanını genişleten ve karar aşamasında çoklarının bilmediğine inandığım bayanda iffet şartı, evlilik iznini zora sokmuyor mu? Bu soruların cevabı hem evet, hem hayır.

Evet, çünkü inanç esaslarımıza göre dünyevî ve uhrevî ebedî beraberliğin temeli olan evlilikte itikadî farklılıkların geçim ve huzur konusunda oynayacağı rol tahminlerin çok üzerindedir. Gençlik dönemlerindeki taraflar arasındaki hissî bağlar hayatın tabii akışı içinde er veya geç karşı karşıya gelinecek bu hakikati görmeyi engellese bile bundan kaçış yok. Kültürel farklılıklar zaten başlı başına bir konu. Bu noktada dinî inanışların kültüre tesiri de düşünülecek olursa, farklı din mensubu bayanla evliliğin ince elenip sık dokunması gerektiği kendiliğinden ortaya çıkar.

Hayır; çünkü müşrik kelimesinin ehl-i kitabı içine alması içtihadî bir görüştür ve bu görüşte dönemin sosyal ve siyasal ilişkilerinin etkisi büyüktür. İffet şartına gelince bu, âyetle sabittir. Dolayısıyla aykırı görüşlere kapalıdır. İffetli ise evlenilir değilse bırakılır.

Üç; ferdî, ailevî ve toplumsal huzur evlilik kurumunda kilit rol oynamaktadır. Bu üç unsur birbirine zincirlemesine bağlıdır. Mutlu fert, mutlu aile ve mutlu toplum demektir. Eşiyle evinde mutluluğu yakalamayan bir insanın aile efradı, akrabaları ve çevresi ile ilişkileri her zaman için sıkıntılı olacaktır. Gayrimüslim ülkelerde yaşayan Müslümanların dinî, sosyal ve kültürel problemlerle yüz yüze olduğu ve bunun kimlik bunalımına yol açtığı bilinen bir gerçektir. Sırf bu yüzden depresyonlara giren ve psikolojik tedavi gören nice genç vardır. İmdi, farklı bir kültür ortamında bu ve benzeri sorunlarla boğuşan insanımızın dini, dili, kültürü farklı bir yabancı ile evliliği, evlilikten beklenen gayeye ulaştırma yerine sorunları artırmaktadır.

Buraya kadar dile getirilen hususlar ehl-i kitap bayanla evliliğe taraftar olmadığımız şeklinde algılanabilir. Teorik temeller itibarıyla bu algılama yanlıştır. Çünkü Kur'an'ın cevaz verdiği, İslâm tarihi boyunca yapılan bir uygulamaya bizim hayır dememiz düşünülemez. Benim açımdan teorinin ötesinde 4-5 yıldır burada müşahede ettiğimiz realitenin de hesaba katılması gerektiğini unutmamak lazım. Tecrübelerle oluşan, basın ve yayına hemen her gün yansıyan menfi örnekler bu konuda atılacak adımın daha dikkatlice atılması gerektiğini düşündürüyor. Böylesi bir yuvada çocuklara gelince; zaten yazıyı kaleme alış nedenimiz onlar değil miydi?

DİN HAYATIN PARÇASI

Avrupa'dan ABD'ye ilk göçen Hıristiyanların dini kaygılarla göç ettiğini sanırım hepimiz biliyoruz. Bunlar umut ettiklerinin de üzerinde dini özgürlüklerine bu yeni kıtada kavuşunca, kendilerini 'Allah'ın koruması, himayesi altında olan millet' diye tanımlamışlar. Pekala bu yapı devam ediyor mu? Amerika'nın en popüler konularından biri bu.

11 Eylül saldırısı, medyada İslâm ile özdeşleştirilmeye çalışılan terör, Amerikan Katolik din adamlarının bazılarının bulaştığı boyutu oldukça geniş olan çocuklara karşı girişilen cinsel taciz, siyasi ve akademik çevrelerde din, din-hayat ilişkisi gibi konuları tartışılır kılıyor.

U.S. News adlı haftalık magazin dergisi "Amerika'da İnanç" adlı oldukça geniş bir dosya yayınladı. Dosya geniş çaplı yapılan anketi esas almış. Ben de söz konusu dosyada yer alan bazı bilgileri ve o bilgiler doğrultusunda birtakım yorumları sizinle paylaşmak istedim.

Anket cevapları şahısların dini aidiyetleri nazara alınarak Hıristiyan olan ve olmayan diyerek iki ayrı kategoride değerlendirilmiş. Anket soyut bir soru ile başlıyor: "Din sizin hayatınızda ne kadar önemli?" Hıristiyan nüfusun % 73'ü, diğer din mensuplarının ise % 60'ı bu soruya "çok önemli ve önemli" demekte. Pekala soyut anlamda bu cevabı veren kitle dinin pratiklerine hayatlarında ne kadar yer vermekte dersiniz? Hıristiyanların % 14'ü, diğerlerinin ise % 51'i hiçbir şekilde dini değerlere hayatında yer vermediğini söylemekte. Geri kalan kitle, günde birkaç defa ile yılda bir iki defa arasında dini pratiklere hayatlarında yer verdiklerini söylüyor. Hıristiyanlar açısından bakıldığında bu oran oldukça yüksek. "Allah'a yakınlık seviyeniz ne?" diye bir soru da sorulmuş ankette. % 90 oranında Hıristiyan az veya çok Allah ile irtibatı olduğunu itiraf ederken, bu oran Hıristiyan olmayan nüfusta % 77'ye düşüyor.

Gelelim İslâm'a... Hıristiyanlardan İslâm hakkında müspet düşünen oran % 34, Hıristiyan olmayanlarda ise % 48. Pekala bu bakış açısında kendi dinlerinin tek doğru olduğu inancı mı yatmakta dersiniz? Bu da anket soruları arasında. Cevap şaşırtıcı; çünkü Hıristiyanlardan % 19'u benim dinim tek doğru, % 77'si ise "Hayır, diğer dinler de doğru olabilir veya doğrulardan parçalar bünyesinde barındırabilir." diyor.

İslâm hakkındaki cevaplar bir açıdan sevindirici, diğer açıdan üzücü. Üzücü; çünkü İslâm hakkında bir önyargıya sahip çokları. Sevindirici, dini bağnazlık içinde değiller.

Önyargı açısından Müslüman bireylere büyük görevler düşmekte olduğunu sizler de kabul edersiniz sanırım. Hedef açık ve net; İslâm hakkındaki önyargıyı nihai anlamda kaldırmak, onu besleyen damarları kurutmak. Nedir bu damarlar? Önce bunların tespiti şart. Filistin-İsrail savaşı mı? Batı medyasının İslâm karşıtı yayınları mı? Hıristiyan-Müslüman diyalogsuzluğu veya Haçlı savaşlarına kadar uzanan mazileri mi? İslâm dinini öğrenme merakının olmayışı mı? İkili münasebetlerde bilerek veya bilmeyerek yapılan yanlışlıklar mı? İslâm'ı yaşamadaki ferdî eksikliklerimiz mi? Genelde din değiştiren insanların özellikle ABD'de zencilerin olması mı? Yeryüzündeki Müslüman nüfusun sadece % 18'i Arap olduğu halde Batı insanının Müslüman'ı Arap ile özdeşleştirmesi mi?

Bu ve benzeri Batı toplumunda önyargı nedenlerinin teker teker ele alınıp giderilmesini her Müslüman vazife olarak kabul etmeli.

Dini çoğulculuğu güç ve kuvvetin kaynağı gören bir düşünce yapısına sahip ABD insanı. Aynı ankette dini, kültürel, etnik ve siyasi çoğulculuğu gerçek güç, kuvvet ve zenginlik kaynağı olarak görenlerin oranı dörtte üç. Mesela, % 71 başkalarının dini inançlarına, etnik aidiyet ve kültürel uygulamalarına saygı ile yaklaştığını söylerken, % 21 aksini düşünmekte.

Son ve önemli bir nokta ise, dini inanç ve uygulamalar adına farklı yorumların ilgili dinde kabullenilmesi, o din mensuplarını başka inanç sahiplerine karşı hoşgörülü olma, onlarla diyaloğa geçme de, daha rahat hareket etmesini sağlıyor diyor, ankete katılanlar. Fakat bazı Hıristiyan mezheplerinde olduğu gibi dini otoritenin çizdiği anlayışın içinde kalmaya zorlanan insanlar için aynı şey söz konusu değil.

Dini çoğulculuk birtakım eksikliklerine rağmen burada devam ediyor. Amerikan üst düzey yönetimi kongrenin açılışında Hıristiyanlığın yanı sıra, İslâm, Hinduizm vb. din saliklerinin yetkililerini davet ediyor. Beyaz Saray'da iftar davetleri veriliyor. Başkanlık düzeyinde dinî bayram günlerinde cami ve sinagoglara katılımlar oluyor. Devlet okullarında değişik din mensubu çocuklar birlikte okuyor ve dinî inançlarına muhalif davranışlar yapmaları hususunda zorlamaya maruz kalmıyorlar. Dinî okullar açılabiliyor, müfredatına devlet müdahale etmiyor.

Bütün bunlar gösteriyor ki dinimizi anlatma hususunda oldukça müsait ve geniş bir zemin var. Gerisi Müslümanların gayretine kalıyor.

ÖNYARGI VE HEYECAN

Yaklaşık 6 yıldır aynı benzinliği işletiyordu. Müşterilerinden cana yakın birisi ile arkadaş oldular. Zamanla arkadaşlıkları ilerledi. Öyle ki artık o kendisini işyerinde imiş gibi hissediyor ve rahat hareket ediyordu. Bir gün yine benzin almış, ücretini kredi kartı ile ödemek için ofise girmişti. Bir de ne görsün, arkadaşı televizyonlarda gördüğü teröristlerin yaptığı türden hareketler yapıyordu. Şok olmuştu. Birden "Sen de mi? Terörist!" sözcükleri çıktı ağzından. Ama arkadaşı ona aldırmıyor, hareketlerine devam ediyordu. Sandalyeye oturdu ve beklemeye koyuldu. Dakikalar bir türlü geçmek bilmiyordu. Saniyeler sanki asır olmuştu. Nihayet arkadaşı ayakkabılarını giymeye başlayınca işin bittiğini anladı ve tekrar sordu, "Sen terörist misin?" Bu defa şaşırma sırası bizimkine gelmişti. "Ne diyorsun sen? Nereden çıkardın teröristi şimdi?" "İyi ama biraz önce onların yaptığını yapıyordun!" Derin bir şaşkınlık yaşayabilirsiniz işin burasında; çünkü terörist benzetmesine medar olan şey namazdı.

Bir tek bu misalden hareketle genelleme yapmanın yanlış olduğunu ben de biliyorum; ama İslâm hakkında temel seviyede dahi olsa bilgisi olmayan azımsanmayacak ölçüde insanın olduğu muhakkak dünya üzerinde. Bir Müslüman'ın namaz gibi günde beş defa Rabb'isine kulluğunu arz ettiği halis ibadet, 8 milyon civarında Müslüman'ın yaşadığı ABD'de böylesi yorumlama ve kabullenmelere konu olabiliyorsa, bizim dinimizi anlatma adına kat edeceğimiz mesafe hayli uzun demektir.

Din adına özellikle Batı dünyasında var olan boşluğu İslâm kapatabilir mi? Hemen ifade edelim; İslâm sahip olduğu evrensel ve tarihsel değerleri itibarıyla bila şek ve şüphe o boşluğu kapatacak kapasitededir. Malum; bakış açısı ulaşılacak hükmü başkalarından farklı kılan en önemli etkendir. Benim bulunduğum yerdeki bakış açısı bana bunu söyletiyor. Başkaları farklı düşüncelere sahip olabilir, ona da saygı duyarım.

İnsanlığın içinde bulunduğu manevi ve maddi boşluğu İslâm kapatma kapasitesinde; ama onun temsilcilerinin önünde dinleri adına kısa veya uzun vadeli planlamalarla aşmaları gereken birtakım külli ve cüz'i engeller var. Ben bunlardan her iki cepheye bakan yönüyle sadece iki tanesine işaret etmek istiyorum.

1- Önyargı. Yukarıdaki misali bunun için vermiştim. Akademik camiayı bir kenara bırakırsanız, terörizm ve İslâm çoklarının kafasında ikiz kardeş misali ayrılmaz bir bütündür. 11 Eylül öncesi de sonrası da Filistinlilerle İsrail arasında canlılığını sürekli koruyan çatışmalar -isterseniz adını savaş koyabilirsiniz- ulusal yayın yapan gazete ve televizyonların yanı sıra mahalli yayın organlarının dahi manşetlerini oluşturmakta Amerika'da. Sebeplerini tahlil etmek, benim işim ve alanım değil; ama söylediğim husus bir gerçeğin sizlere iletilmesinden ibaret. Pratik Arapça için Ürdün'de kaldığım aylarda da ulusal ve mahalli gazetelerin istisnasız her gün o haberleri manşet yapması dikkatimi çekmişti. Burada da çok değişen bir şey yok. Yoğunluk keyfiyeti farklı olsa da hemen her gün her gazetede Filistin-İsrail savaşı ile alakalı haber ve yorumları görebilirsiniz. Konumuz açısından meselenin püf noktası sunum tarzı ve yorumları itibarıyla İslâm karşıtı bir düşünce ve inancın oluşmasında düğümleniyor. Şahsi kanaatime göre Batı insanında var olan İslâm'a karşı önyargıyı besleyen ana damarlardan biri ve belki de en önemlisi bu.

Bir diğer önyargı İslâm-Arap beraberliği. Onlara göre Müslüman eşittir Arap. Veya bir başka tabirle İslâm dünyası Arap âleminden ibaret. Halbuki istatistikler bize gösteriyor ki dünya Müslüman nüfusunun bugün sadece % 18'i Arap, geriye kalan % 82'sini Arap olmayan milletler oluşturuyor. İslâm ile Arap ilişkisinin kurulmasından rahatsız değilim. Nasıl olabilirim ki? Dinim, Allah'ın İlahi takdiri ile Arap coğrafyasında zuhur etmiş. Fakat bu noktada rahatsızlık verici nokta, Arap dünyasının Batı insanının nezdindeki olumsuz imajı. Daha doğrusu bu menfi imajın İslâm ile özdeşleştirilmesi.

Sadece bu ikisi mi Batı'lının İslâm hakkındaki önyargısını oluşturan malzemeler? 11 Eylül sonrası artık ayyuka çıkan, bizim tabirimizle "sağır sultanların bile duyduğu" bir kutsal savaş (cihat) konusu akademik camianın tartışma konusu olmaktan çıktı, yalan-yanlış bilgi ve yorumlamalarla talk-show'lara kadar malzeme oldu, olmaya da devam ediyor. Kadın özelinde başörtüsü, peçe, kadın-erkek münasebeti, siyasi, ekonomik ve sosyal hayattaki statüsü, Müslümanların Yahudi ve Hıristiyanlarla olan tarihsel münasebetleri ve her biri ayrı bir yazının konusu olabilecek daha nice konular önyargıyı oluşturan ve besleyen kaynaklar hüviyetinde.

Müslümanlar olarak bizlerin İslâm'ı Batı'ya duyurma noktasında nazara alacağımız ilk ve en önemli husus, bu önyargıyı onların kafasından silmeye matuf çalışmalar olmalıdır, olmak zorundadır. İslâm'a ilgi ve merak uyarmanın temel şartı bu. Yoksa hayat standartları adına belki de insanlık tarihinin en üst seviyesini yakalamış bu insanlara din adına, maneviyat adına yaklaşmak oldukça zor. Tabii bütün bunlar Batı toplumunun geneli nazara alınarak söylenen şeyler. Yoksa ferdi olarak tatmin peşinde koşan, kendi değerlerinde aradığını bulamayıp arayışını İslâm ile noktalayan insanlar bahsimizin haricinde. Gerçi bunların sayıları ne kadar çok olsa da, geneli kapsamıyor.

2- İslâm'ı anlatma aşk ve heyecanının bizim cephede uyarılması, önyargının silinmesi kadar önemli bir sorun ve engel bizler için. Son istatistikler 8 milyon civarında Müslüman'dan bahsediyor ABD'de. Küçümsenmeyecek bir rakam bu. Mukayese yapmak belki yersiz; ama söylemeden geçemeyeceğim, dünya Yahudi nüfusuna denk bu rakam. Bu potansiyele rağmen dişe dokunur seviyede tebliğ ve irşat faaliyetinin olmaması nedendir? Organizesizlik mi, metot ve usul bilmezlik mi, Peygamber Efendimizin 'ümmetim hakkında en çok korktuğum' diye ifade ettiği dünya nimetleri içinde boğulup ahireti unutmak mı, asırlardır devam eden siyasi, ekonomik, kültürel ve sosyal sahalardaki ezilmişliğin verdiği mağlup ruh haleti mi, vurdumduymazlık mı? Belki hepsi. Ama bunlardan en önemlisi en başta ifade ettiğimiz İslâm'ı anlatma heyecan ve helecanının kaybedilmesidir. "Peygamberle temsil edilen bu ruh yakalanabilse, Müslümanlığın asırlardır devam eden makus talihinin çok kısa bir zamanda değişmesi işten bile değildir." Delil isterseniz İslâm tarihini bu açıdan incelemeniz mümkün. Sadece sahabe-i kiram hazretlerinin dönemi bile bu noktada bize ışık tutmaya yeter.

Pekala biz bu ruhu yakalayabilir miyiz? Neden olmasın? Ama şu unutulmamalı ki biz o ruhu yakalasak da dini bilgi, yaşanılan ülkenin dil ve kültürüne vakıf olma gibi tebliğ ve irşat faaliyetinde rol oynayan faktörlerdeki açığı kapatmamız ve Batı insanının beklentilerine cevap vermemiz imkansız. Onun için Batı'nın bilgi seviyesini yakalamış, onların kültürlerine vakıf, dil problemi olmayan, ABD için ikinci; ama Avrupa ülkeleri için üçüncü ve dördüncü kuşak neslin anne-babalar tarafından bu çerçevede dikkat ve özenle eğitilmesi şarttır. Namaz, oruç vb. ibadetlerle ferdî açıdan Müslümanlığı yaşama, elbette önemli ve olmazsa olmaz bir şart; fakat onun kadar ehemmiyet arz eden ikinci nokta bizim dinimizi muhtaç gönüllere anlatma noktasında göstereceğimiz gayret, duyacağımız heyecan olmalıdır.

Hasılı, bir serzeniş ile bitirelim isterseniz: "Kat edilecek mesafeler uzun, düşmanlar amansız ve insafsız, bari dostlar vefalı olsa."

DİNE İMAN VE KUTSALA SAYGI

19. yüzyılın sonlarında dünyanın neredeyse geneline hakim olan pozitivizm ve pozitivizmin yol açmış olduğu her türlü dini ve kudsi değerlerin inkarına kadar uzanan süreç, 21 yüzyılın ilk çeyreğini yaşadığımız şu günlerde tam aksi bir istikamette yol alıyor. Küreselleşmenin getirdiği sosyal boyutlu hemen her problemin çözümünde yetersiz kalan dinden bağımsız beşeri tecrübe, dinden bu çerçevede meded umuyor, yardım diliyor. Şu an itibariyle ferdî alanda çok daha etkin bir şekilde gözlemlediğimiz bu gerçeğin, insanlığın tümünü kuşatan ve hayatın her alanına sirayetini netice verecek şekilde sistemlere yansıması zaman alacak. Bazılarınca bir kehanet gibi algılanması muhtemel bu tesbitler, aslında bugün yaşadığımız hayatın inkar kabul etmez bir parçasıdır.

Yalnız bu süreçte yaşanan, yaşanması muhtemel olan en büyük sorun ortaçağ döneminde gördüğümüz dinler ve din mensupları arasındaki savaş ortamının yeniden hortlamasıdır. Ön yargıların, ötekileştirme düşüncesinin, maddi menfaat ve çıkar mülahazalarının, gelecek nesilleri kapsayan uzun vadeli siyasi ve ekonomik boyutlu projelerde bencil davranmanın, hakimiyet ve iktidar anlayışının, tarih denilen mezaristanda kalan cigersuz hadiseleri yeniden canlandırmanın ve hepsinden öte dini taassubun rol oynadığı bu sürecin aklıselimle bir an önce önlenmesi gerekmektedir. En son karikatür krizinin bütün dünyada yol açmış olduğu gerginlikler, ne demek istediğimizi çok net bir şekilde ortaya koyan canlı manzaralardır.

Bu süreci engelleme açısından doğum gününü kutladığımız Hz. Peygamber'in (sallallâhu aleyhi ve sellem) getirdikleri ışığında iki hususa dikkatlerinizi çekmek istiyorum. Bir; Kur'ani ve Nebevi prensiplerde, İslâm öncesi İlahi dinlere, onların mukaddes peygamber ve kitaplarına inanmak şarttır. Aynı hakikatı dini literatürle ifade edecek olursak farzdır. Aksi halde o insan Kur'an ve Hz. Muhammed'e (sallallâhu aleyhi ve sellem) inansa da Müslüman olamaz. Müslüman olmanın temel şartı İslâmi değer ve temellere inanmak olduğu kadar, önceki peygamber ve kitaplarına da inanmaktır. Kur'an bu hususa şu âyeti ile temas eder; "Deyiniz ki: 'Biz Allah'a, bize indirilen Kur'ân'a, keza İbrâhim'e, İsmâil'e, İshak'a, Yâkub'a ve onun torunlarına indirilene ve yine Mûsâ'ya, Îsâ'ya, hülasa bütün peygamberlere Rab'leri tarafından verilen kitaplara iman ettik. Onlar arasında asla bir ayrım yapmayız. Biz yalnız O'na teslim olan Müslümanlarız.' (Bakara, 2/136)

İşte bu inanç, hangi sebeple, ne zaman ve nerede olursa olsun bir Müslümanın başka bir inanç grubunun din ve dini değerlerini inanmasa da saygı göstermesini gerekli kılmaktadır. İnsanlığın İftihar Tablosunun bu çerçevede kendisini bir vesile ile ziyarete gelen Necran Hıristiyanlarına Pazar ayinlerini yapması için mescidini tahsis etmesi aslında sadece Müslümanlar değil, herkes için örnek bir tablodur.

İkinci husus; kutsala saygı anlayışıdır. Her inanç grubunun kendine özgü, kökeni, tarihî, milli, kültürel, dinî ve ahlâkî değerlere dayanan bir kutsal anlayışı vardır. Bir din ve inanç grubu için kutsal olan şey, bir başka din ve inanç grubu için kutsal olmayabilir, hatta yasak, saçma, gülünç de olabilir. Bu nokta, yolların ayrıldığı yerdir. Eğer bir insan kendi inançları ekseninde başkasını değerlendirir ve ona göre tavır takınırsa, bu birlikte yaşamayı imkansız kılan bir kırılma noktasıdır. Bu düşünce ve bakış açısına sahip kişilerin, birçok insanı, ahlâkî, hukukî, siyasi ve iktisadi ortak paydaları olan diğerlerini toplumdan dışlamasına, izole etmesine, yok saymasına vesile olur. Bu da insanların velev ki aynı vatan toprakları üzerinde yaşasalar bile kamplaşmalarına, kamplaşmalar ise yakın çağ tarihinde müşahede ettiğimiz 1. ve 2. dünya ile soğuk dönem savaşlarına kadar uzanan bir çıkmaz sokağa sokar dünya insanlığını.

Kutsala saygı anlayışında Hz. Peygamber'in (sallallâhu aleyhi ve sellem) şu uygulaması, saygının çok daha ötesinde bir yerde olduğunu göstermekle beraber, müntesiplerine de farklı sorumluluklar yüklemektedir. Hz. Peygamber (sallallâhu aleyhi ve sellem) Medine'ye ilk hicret ettiğinde Yahudilerin Muharrem ayının belli günlerinde oruç tuttuğunu görür. Sebebini sorduğunda aldığı cevap, İsrail oğullarının Hz. Musa eliyle Firavunun zulmünde kurtulduğu günün anısına tutulan kutlama orucu olduğunu öğrenir. Bunun üzerine O, ümmetine, tıpkı Yahudiler gibi o günü oruç tutarak kutlamalarını emreder. Vücub ifade eden bu peygamber emri, Kur'an âyeti ile Ramazan orucunun farz kılınmasına kadar devam eder. Görüldüğü gibi İslâm, dinî bir temele dayanan kutsalı kabullenmek, saygı göstermekle kalmıyor, onların kutlamalarına aynen onlar gibi katılmasını öngörüyor.

Yerli-yabancı, Müslüman-Hıristiyan, zengin-fakir, kadın-erkek, siyahı-beyaz dünyanın hemen her yerinde iç içe yaşayan, evde, işte, çarşıda, pazarda farklı inanç grubları ile her gün yüzyüze gelen müslümanlar olarak bizlerin, kısaca izaha çalıştığım bu iki hususu herkesten daha çok hatırlamaya ihtiyacımız olduğu kanaatindeyim. Yani İslâm harici dinlere saygı ve o din mensupların kutsal anlayışlarına saygı göstermek bizim dinî bir görevimizdir.

Fakat aynı türden bir anlayışı da bizim onlardan beklememiz hakkımız olsa gerek. Bu çerçevede din ve vicdan özgürlüğüne vurgu yapan evrensel insanı hakları, bu hakların ihlali durumunda iç hukuk ya da devletlerarası hukuki anlaşmalarla kayıt altına alınan yaptırımlara hiç ihtiyaç duymaksızın başkasının dinini kabul ve kutsalına saygıyı hayatı intikal ettirebilmeliyiz. İhtimal, dünya o zaman beşeri ilişkiler açısından daha yaşanılır bir mekan haline gelecektir.

Bizlere böylesi bir anlayışı, böylesi bir imani değeri miras olarak bıraktığı için Hz. Muhammed Mustafa'ya şükran borçluyuz.

KAYMA NOKTASI

Yıllar önce Allah hakkında ileri sürülen bir düşünce beni derinden yaralamıştı. Allah bilgisi ve marifeti adına çok bir şey bildiğimden değil, sadece çocukluğumuzda dede–nine başta anne-baba ve hocalarımızdan öğrendiğimiz Allah'a karşı saygı anlayışıma ters gelmişti bu düşünce. Ayrıca bunu dile getiren şahsın dini ilimler alanında ülkemizde parmakla gösterilen, hem de muhafazakar cephenin takdirlerini kazanmış birisi olması, bendeki şok tesirini artıran bir faktördü. "Bu hocamız da böyle düşünürse, ya diğerleri" dediğimi hatırlıyorum kendi kendime, kanal kanal gezerek sözde çağdaş yorumlarını hakla paylaşan hocaları zihnimde canlandırarak. Şöyle diyordu o zat; "Allah'ın kainat projesini beğeniyorum; ama insan projesinde başarılı olduğunu düşünmüyorum."

Genelde insanlar arası ilişkilerin, bunun insanlık tarihine yansımalarının, Irak örneğinde olduğu gibi ister dinî, ister siyasî ve ekonomik, isterse başka başka nedenlerle yapılan savaşların gerekçe gösterildiği bu düşüncede ne o zaman ne de şimdi haklılık payı görmemiştim ve görmüyorum. Zat-ı Uluhiyet'e karşı şuursuz da olsa bir hakaret gibi algılıyorum bu sözleri.

Aynı kategoride değerlendirilebilecek bir hadise ve iki yazı ile karşılaştım geçen haftalar içinde. Bu hadiseler, aradan yıllar geçmesine rağmen yukarıdaki örneği hatırlamama neden oldu. Hadise şu; Irak harbinin cereyan ettiği günlerde savaşa muhatap olan masum insanlar için herkese dua çağrısında bulunduğum bir esnada birisi; "İyi; ama Allah her şeyi görmüyor mu? Bunca masum ve günahsız insanlar, çocuklar bombalar altında can veriyor. Benim duama ne gerek var! Müdahale etse ya!" türünden bir çıkış yaptı.

Tam bu noktada hemen hemen aynı çizgide sayılabilecek zihinlerde saklı bir hatıramı sizlerle paylaşmak isterim. Bir kutlu, tasavvufi derinlikli yazılarından birinde Zat-ı Uluhiyet'e ait izahlarda bulunur. Hemen her yazıda yaşanan doğum sancısı nedense bu yazıda daha şiddetli ve daha uzun biçimde yaşanır. Çünkü söz konusu olan Allah'tır ve yazı "O'nun hakkındadır." Yazının yayına teslim günü yaklaştıkça sancı şiddetini artırır ve son gece "Acaba uluhiyet hakikatlerini hırpalıyor muyum? O'nun namusu sayılan değerlere dokunuyor muyum?" diye sabahlara kadar ağlaya ağlaya murakabe ve muhasebeye salar kendini. Netice nedir mi diyeceksiniz? Yazının yırtılıp atılması. Bu niyetle elinde yazı ile çöpe doğru giderken bir talebesinin salonda karşısına çıkmasını hayra yorar ve direğe yaslanarak gözyaşları içinde gece boyunca yaşadığı hissiyatını paylaşır onunla ve yazıyı bir daha gözden geçirmeye karar verir.

Çoklarınızın "Ortası yok mu bu işin?" dediğinizi duyar gibiyim; ama asıl Allah'ın söz konusu olduğu yerlerde takınılması gerekli olan tavır, son örnekte gördüğümüz tavırdır, yoksa ne birinci ve ikincisi, ne de ortası. Başka dinlerin Allah telakkisi içinde zikredegeldiği inanç ve düşünceleri de bir kenara koymamak gerekiyor. Özellikle yabancı ülkelerde yaşayan Müslümanlar, hele onların eğitim ve kültür sistemleri içinde düşünce dünyaları şekillenen çocuklarımız için oldukça önemli bir konu bu. "Bana ne Hıristiyan'ın, Yahudi'nin, Hindu'nun, Budist'in din anlayışından, Allah inancından!" diyemez hiçbir anne-baba. Çünkü gün boyu iç içe yaşadığı bu kültürel ve eğitim çevresi onun akşam eve birçok soru, şüphe ve aykırı yorumlarla gelmesine neden olacaktır. Nitekim bu durum, birçoklarımızın evinde hemen her gün yaşanmaktadır. Avrupa'da din adına kayıp olan bir neslimiz vardır bugün bizim ve hiç şüpheniz olmasın bunun nedeni bizim genel anlamdaki duyarsızlığımızdır.

Buna rağmen birçoğumuz bu türlü şeyler karşısında ciddi ölçüde rahatsız olmuyoruz. İşin aslına bakılırsa yukarıda da ifade ettiğimiz gibi bu yaklaşım tarzı yanlış. Çünkü, çocuklarımızın bundan etkilenmelerinin ötesinde son tahlilde söz konusu olan Allah'tır. Dolayısıyla aynı hassasiyetin duyulması gerekir belki de. Ama gel gör ki Uluhiyet anlayışına ters sözde düşünceleri seslendirenlerin dinî kimliği, onları farklı bir kategorilerde değerlendirmemize sebep oluyor.

Mesela New York Post gazetesi, Budist rahip ile röportaj yapmıştı geçenlerde. Rahip, dünyanın dört bir yanında cereyan eden savaşlar ve bu vesile ile el değiştiren topraklardan hareketle (haşa) Allah'ın insanları "emlakçı" gibi kullandığını ifade ediyor. Veya Herald News gazetesi "Religion-Din" adlı pazar ekine "İsa günümüzde olsaydı Bağdat'ı bombalardı" diye manşet attı geçen hafta. Kendi inançlarına göre Hz. İsa'nın "Allah" kimliğine vurgu yaptıktan sonra Tevrat ve İncil'den âyetlerle, tarihî hadiselerden örnekler sunarak yukarıdaki görüşü delillendirme cihetine gitti. Bu örnekler başta belirttiğim gibi sıradan dahi olsa herhangi bir Müslüman'a ait olmadığı için, ne vicdanlarımızda derin yaralar açtı, ne de düşünce yoğunluğu içine soktu. Ama ya çocuklarımız bunlardan nasıl etkileniyor dersiniz?

Tamam genellemeler yapmayalım, mevcut tablo karşısında ümitsizliğe de düşmeyelim; fakat şunu da unutmayalım, inancımız bizim her şeyimiz. İnanç değerlerimizi 15 asırdan beri korunduğu aslına uygun biçimde korumak bizim en büyük vazifemiz. Tarihî eserleri, bir Sultanahmet'i, bir Selimiye'yi korumaktan daha önemli. Hatta denilebilir Kâbe'yi koruma ölçüsünde ehemmiyetli. Başka dinler, başta Allah inancı olmak üzere inanç değerleri üzerlerinde yapılan tahrifatlar neticesi bugünkü pozisyonlarına düştüler. Eğer O'na, saygımızı yitirirsek neyi kazanmayı ümid edebiliriz ki...

Hasılı, insan iradesini hiç hesaba katmadan yaşanan tüm olumsuzlukların tabir caizse faturasını Allah'a kesmeye kalkan "Allah'ın duamıza ne ihtiyacı var? Görmüyor mu masum halkın kırıldığını? Müdahale etse ya!" türünden sözde düşünceler, Allah inancı ve tasavvuru özelinde bir inhiraf, bir kaymanın göstergesidir.

Şeytana mel'abe olmamak lazım.

TEK MİLLET VE YİTİK DEĞERLER

"Eğer Rabb'in dileseydi, tüm insanları hakta ittifak eden bir tek ümmet yapardı. Fakat O bunu irade etmediğinden ittifak etmemişlerdir ve işte böylece ihtilaf eder vaziyette devam edeceklerdir." (Hud, 118)

"Allah dileseydi sizi tek bir ümmet yapardı. Fakat belirlediği yolda, sizleri denemeyi diledi. Buna göre hayırlı işlerde yarışınız. Çünkü hepiniz Allah'a döneceksiniz ve O, anlaşmazlığa düştüğünüz meselelerin içyüzünü size haber verecektir." (Maide, 48)

Hıristiyan dünyasında her geçen gün artan başta ahlâkî olmak üzere birçok ferdî ve sosyal içerikli problemlerin temelinde dinin yaptırım gücünü yitirmesi yatıyor. Farkında olalım veya olmayalım, farkında olsunlar veya olmasınlar, -velev ki Hıristiyanlık bile olsa- dinin insan ve toplum vicdanın da etkisini yitirme süreci insanın İlahi ve kutsal değerlerden yoksun olmasını ve insan suretinde bir canavara dönmesini netice veriyor. Bu durumda dine dönüşten başka çarenin olmadığı muhakkak ve müsellem. Ama hangi din?

İslâm harici İlahi menşeli dinlerin tahrif edildiğine inanan bizlerin bu soruya "Elbette İslâm" demekten başka vereceğimiz bir cevap yok. Ama bu defa karşımıza "Hangi İslâm?" sorusu çıkıyor. İşte geçen yazıda bu soruya gönül rahatlığı ve alın açıklığı içinde verebileceğimiz tek cevap olmadığını ifade etmiştik. Buna bağlı olarak da Hıristiyan dünyasındaki ahlâki çözülmüşlük karşısında kayıtsız kalamayacağımızı ısrarla vurgulamıştık.

Burada (hâşâ)! ne günümüz Müslümanlarını yerme, ne de Hıristiyanlığa kol kanat germe gibi bir düşüncemiz var. Farklı İslâm uygulamaları, ehlinin malumu olduğu üzere zaten dinin tabiatının gereğidir. Tek tip bir İslâm modeli ancak komünizmin öngördüğü duygu, düşünce, inanç, anlayış, bakış açısı vb. özellikleri ile tek tip insan modelinin hayata geçmesi ile mümkün olur ki bunun da imkansızlığı teorik ve pratik olarak ortada. Hıristiyanlığa gelince bölük pörçük yapısı ile asırlardan beri yaşadığı gibi İlahi iradenin müddet tanıdığı zamana kadar yaşayacaktır.

Meseleye bu zaviyeden bakamayan kişilerin söz konusu edilen çerçevede itiraz etmeleri muhtemeldir; ama bu ancak "toptan kabul" ve "toptan ret" anlayış inancının ürünü olabilir. Yazmakta tereddüt ediyorum; ama böyle bir itirazı İslâm ve Hıristiyan dünyasına, bir başka tabirle İslâm ve Batı medeniyetine, terkibi düşünce, sistematik bütünlük içinde yaklaşamayanlar öngörebilir. Militarist bir anlayış ve inanışla bir yere varmak zor.

Kaldı ki bu kavşakta İlahi meşietin teveccüh ettiği yöne bakmak çok önemli. Zaten yukarıdaki âyetleri ele alış sebebim de bu. Müfessirler İlahi iradeyi bizlere yansıtan bu ve benzeri âyetleri genelde üç ayrı noktada yorumluyorlar.

1- Allah bütün insanları aynı düzende ve ortak yeteneklere sahip olarak yaratmamıştır. Bir başka tabirle insanlar bütün özellikleri ile birbirlerinin kopyası değildir. Her insan bir başka âlemdir. Allah'ın yeryüzünde takdir buyurduğu hayat modeli yeteneklere, farklı yönelişlere sahip olmasını dilemiş, dilediği tarafa yönelebilme özgürlüğünü bahşetmiş, doğru veya yanlış kendi yolunu kendisinin seçmesini istemiş ve dünyevî ve uhrevî ceza ve mükâfâtı buna bağlamıştır.

2- Allah insanların tek bir millet olmalarını dilememiştir. Tek millet olmama, tek bir dine tabi bulunmama ve meşietin sonucudur. Bir başka deyişle, inanç temelindeki ayrılıkların, İslâm'a rağmen bizzat müntesipleri tarafından tahrip edilmiş diğer dinlerin hâlâ varlıklarını sürdürmelerine kaderî açıdan bakıldığında bu İlahi meşiet vardır. Herkes elbette bu sürece dahil değildir. Hak ve hakikat aşkıyla yanan, bu çerçevede irade ve gücünü ortaya koyup araştırmalar yapan ya da meccanen Allah'ın özel inayet ve lütfuna mazhar olanlar bunun dışındadır. Nitekim İslâm ile şereflenen insanlara bakış açımız budur bizim. Demek İslâmi bakış burada önemli bir soruna açıklama getiriyor; Allah'ın rahmetine mazhar olanlar bu kuralın dışındadırlar.

Tam bu noktada Seyyid Kutub'un şu açıklamalarına kulak vermek icap ediyor: "Öyleyse bir kimsenin insanların yararını ve kurtuluşunu gözetme adına, onları aynı çatı altında birleştirebilmek için çırpınması, boşa kürek çekmesi demektir. İslâm'dan ödün vermek ya da onda bazı değişiklikler yapmak, neticede, yeryüzünde bozguna neden olmak, biricik sapasağlam sistemi bırakıp sapıtmak, insanların yaşamında adaleti ortadan kaldırmak, insanların birbirlerine köle olmalarına, Allah'ı bırakıp birbirlerini Rab edinmelerine zemin hazırlamak dışında hiçbir işe yaramayacaktır. Bu ise en büyük kötülük, en büyük yıkımdır. Sonu gelmeyecek, olmayacak girişimler peşinde koşmak, doğru değildir. Çünkü insanın doğası için Allah, bu tür girişimleri uygun görmemiştir. Bu, Allah'ın hikmeti gereği insanların farklı kafa yapılarına, farklı mizaçlara, farklı görüşlere, farklı eğilimlere sahip olmalarına da terstir. İnsanları yaratan Allah'tır. Onların geçmişlerini de geleceklerini de çok iyi bilmektedir. Sonuçta herkes O'na dönecektir."

3- İslâm dinini yaymak için İlahi iradenin onay vermediği metotları kullanmak, karşı dinleri yok etmeye yönelik faaliyetler içine girmek doğru değildir. Çünkü bu, yukarıda meallerini verdiğimiz âyetlere göre, Allah'ın muradına terstir. Eğer Allah bu türlü farklılıkların olmamasını dileseydi, din seçme özgürlüğünü insanlara vermez ve herkes mecburi istikamet O'nun işaret buyurduğu yolda yürürdü. Bunun da imtihan sırrına muvafık olmadığı ortada.

Bütün bu açıklamalar İlahi irade ve meşieti yansıtan İslâm dininin başkalarına duyurulması için engel mi? Tam aksine. Bu beyanlar İslâmî bir dava şuuru içinde benimseyen herkese yol rehberliği yapmaktadır. Zira sahip olduğumuz, onların yitirdikleri değerlerdir. Kaybettikleri bu evrensel değerleri bulmalarında yardımcı olma inananlar için dinî bir görevdir. Fakat şu unutulmamalı, bu değerleri bulanlar ancak Rabb'in merhametine mazhar olanlardır. "Yalnız Rabb'inin merhametine mazhar olabilenler doğru yolda görüş ve inanç birliği sağlayabiliyorlar. Zaten Allah insanları bunun için yarattı. Rabb'inin 'cehennemi, mutlaka insanlarla ve cinlerle dolduracağım' şeklindeki sözü çoktan kesinleşti." (Hud 119).

DİYALOG FAALİYETLERİ MİSYONER TUZAĞI MI?[3]

Şu cümleye beraberce bakalım: "Dinler arası diyalog misyoner tuzağıdır." Nihai kanaat ifade eden bir hüküm cümlesi bu.

Söze böyle başlayan birisini ikna etmek, dinler arası diyaloğun bir misyoner tuzağı olmadığını ispatlamaya çalışmak ne derece doğru bir çaba olur kestiremiyorum. Tabii kasdı Müslümanlar tarafından başlatılan diyalog çalışmaları..

Teorik boyuttan başlayalım; dinler arası diyalog, Kur'an'ın birçok âyetinde "olması gereken" makamına konulup bizzat Allah'ın yer yer emir, yer yer de tavsiyelerde bulunduğu bir konudur. "De ki: Ey ehl-i kitap! Bizimle sizin aramızda birleşeceğimiz, müşterek ve âdil şu sözde karar kılalım. Allah'tan başkasına ibadet etmeyelim. O'na hiçbir şeyi şerik koşmayalım, kimimiz kimimizi Allah'ın yanında rab edinmesin." (3/64)

"Zulmedenleri hariç, Ehl-i kitap ile en güzel olan şeklin dışında bir tarzda mücadele etmeyin ve onlara şöyle deyin: Biz, hem bize indirilen kitaba, hem size indirilen kitaba iman ettik. Bizim İlah'ımız da sizin İlah'ınız da bir ve aynı İlah'tır ve Biz O'na gönülden teslim olduk." (29/46)

---

3   Bu konuda mufassal malumat arayanlara, arkadaşım Davut Aydüz'ün kaleme aldığı şu kitabı tavsiye ederim: Tarih Boyunca Dinlerarası Diyalog, Işık Yay. 2005 İstanbul; ayrıca, tarafımızdan kaleme alınan Niçin Diyalog (İst. 2006) adlı kitaba da bakabilirsiniz.

Meallerini verdiğimiz şu iki âyette gördüğünüz gibi Allah (celle celâluhû), Müslüman'ın ehli kitap ile ilişkilerini, ilişki sınırlarını belirlemektedir. Buna göre Müslüman, onları "kendi konumlarında kabul" edecek, ortak noktada buluşmaya çağıracaktır ki ortak nokta Allah'ın varlık ve birliğini kabul, indirilmiş olan kitaplara iman ve O'ndan başkasına ibadeti reddir.

'Kur'anî açıdan ehli kitapla ilişkiler böyle de, kafir ve müşriklerle nasıl?' diyebilirsiniz. Bundan farklı değil. "Dininizden ötürü sizinle savaşmayan, sizi yerinizden, yurdunuzdan etmeyen kâfirlere gelince, Allah sizi, onlara iyilik etmeden, adalet ve insaf gözetmeden men etmez. Çünkü Allah âdil olanları sever." (Mümtahine: 8)

"Ey iman edenler! Haktan yana olup var gücünüzle ve bütün işlerinizde adaleti gerçekleştirin ve adalet numunesi şahitler olun! Bir topluluğa karşı, içinizde beslediğiniz kin ve öfke, sizi adaletsizliğe sürüklemesin. Âdil davranın, takvâya en uygun hareket budur. Allah'a karşı gelmekten sakının! Çünkü Allah, yaptığınız her şeyden haberdardır." (Maide: 8)

O halde Müslüman, Kur'an'ın 31 ayrı yerde "Ya ehli kitap..." diyerek muhatap kabul edip yanlışlıklarını tashih, iyilik ve güzelliklerini takdir ettiği, Müslümanlarla dostluk zemini arayışına yönlendirdiği Hıristiyan ve Yahudilerinden öte, kendilerine zararı dokunmayan Allah ve peygamber tanımaz müşrik ve kafirlere dahi iyilik, adalet ve insafla muamele etmek zorundadır.

Teorik boyutta ikinci kaynak Hz. Peygamber'dir (sallallâhu aleyhi ve sellem) Ömrü boyunca Müslümanların varlık ve birliğini tehdit eden davranışlara girmedikleri, yapılan anlaşmalara muhalif hareket etmedikleri müddetçe Hz. Peygamber'in ehli kitap ve müşriklerle olan ilişkisi engin bir hoşgörü anlayışı içinde cereyan etmiştir. Mescidinde kendisini ziyarete gelen Hıristiyanlara ibadet izni vermesinden, sahabenin dudaklarından dökülen "ama o bir Yahudi" sözleri ve şaşkın bakışlarına rağmen "Ama o da bir insan!" deyip Yahudi cenazesine ayağa kalkmasına, "Size ehl-i kitabı emanet ediyorum." beyanından, Medine'de Yahudilerin din eğitimi yaptıkları "beytu'l midrasa" izin vermeye, "Zimmiye-İslâm ülkesinde izinli olarak kalan gayrimüslim- eziyet ve işkence eden bana etmiş gibidir." sözünden, yıllarca kendisine ve cemaatine kan kusturan müşrikleri Mekke Fethi'nde affına kadar, hadislerde yer alan ve şimdilerde ancak doktora tezleri ile açılım kazandırılmaya çalışılan birçok teorik temeli sıralayabiliriz.

Fakat teori her zaman pratik ile uyum içinde olmayabilir. Bazı durumlarda pratik, teoriyi aşabilir. İş ilkelerin, kuralların, kabullerin uygulanmasına gelince kaymalar ve sapmalar olabilir. Nitekim Hz. Peygamber ve Hulefa-i Raşidin döneminden sonra Müslümanların ehl-i kitapla olan münasebetlerinde zaman zaman teori-pratik bütünlüğü sağlanamamıştır. Siyasi, ekonomik, kültürel çıkarlar uğruna insanlığın ayıbı olarak nitelendirilmeye müstahak nice savaşlar olmuş, evrensel insani değerlerden fersah fersah uzak gerçekten kapkara çağlar yaşanmıştır. Son tahlilde kaybeden insanlık olmuştur.

Hiç kimse bu safhada çıkıp Hz. Peygamber'in savaşlarını gündeme getirmemeli. Çünkü onlar, derinlemesine tahlili yapıldığında görülecek ki onlar salt dini sebeplerin değil, ayrı bir yazı konusu olan siyasi ve kültürel sebeplerin rol oynadığı savaşlardır.

Bu çerçevede iki noktaya işaret etmek gerekiyor: Bir; söz konusu diyalog çalışmalarına yöneltilen eleştirilerin kaynağı. Zahiri görünüş itibarıyla bunlar İslâmi kaygılarla yapılıyor. Aslında saygı duyulması, Müslüman'ın kardeşini uyarması, 'iyiliği emir, kötülükten nehy' çerçevesinde değerlendirilmesi gereken bu eleştirilerin, İslâmi temellerden yoksun oluşu, problem olarak kabul edilen hususu çok boyutlu hale getiriyor. Mademki "İslâm'a göre" cümleleri ile başlayıp itiraz ediliyor, yanlıştır, günahtır mesuliyeti muciptir deniyor, öyleyse en azından bu görüş ve kanaatlerin İslâmi temelleri ortaya konmalı değil mi?

İki; söz konusu eleştirileri yapanların dinle olan irtibatları. Hiç kimsenin dini açıdan şahsi yaşayışına, tercihlerine karışacak değiliz. Öyle bir yetkimiz olduğunu iddia ediyor değiliz. Ama en azından bu eleştirileri gündeme getirenlerin asgari ölçüde dinle bağlantıları olması gerekmez mi? Bırakın gecesini gündüzünden aydın kılacak teheccüdü, Hz. Peygamber'in cephede, düşman önünde dahi terk etmediği mesela bir beş vakit namaz bu şahısların hayatında olmalı değil mi? Sözde din adına veya İslâmi kaygılarla yaptıkları eleştirilerde bir samimiyet göstergesi değil midir bu? "Bari dinime dahl eden müselman olsaydı!" denir ya, aynen öyle de, bu eleştirileri gündeme getirenlerin en azından bir kısmının, her fırsatta ağızlarını doldura doldura konuşanların, bir çeşit radikalizmin savunuculuğunu yapanların, Müslümanlığı asgari düzeyde yaşasaydı diyesi geliyor insanın.

Sonuç; bu gidişata teorik ve Hz. Peygamber dönemi pratiği ile veya günümüz dünya gerçeklerinden hareketle insanlığın alması gereken tavırdan dolayı dur deme ve diyalog faaliyetlerine öncülük yapmanın yanlışlığı nerede? Yanlışlığa son vermek için atılan adımda yanlışlık aramak, yanlışlığa devam anlamını taşımıyor mu? Hiçbir dini temele dayanmayan suçlamalarla din adına mesafe kaydedilmesi mümkün mü?

Batı karşısında "biz" olmanın kavgasını veren, reaksiyoner yaklaşımlar yerine aksiyoner ve fonksiyoner çabalara imzasını atan, deplasmanda misafir değil, ev sahipliği yaparak Kur'an ve sünnetin günümüze has yorumları ile insanları yönlendiren bir anlayışa çalakalem karalamalarla karşı çıkmakla bir yere varılmaz. Hele "misyoner tuzağı" şeklindeki sloganvari yaklaşımlarla asla! Geleceğin dünyasındaki kargaşalara şimdiden dalgakıran setler oluşturan bu gayretleri şimdikiler takdir etmese de geleceğin nesilleri takdir edecek. Bundan kimsenin şüphesi olmasın. Bekleyelim ve zamanın tefsiri nasıl tecelli edecek, görelim.

'NİÇİN BİZDEN NEFRET EDİYORLAR?'

'Why do they hate us; niçin bizden nefret ediyorlar?" Şimdiye kadar aklı başında, gerçeklerle yüzleşmekten kaçınmayan Amerika'lı ilim ve siyaset adamlarının konuşma ve yazılarında yüzlerce defa dinlediğimiz ve okuduğumuz bir soru bu.

Dünya genelinde yaygın olan ve gün geçtikçe hız ve dozajını artıran Amerikan düşmanlığının gerekçelerini araştırmaya yönelik bu soru, 11 Eylül sonrasında Amerikan kamuoyunda daha sık tekrarlanır oldu. Özellikle "Mission accomplished; görev başarı ile tamamlanmıştır" sözü ile resmen bittiği ilan edilen Irak Savaşı'ndan sonra girilen ve "Bush'un Vietnam'ı" diye adlandırılan Irak'ta hâlâ yaşanan süreç bu sorunun ne kadar yerinde olduğunu göstermektedir.

Fakat bizim kaleme almayı düşündüğümüz husus bu değil; biz, sorudaki benzerlikten hareketle yazıya böyle bir giriş yaptık. Şahsen ben Müslümanlar olarak bizlerin de aynı soruyu kendimize sormamız gerektiğine inanıyorum. Belki Türkiye, Mısır, Endonezya ve benzeri ülkelerde % 100'e varan Müslüman nüfus ve İslâm'ın asırlardan beri şekillendirdiği sosyal, ahlâkî ve kültürel yapı içinde yaşayan Müslümanlar bu öneriyi; "nereden çıktı, ne gereği var?" gibi soru ile karşılayabilirler. Haklı da olabilirler. Ama bizim gibi gayrimüslim bir ülkede yaşayan ve İslâmî kimliği elde etme, koruma ve en azından kendi çocuklarına anlatma mücadelesi veren kişiler için aynı şeyi söylemek zor. Çünkü hayatın hemen her alanında, ister istemez Batılılarla içli dışlı yaşamamız, onların İslâm ve Müslümanlara karşı duyduğu kin ve nefreti daha derinden ve daha yoğun biçimde hissetmemizi sağlıyor. Bu durum da laf olsun diye değil, gerçekten cevabını arama ve gereğini yerine getirme için "Batı'lılar neden İslâm'dan ve Müslümanlardan nefret ediyor?" sorusunu sormamızı gerekli kılıyor.

Böyle bir soru karşısında Müslüman bir zihne ilk gelen hiç şüphesiz Haçlı Savaşları başta olmak üzere Batı dünyası ile girilen düşmanca ilişkiler ve bu ilişkilerin günümüz nesillerine zihni ve şuuraltı mirası olarak intikali gelmektedir. Gerçekten Batı'lılar -ferdi gayretler hariç- yıllar ve asırlar boyu çarpıştıkları düşmanın dinini, kültürünü öğrenmeye gayret etmemiş, bunu bir ihtiyaç olarak görmemiş, aksine başta Kur'an ve Hz. Peygamber olmak üzere bütün kutsal değerlerine saldırmış, kendi insanlarını Müslüman düşmana karşı motive etmek için akla hayale gelmez iftiralar atmıştır. Hz. Peygamber'e demediklerini bırakmamış Hz. İsa hakkında ipe sapa gelmez şeylere inandığımız ortaya atılmış, hayatta kalmanın ancak Müslümanları öldürmekle mümkün olacağına halk kitleleri inandırılmıştır. Bütün bu düşmanca ilişkilerde rol oynayan faktörlerin askerî, siyasi, ekonomik öncelikli olmasına rağmen devlet sisteminin din ekseni üzerine kurulu olması, kilisenin ve din adamlarının söz konusu ilişkilerde başrollerde yer alması, ortaya dinler savaşı şeklinde bir anlayışın çıkmasına neden olmuştur.

Böyle bir zihniyetin günümüz nesillerinde de büyük çoğunlukla devam ettiğini söylemek öyle zannediyorum ki yanlış bir yaklaşım olmasa gerek. 'Müslüman-Hıristiyan savaşları' diye adlandırılabilecek savaşların üzerinden çok yıllar geçmiş olmasına rağmen bu anlayış ve ön kabulün yanlışlığına ve dolayısıyla yıkılmasına yönelik kısa-orta ve uzun vadeli projelerle her iki taraftan hatırı sayılır adımların hâlâ atılamamış olması, sözünü ettiğimiz anlayışın devamını amir sebepler arasında. Dünyanın dört bir yanında cereyan eden terörist faaliyetlerin medya tarafından hemen

İslâm'la irtibatlandırılması ya da "İslâmi terör" kavramı bu çerçevede bize çok şeyler anlatmaktadır.

Aslında gayrimüslim ülkede yaşayan Müslümanların 'neden bizden nefret ediyorlar?' sorusuna bize bakan cepheden cevap vermek bu yazının ana fikri. Ama meselenin Batı'lılara bakan cephesine bakan yanı adına bir iki cümle ile dahi olsa serdi kelam etmek istedim. Maksadım, klasik Nasreddin Hoca fıkrası içinde; "İyi ama hırsızın hiç mi suçu yok?" sorusuna muhatap olmamak.

Kur'an ve sünnette teorik ve pratik temelleri olan hakiki İslâm'ın anlatılması ve yaşanması zannediyorum bu problemin köklü çözümü için bizim atmamız gerekli olan ilk belki de son adımdır. Bu çerçevede unutulmaması gerekli olan unsurlar arasında samimiyet, dinî ve kültürel farklılıkların gozetildiği metot ve en önemlisi neticesinin belki de iki-üç nesil sonra alınacağının şuurunda olarak ısrar gelmektedir. Bu noktada öncü rol hiç şüphesiz dil, kültür ve statü problemi olmayan gayrimüslim ülkelerdeki ikinci ve üçüncü nesil Müslümanlardadır.

Yalnız kabullenmek gerekir ki üç cümlede ele aldığımız ana temanın hayata geçirilmesi esnasında aşmamız gereken bazı problemlerimiz olduğu da bir gerçek. Bunlardan birincisi asimilasyon. Bir başka tabirle kimlik krizi.

50 60 yıl önce yabancı ülkelere yerleşmiş, gece gündüz çalışarak ekonomik zorluklara göğüs germe mücadelesi içinde iken ayakları kayan veya elde ettiği imkanlarla sosyo-ekonomik statü değiştiren kişilerle, aile içi ve dışında dinî ve milli değerler adına hiçbir eğitim ve öğretim almayan ikinci ve üçüncü nesillerde gördüğümüz bir hastalık bu. Halbuki gerek çevre gerekse dil ve statü açısından İslâm'ı anlatma, yanlış algılama ve yorumları düzeltmede en aktif rolü bu kesimin oynaması gerekir. Özellikle 11 Eylül sonrası İslâm ve Müslümanlar aleyhine medyanın başlattığı ve hâlâ devam eden önyargılı bakışın izi ve eseri olan yayınlar

maalesef kendilerinden çok şeylerin beklenildiği bu kesimi suçluluk psikolojisi içine sokup kabuğuna çekilmelerine neden oldu.

Yeri gelmişken bir şeye dikkat çekmek gerekir; yukarıda dile getirdiğim düşüncelerden İslâm'ı anlatmada ferdi ilişkilerin ön plana çıktığı veya çıkartıldığı gibi bir izlenim elde etmiş olabilirsiniz. El-hak doğrudur. Çünkü ferdi ilişki de olsa, TV, radyo, gazete, mecmua, kitap, konferans, panel vb. yollarla da olsa her hal u karda insana ihtiyaç var. Kaldı ki bire bir ilişkiler hem daha çabuk hem de kalıcı neticelere ulaşmanın yegane yolu.

Aşılması gereken ikinci önemli problem; İslâm bilgisi. Aslında bu sadece gayrimüslim ülkelerde yaşayan Müslümanların değil, umumi anlamda tüm Müslümanların problemi. Özellikle Kur'an'ın M. Akif'in ifadesiyle "çağın idrakine" sunulması özelindeki yorum problemleri bir tarafa, ana kaynaklarımız olan Kur'an'ın tercümeleri, hadislerin sıhhati gibi temel alanlarda mutlaka aşılması gereken sorunlarımız var. İşin aslı, İslâm'ın evrenselliği bu bağlamda çeşitliliğe imkan vermektedir. Hatta İslâm'ı tüm zaman ve mekanlarda yaşanılır kılan damardır bu. Doğru; fakat bu çeşitliliğin birbirini inkara kadar uzanması ve çoğu yerde siyahbeyaz ayrılığı kat'iyetine ulaşması hem Müslüman tabanda hem de muhatap kitlede ciddi kafa karışıklıklarına neden olmaktadır. Türk İslâm'ından Afgan ve Suud İslâm'ına uzanan çizgideki radikal değişiklikler göz önüne alınacak olursa, ne demek istediğimiz daha rahat anlaşılır zannediyorum.

Bu safhada temel ve İslâm'ın menfi olarak dünya kamuoyuna gelmesine neden olan terörizm, cihad, intihar saldırıları vb. konularda birlikteliğin yakalanması oldukça önemli bir eşik. Eğer bu eşik aşılabilir ve dünyanın dört bir yanındaki Müslümanlar tek ses ve tek nefis halinde seslerini çıkartabilir, bir hayat yaşayabilirlerse Müslümanlara duyulan nefreti kesme adına ciddi bir adım atılmış olur. İnanıyoruz ki İslâm hakkında var olan önyargılardan, özellikle 11 Eylül sonrası gördüğümüz 'İslâm eşittir terörizm' anlayışından etkilenmeyip korku ve sinmişlik psikolojisi içine girmeyen, marifet ve muhabbet temeli üzerine kurulu Müslüman kimliğine sahip olup, bunu temsil etmekten onur duyan insanların başrolleri oynayacağı ferdi ve umumi İslâm'ı anlatma faaliyetlerinin mevcut nefreti kısa, orta ve uzun vadede ortadan tamamen kaldırmasa da en azından azalmasını netice verecektir. Netice vermese de bunun dinî bir görev olduğunda şüphe yok. Tebliğ perspektifinden gerek Kur'an âyetlerine gerekse bu âyetleri pratiğe döken Hz. Peygamber'in hayatına kısa bir bakış bu çerçevede bize net bir fikir vermekte, fikir vermenin ötesinde sorumluluklarımızı göstermektedir.

Üçüncü olarak; muhataplarla hayatın hemen her alanında entegre olma, bunun beraberinde getireceği onları bütün yönleri ile iyice tanıma ve nihayet kime, neyin, nasıl ve ne zaman anlatılacağını bilme neticeye ulaşmada önemli faktörler arasındadır. Şunu baştan kabullenelim: Batı dünyasının dünya genelindeki ekonomik, siyasi, kültürel üstünlüğü -buna isterseniz hegemonyası da diyebilirsiniz- Batı aidiyeti taşıyan küçük büyük herkese küçümsenmeyecek ölçüde ve çıplak gözle gözlemlenebilir mahiyette bir üstünlük hissi vermiş. Ama bu bizim ezilmişlik hissi ile onların karşısına çıkmamızı gerektirmez. Kim bilir belki biz de dünyanın kaderine hakim olduğumuz Emevi, Abbasi, Selçuklu veya Osmanlı hakimiyeti dönemlerinde böyleydik? Nitekim fıkıh kitaplarında ehli zimmet ile ilişkilerin yer aldığı bölümleri okurken gördüğümüz bazı içtihadi yaklaşımlar bu düşünceye "Evet, böyleymişiz" dedirtecek cinsten. Öyle ya da böyle, Batı insanı bugün sözünü ettiğimiz üstünlük hissi ile hemhal. Dolayısıyla onlarla girişilecek münasebetlerde bu durumun nazardan bir an dahi olsa dur edilmemesi ve ona göre tavır, şekil ve metot belirlemesine gidilmesi şart. Bugün için Amerika özelinde ve Müslümanlar genelinde konuşacak olursak bunun yapıldığını, yapılmak bir kenara, sezildiğini söylemek oldukça zor. Daha işin başında çoklarımız itibarıyla biz içinde yaşadığımız toplumun bir ferdi olduğumuzun idraki içinde değiliz. Toplumun genel yapısından şu ya da bu sebeple izole olmuş veya edilmiş, cami, dernek, kahve, pastane, mahalle ve şehirler etrafında küçük Mısırlar, Türkiyeler, Filistinler, Suudlar, Pakistanlar oluşturmuşuz. ABD içinde küçük küçük adacıklar buralar adeta. Mısır adası, Filistin adası, Türkiye adası gibi. İki defa çeşitli vesilelerle gittiğim Almanya'da da aynı havanın hakim olduğunu bizzat müşahede etmiştim. STV'nin canlı iftar programlarında seyrettiğim kadarıyla bu kabuğun kırılmaya başladığını gördüğümü de burada kaydetmeliyim.

Öyle şehirler var ki Amerika'da, Amerika'lı insan ABD topraklarında öyle bir yerin varlığına dahi inanmak istemiyor. Bir anlamda göçmenler tarafından işgal edilmiş bir toprak olarak görüyor ihtimal. Piknikte beraber olduğumuz bir üniversite dekanına bir başka program için Brooklyn'e gideceğimi söylediğimde, bana "Is there any place in the U.S. called Brooklyn? (ABD'de Brooklyn diye bir yer var mı?)" diye bir soru sormuştu şakavari. Bir zihniyetin dışavurumudur bana göre bu soru. Paterson bunun bir başka örneği mesela. Burası, zenci, hispanik, Arap ve Türklerin yoğunluklu olarak yaşadığı mekan olarak bilinir. Şaka ama gerçek başkentimiz diyor bazı Türkler Paterson'a ve bence haklılar. Bir tek kelime İngilizce bilmeksizin A'dan Z'ye her türlü ihtiyacını karşılayabileceğin, araba ev sigortasından taksitle ev alımına, dişçi, doktor, eczacısından lahmacun, döner ve pidesine, oradan 24 saat açık sabahçı kahvelerine, amele pazarına kadar her şeyin var olduğu bir Türkiye adacığı burası çünkü. Azınlık psikolojisinin doğurduğu ya da dayanışma ruhu açısından sosyal ve ekonomik zorlukların ortaya çıkardığı bir netice olarak görenler olabilir bunu. 30 yıl öncesine gidersek bu izah tarzı belki de doğrudur. Ama aradan geçen seneler içinde, ikinci ve üçüncü nesillerle farklı bir hayat standardı, dünya ufku ve görüşü yakalayan bizlerin bu kabuktan sıyrılması gerekmez miydi? İnsanlardan bir insan olarak içinde yaşadığımız toplumun dertlerine ortak olma, imkanlarından istifade etmeli değil miydik? Yasal statülerimiz ile kanunlarının müsaade ettiği ölçüde gerek ferdi düzeyde gerekse hayatın diğer alanlarında toplumsal ilişkiler içine girmeli ve şimdiye kadar ciddi mesafeler kaydetmeliydik.

Son olarak Müslümanlar arasında birlik ruhunun oluşturulamadığını, buna bağlı olarak da gündemi etkileyecek, tek bir ses ve soluk halinde ortaya konan faaliyetler dizesinin yokluğu da önemli bir faktör nefret özelinde. Halbuki birlik düşüncesi İslâm'ın en temel öğelerinden biridir. Allah'ın tevfik ve inayeti kendi aralarında vahdet-i kulubu yakalayan insanlarla beraberdir. Kültürel farklılıklar ile din özelindeki yorum çeşitliliği mahfuz sayılamayacak kadar dinî ortak paydaya sahip bizlerin yapılagelen menfi propagandalara, çıkışlara ve saldırılara cevap verecek ölçüde bir birlik tesis edememesi bize çok şeyler kaybettirdiği gibi, Batı'lılar adına da duyulan nefretin artmasına sebep olmaktadır. İslâm dünyasının genelinde veya herhangi bir Müslüman ülke içinde farklı anlayış ve yorumlardan kaynaklanan parçalanma, gruplaşma maalesef burada da aynıyla geçerli. "Kimlerin camisi?", "O organizasyon kimin yönetiminde?" defalarca duyduğumuz bir soru sözgelimi. Biz bu çerçevede küçük şeylerin kavgasını verirken, önyargıların ağında kıvranan insanlar İslâm'a karşı cephe oluşturmuş birliklerin yayınları karşısında abandone olmuş durumda.

Son sözleri söylemeden Council of American-Islamic Relations (CAIR) adlı organizasyonun Amerikan halkının İslâm hakkındaki görüşleri üzerinde yaptığı bir anketten bazı rakamlar sunmak isterim. Bu rakamların hepsi yukarıda söylediğimiz şeyleri destekler mahiyette. 4 Amerikalıdan biri Müslümanlar hakkında söylenegelen mesela 'çocuklarına gayrimüslimlerden nefret etmeyi öğretme, kadınlara baskı, güvenilmez insanlar, Müslümanlar ABD'nin güneyinde yaşıyor, eğitimsizler, Cumhuriyetçi Parti'yi destekliyorlar' gibi yalan yanlış şeylere inanıyorlar. Müslüman dendiği zaman ilk % 40'a varan oranda Amerika'lının aklına savaş, nefret, saldırı, terörizm, düşman, Üsame b. Ladin, kadınlara baskı gibi kavramlar geliyor. Bunun karşısında müspet imajı olan insan oranı acı ama gerçek % 2. İslâm hakkında iyi derecede ya da biraz bilgim var, diyenlerin oranı % 39, hiçbir şey bilmiyorum, diyenler ise % 61. Bilgi edinmede kitap % 45 ile ön sırada. Medya % 31 ile ikinci. Arkadaşımdan, diyenlerin oranı ise % 30. % 78 oranında insan ne okulda ne de çalışma yerinde Müslüman arkadaşı olmadığını söylüyor. 11 Eylül'den sonra kasti olarak Müslümanlara yönelik suç oranlarının arttığı da bu anketin resmi sonuçları arasında. Görüldüğü gibi zihniyet değişikliği özelinde yapılacak daha çok iş var.

Son söz Bediüzzaman Hazretlerinden: "Eğer biz ahlâk-ı İslâmiyet'in ve hakaik-i imaniyenin kemalatını ef'alimizle izhar etsek sair dinlerin tabileri elbette cemaatlerle İslâmiyet'e girecekler; belki küre-i arzın bazı kıtaları ve devletleri de İslâmiyet'e dehalet edecekler."

ESİRLERİN ÖLDÜRÜLMESİ

5 Eylül günü Bill Powell imzalı "İslâm'ın İç Mücadelesi" başlıklı bir dosya yayımlayan Amerikan haber dergisi Time'ın belirttiğine göre El-Kaide örgütünün önde gelen liderlerinden biri olarak aranan Ebu Mus'ab ez-Zerkavi Irak'ta esirlerin kafalarının kesilerek öldürülmesini Hz. Peygamber'in Bedir esirlerinin kafalarının kesilmesi isteği ile temellendirdiklerini anlatmış. "Bizim örneğimiz Hz. Peygamber" sözünü de ilave etmiş. Söz konusu çıkarımların Zerkavi'ye ait olup olmaması bir yana, öncelikle bu veya benzeri olayların tarihî açıdan doğruluğunu iyi tespit etmek gerekir. Doğrulukları ilmi metotlarla tespit edilen, bir başka anlatımla Hz. Peygamber'e isnadında şüphe olmayan sözü edilen hadiselerin, bugünkü işlemlere dayanak teşkil etmeyeceği ayrıca ele alınması gereken ve ancak ilmi yetkinliğe sahip olan kişilerin yapabileceği bir husustur.

Hz. Peygamber'in hayatı ve uygulamaları ile sınırlı bir alanda esirlerin öldürülmesi bağlamında birebir örtüşmese de üç tane hadiseden bahsedilebilir.

Birinci hadise; Bedir Savaşı sonucu elde edilen esirlerdir. Bedir esirleri, Hz. Peygamber döneminde ilk defa karşılaşılan ve hakkında herhangi İlahi bir emir olmaması dolayısıyla istişareye konu olmuştur. Hz. Peygamber, Hz. Ebu Bekir ve Hz. Ömer'le esirlere nasıl davranılacağı hakkında görüş alışverişinde bulunmuş, Hz. Ebu Bekir fidye karşılığı salıverilmesi, Hz. Ömer ise öldürülmeleri istikametinde görüş beyan etmişlerdir. Hz. Peygamber ise Hz.

Ebu Bekir'in görüşünü tercih etmiştir. Daha sonra nazil olan Enfal Sûresi 67 ve 68. âyetler tercih edilen görüş doğrultusunda yapıla gelen uygulamanın İlahi irade nezdinde kabul görmediğini, bununla beraber içtihad yanılgısından kaynaklanan bu hareketten dolayı dünyevi ve uhrevi azabın söz konusu olmadığını ifade etmiştir. Bedir esirleri hakkında İlahi iradeyi belirten bu âyetleri siyak-sibak (conteks) bütünlüğü içinde ele alıp yorumlama başka bir yazının konusu olabilir. Ama kısaca bahsettiğimiz gibi Hz. Peygamber'in esirlerin kafaları uçurtma gibi bir emri olmadığı gibi, böyle bir düşüncesi de, niyeti de yoktur. Dolayısıyla, ister Zerkavi desin isterse bir başkası, İslâmi emir ve yasaklar bütününün çerçevelediği sınırın tamamıyla dışında olan esirlerin kafalarını kılıçla uçurma İslâm'a da, Hz. Peygamber'e de isnat edilen bir yalan, iftira ve hakarettir.

İkinci hadise; tarih boyunca dost ve düşman, yetkili ve yetkisiz yüzlerce binlerce kişinin söz söylediği, kalem oynattığı Hz. Peygamber'in haklarında ölüm fermanı çıkarttığı kişilerdir. Devlet başkanı sıfatıyla Hz. Peygamber vefatından çok az önce Dirar Mescidi'ni inşa ettirerek Müslümanları bölmeye çalışan Ebu Amir, yalancı peygamber olarak tarihe geçen Yemenli Esved'ul-Ansi ve Museylemetu'l Kezzab, Hz. Peygamber'i yazdıkları şiirlerle hicvederek insanları ona karşı kışkırtan ve Müslümanlara muhalif güçlere fiili destek veren Hint b. Utbe, Abdullah b. Ebu Serh, İkrime b. Ebu Cehil, İbni Hanzal gibi kişiler hakkında öldürülme emri vermiştir. Bu kişilerin ortak özelliği, farklı yerlerde ve metotlarla yaptıkları eylemlerle devlet otoritesine başkaldırmaları ve böylece kamu düzenini bozmalarıdır. Öldürülme emrinin gerekçesi bazılarının zannettiği gibi kati surette dine inanmama ya da mücerred anlamda dinî inancını değiştirme değildir. Gerekçe, doğrulanmış istihbari bilgiler ile ya devlet otoritesine karşı eylem hazırlığı veya bizzat içinde bulunmadır. Ayrıca Hz. Peygamber'in siyasi misyonu ile ilgili bu kararlar zaman ve mekan unsuruna bağlı olup nihai anlamda bağlayıcı olmadığı da İslâm bilginlerinin ifade ettikleri bir gerçektir. Nitekim ölüm fermanı çıkartılanlar arasında ıslah-ı hal edenleri affetmesi bunu göstermektedir.

Üçüncü hadise; Beni Kureyza Yahudileri hakkında verilen hakem kararıdır. Beni Kureyzalılar, Hz. Peygamber'in Medine'-ye gelişlerinde imzalanan "Medine Vesikası" adı verilen anlaşma şartlarına bağlı olarak Medine'de yaşayan bir gruptur. Hendek Savaşı'na kadar anlaşma şartlarına riayet eden bu kavim, Hendek kuşatması esnasında hem de çarpışmaların en yoğun olduğu bir anda Müslümanlara ihanet etmiş ve iki ateş arasında kalmalarına neden olmuşlardır. Savaş sonrası anlaşma şartlarına muhalefetin gereği olarak Hz. Peygamber, onların yaşadıkları yeri kuşatmış, üç günlük kuşatma sonrasında Sa'd b. Muaz'ın hakemliğini kabul edeceklerini bizzat kendileri teklif ederek kuşatmanın kaldırılmasını istemişlerdir. Her iki tarafın hakemlik onaylarını yeniden alan Sa'd b. Muaz, Yahudilerin kendi kitapları olan Tevrat'ın hükmüne göre (Tevrat, Tesniye, XX/10-14) karar vermiş ve bunun gereği olarak erkekleri öldürülmüştür. İnsanın TV ekranları önünde kanını donduran ve eylemi yapanların dinî kimliklerinden dolayı "İslâm'ın vahşi yüzü" diye adlandırılan esirlerin kafalarını uçurtmada dinî temel olarak kullanılabilecek bu üç küllî hadisenin hiçbiri ama hiçbiri yapılanlara temel ve dayanak olamaz.

Her şeyden önce; bir; bölgedeki askerlere yiyecek-içecek taşıyan ya da Irak'ın yeniden inşası için görev alan şirketlerde çalışan müslim veya gayrimüslim kişilere savaş esiri demek İslâmî literatürü bilmemek demektir. İki; masum oldukları kesin bu kişileri hem de vahşi yöntemlerle öldürmek hiç şüphesiz Kur'an'ın "tüm insanları öldürmek gibi" dediği kategori içinde yer alır. Bunun sorumlularının şahsi anlamda uhrevi mesuliyet ve mücazatını ise sadece Allah bilir. Üç; yapılagelen yanlışlıkların İslâm'a mal edilmesinden kaynaklanan ve kıyamete kadar gelecek bütün Müslümanları içine alan bir "hak" söz konusudur ki, bunun teker teker

bütün Müslümanlarla helalleşmeyi gerektirdiği her Müslüman'-
ın bildiği bir şeydir. Dört; doğruluğu, Hz. Peygamber'e nispeti
tartışmalı hadiseleri model kabul etme, ilmi yetkinliği olmadığı
halde onları yorumlama da ayrıca mesuliyeti muciptir. Yetkili ve
etkili şahısların devreye girmemesi durumunda bu alanda yapılan
yanlışlıkların devam edeceği muhakkaktır. Nitekim Hz. Peygam-
ber'in vefatı öncesi söylediği "Müşrikleri Arap yarımadasından
çıkartın." sözü de -ki bunun geçen gün El-Cezire TV ekranının
üst köşesinde yazılı olduğunu gördüm- yanlış yorum ve uygula-
malara yeniden konu olmaya başlamıştır. Halbuki tarihî açıdan
ne, nerede, ne zaman, niçin, kim ve nasıl sorularına cevap arama-
dan yapılan değerlendirmeler insanları yanlış bir mecraya sürük-
leyecek ve son tahlilde kirlenen yine İslâm imajı kaybedenler de
Müslümanlar olacaktır.

GLOBAL GERÇEK; BAŞÖRTÜSÜ

Fransa'da yaşanan başörtüsünün ortaokul ve liselerde yasaklanma girişimi -Cumhurbaşkanının tavsiyesini herhalde girişim olarak nitelendirebiliriz- dünya genelinde ve tabii olarak özellikle İslâm dünyasında ciddi yankı uyardı.

Siyasi çevrelerden gelen olumlu veya olumsuz tepkiler bir tarafa ilgi alanımız itibarıyla İslâm dünyasındaki ilim adamlarından gelen tepkiler dikkat çekici. Bunlar arasında Ezher Şeyhi Tantavî'nin "Fransa'nın başörtüsünü yasaklayan bir kanun çıkarma hakkı vardır" şeklindeki açıklaması yıllar boyu üzerinde konuşulacak, tartışılacak bir husus. Konumuz ne Tantavî, ne de Fransa. Ama orada yaşanan başörtüsü olayı bizi Amerikan toplumunda yaşayan Müslüman Türkler ve onların dinî hayatı adına çeşitli düşüncelere itti.

Bir; İslâm Amerika'da en hızlı biçimde yükselen dindir. Zenci ve beyaz Amerikan vatandaşlarının İslâm dinini seçmeleri ve Müslüman ülkelerden 11 Eylül sonrası her ne kadar eski hızını kaybetse de- ardı arkası kesilmeyen göçler bu noktada etkin rol oynuyor. Türk nüfusu bunlar arasında istatistikler içine giremeyecek derecede istisna teşkil etse de, belli bölgelerde var olan yığılma en azından o bölge için ehemmiyet taşıyor. Sözünü ettiğimiz bölgelerde "community" halinde yaşayan Türkler arasında dinî değerler gün geçtikçe daha fazla kabule medar biçimde kendini gösteriyor. Bu kişilerin başrolü oynadığı cami, kitabevi, kültür merkezi gibi mekanların açılması, dinî konuların ele alındığı panel, konferans ve tartışma grupları türü toplantıların düzenlenmesi, kermes, sergi, bayramlaşma gibi sosyalleşme çabasının ürünü olan aktivitelerin yapılması resmî-sivil hemen herkesin dikkatini çekmektedir.

Başörtüsü de sözünü ettiğimiz bölgelerde her geçen gün toplumsal hayatta kendini gösteriyor. Öyle ki lise ve üniversitelerde eğitimi sürdüren kızlarımız, çarşı pazarda alışverişini yapan ev hanımları, master veya doktorasını tamamlayıp şirket, hastane, işyeri vb. yerlerde çalışan eğitimli bayanlar veya torununu görmeye gelmiş anneanne ve babaannelerin taktıkları başörtüsü, Amerika'da sözünü ettiğimiz yığılmanın olduğu bölgelerde yaşayan Türklerin bir alamet-i farikası bugün.

Biliyorum ve farkındayım bu gerçek, Amerika'lıları rahatsız etmese de, bizde bazılarını mutlak anlamda rahatsız edecek. Fakat ne yapabilirim ki? Dinin yenilmez gücünü gösteren manzaradan sadece bir kesit bu ve bunu değiştirmeye hiç kimsenin gücü yetmeyeceği muhakkak ve müsellem. İnsanlık tarihi boyunca dine ve dindarlara yapılan onca zulüm, işkence, toplu kıyım dinin kabullenirliği hangi ölçüde etkilemiş ve değişen ne? Amerika'da yaşayan Türklerin de yükselen değer dinden müstağni olmaları düşünülemez. Zira onların da akılları, duyguları, düşünceleri ve ukba endişeleri var. Bütün bunların o kişileri inancın kucağına salması kadar tabii bir şey olamaz.

İki; Amerika'da doğmuş veya küçük yaşlarda gelmiş ve dinî hakikatlere uyanmış kitlede gözlemlediğimiz bir hususun önemli olduğunu düşünüyorum; onlar dinî kimliklerini milli kimliklerinin önünde tutuyorlar. Bir başka deyimle kadın-erkek ayırt etmeksizin bu kişiler için Müslüman olmak, Türk olmanın çok daha önünde ve ötesinde. Bunda evdeki eğitimin, resmî Türk makamlarının, Türk kültürü özelinde teşkilatlanmasını tamamlamış sivil toplum örgütlerinin zamanında gerekeni yapmamasının rolü vardır veya yoktur ayrı bir bahis ama netice değişmiyor.

Bunlar için Müslüman ve Amerika'lı olmak Türk olmaktan daha öncelikli yere sahip. Bu kabulleniş, onların hcm Amerikan kültürü ile bütünleşmesine hem de başörtüsü başta dinî değerlerini rahatlıkla tatbik etmelerine yardımcı oluyor. Çoğulculuğu kendine şiar edinmiş Amerika'da bu uygulamaya müsait bir zeminin olmasını da bu çerçevede hesaba katmak lazım.

Pekala bu durum Fransa'nın hayata geçirmeye çalıştığı "Fransız İslâm'ı" tipi Türkler arasında bir "Amerikan İslâm'ı" anlayışının doğmasına yol açmaz mı? Burada "Türkler arasında Amerikan İslâm'ı" tespitinin önemli olduğunu düşünüyorum. Çünkü Amerika, Fransa gibi etnik kökene dayanan ulusal bir devlet değil. Kültürel hayattan siyasi yapıya kadar çoğulculuk hakim. Müslümanlar açısından da öyle. Suud, Filistin, Mısır, Pakistan, Hindistan, Afganistan gibi Müslüman ülkelerden gelen Müslümanlar, temsil ettikleri İslâm anlayışı ile birbirlerinden ayrılıyorlar. Bunlara beyaz Amerikalılarla, zenci Müslümanları da katarsanız Amerikan İslâm'ı adını alabilecek tek tip bir anlayış, kabulleniş ve uygulayıştan söz etmek imkansız.

Ama Türkler arasında kısa veya uzun vadede böyle bir anlayışın çıkabileceği ihtimalini gözden ırak tutmamak gerek. Bu gidişat adına doğru veya yanlış, önlenebilir veya önlenemez, engel olunmalı veya olunmamalı noktalarında fikir beyan etmiyorum. Fakat tabiatın boşluk kaldırmayacağı gerçeğini hatırlatmak isterim. Eğer bu gidiş sonuç itibarıyla milli ve dinî değerlerin keyfî yorumlanmalarına, aidiyet hislerinin yok olmasına -ki bu asimile ile son bulur-, dinin yozlaşmasına yol açacaksa -ki öyle görünüyor- yetkili ve etkili şahısların, kurumların bu çerçevede suyun önünü kesecek, halkı içinde yaşanılan dünya gerçekleri çizgisinde dinî alanda doğru yönlendirme adımlarını hızla atması gerekmektedir.

Üç; şu anda özgürlükler ülkesi, farklılıkları "melting pot" içinde eriten Amerika gün gelir başörtüsünü yasaklar mı? Yani bir Fransa olur mu? Olmaması için bir sebep yok ve şahsen bu konuda sayın Ali Aslan kadar ümitli değilim. Aslan'a göre hukukun üstünlüğü ilkesinden yapılan sapmalar devlet, entelijansiya ve yargı tarafından gerekli kontrol ve balans ayarlarına konu oluyor ve pratik teorik ile yeni baştan buluşuyor. Bu doğru ama şu anda sapma olarak tavsif edilen uygulamaların yarın yasama, yürütme ve yargı üçlüsünden oluşan devletin umumi politikası olmayacağına kim garanti verebilir?

11 Eylül sonrası özellikle Ortadoğu kökenli göçmen Müslümanlara yönelik "ilk şokun etkisi" denilen ve dünya kamuoyu tarafından da "anlaşılabilir" kategorisinde değerlendirilen nice tatbikatların daha sonraları çok farklı bir mahiyet kazandığını inkar edebilir miyiz?

Ne yapılabilir? Önce şu gerçeğin görülmesi ve kabullenilmesi gerekir. Terör ve onun medya tarafından İslâm ile özdeşleştirilmeye çalışılması nasıl bugünkü dünyanın inkar kabul etmez bir gerçeğidir. Aynen öyle başörtüsü de global bir gerçektir bugün. Dünyanın dört bir yanında hayatlarını ikame ve idame ettiren, inandığı dinî değerlere göre yaşam felsefesini belirleyen ve bunu pratiğe döken Müslüman kitle var hemen her ülkede. En kötümser tahminlere göre sadece ABD'de 7-8 milyon Müslüman'dan bahsediyor istatistikler. Başörtüsü de bu manzara içinde global bir mahiyet kazanıyor.

İşte global bir uygulama alanı bulan bu başörtüsünün dinî bir vecibe olduğu gerçeğinin her fırsatın değerlendirilerek anlatılması ilgili ülkelerin karşıt tavır almalarını önleyici bir rol oynayabilir diye düşünüyorum. Onun Birleşmiş Milletler İnsan Hakları Evrensel Beyannamesi, Avrupa İnsan Hakları ve Temel Hürriyetleri Koruma Sözleşmesi ve hemen her ülkenin anayasasında teminat altına alınan din ve vicdan özgürlüğü kategorisinde ele alınması gereken bir hak olduğunun ısrarla vurgulanması ve buna müdahale etmenin devletlerin yetki alanı dışında, dolayısıyla herhangi bir devletin bu haklara sınırlama getirmesinin düşünülemez olduğunun dillendirilmesi gerektiği kanaatini taşıyorum. Dinî akademik camianın, iktidar ve muhalefetiyle siyasi hayatın temsilcilerinin, azınlık hakları ile ilgili uluslararası kuruluş yetkililerinin katılacağı ilmî toplantılar "dinî vecibe" özelinde bir kanaatin oluşmasında etkili olacak, vukuu muhakkak ve muhtemel karşıt girişimlerin önünü kesecek, kesemese de tesirini kırarak kendi içlerinden muhalefetlerin oluşmasına katkı sağlayacaktır. Aksi halde Türkiye'de olduğu gibi özellikle yetkili merciler tarafından onun siyasi sembol şeklinde kabulü ABD'de ve bütün dünyada işleri çıkmaza sokar. Son tahlilde her yer Türkiye ve her Türkiye'de de başörtüsü sorun olur.

KATRİNA, PAKİSTAN DEPREMİ VE DEV AYNASI

2005 yılında birbirinden acılı tabii afetlere sahne oldu dünya. Bunlar arasında hatırda kalan ve yıllar boyu unutulamayacak olan iki afet ise ABD'nin New Orleans kentini adeta haritadan silen Katrina kasırgası ile Pakistan'da meydana gelen depremdi. Öncesi ve sonrası ile Katrina kasırgasını ABD'de yaşamam hasebiyle takip etme imkanı bulduğum için, Katrina akabinde yaşanan bir iki hususu dile getirmek ve sonra da Pakistan depremi münasebetiyle aynayı kendimize tutmak istiyorum.

Katrina, ABD dışında yaşayanların haber bültenlerinde verdiği üç-beş dakikalık görüntülü haberler, gazetelerin bir–iki gün fotoğraflı manşetleri ile anlaşılabilecek, mahiyeti hakkında derinlikli bilgi ve fikir edinebilecek basit bir afet değil. Bu yazının kaleme alındığı gün itibariyle aradan tam 3 ay geçmiş olmasına rağmen Katrina mağdurları hâlâ sokaklarda. Söz gelimi Katrina'nın vurduğu şehirlerden sadece New Orleans'ın yeniden inşası için federal bütçeden 200 milyar dolar ayrılması belki kafamızda bir resmin oluşmasına yardımcı olabilir.

200 milyar federal bütçeden pay dedim ve konuya girmiş oldum, çünkü söze buradan başlamak istiyordum. Başkan Bush bu kararını açıklayıp senatoya bütçenin onaylanması için gerekli işlemlerin başlatılması emrini verdiğinde, ABD'de çok yoğun bir tartışma yaşandı. Tartışmanın mahiyeti söz konusu bu harcamanın anayasaya uygunluğu. Garip gelebilir size ama gerçek bu. Yaklaşım noktaları şu; federal hükümet felakete maruz kalan

kişilerin şahsi mal varlıklarını ihyaya yönelik federal bütçeden kaynak ayırma ve harcama yetkisine sahip değildir ve bu anayasaya aykırıdır. Bu grup, milletin vergileri ile oluşan devlete ait kaynağın harcama kalemi, mülkiyeti devlete ait hastane, köprü, yol vb yerlerdir diyor ve bununla mülkiyeti şahıslara ait mallara sarfın karıştırılmaması gerektiğini ısrarla belirtiyorlar. Pekala karşıt düşüncede olanlar yok mu? Var ama ne yalan söyleyeyim sesleri çok cılız çıktı; demek ki çok azlar.

Günlerce kamuoyunu meşgul eden bu tartışmanın elbette iktisadi, hukuki, siyasi ve dini/ahlâki yönleri var. Sair alanları işin uzmanlarına havale ederek dini/ahlâki açıdan bir iki noktaya temas edelim:

Bir; herşeyden önce bu tarz bir yaklaşım, hadisenin insani boyutunu görmezden gelme veya kavrayamama demektir. Binlerce insanın öldüğü, yüzbinlerce evin yıkıldığı, yeme-içmeden sağlığa kadar birçok sorunun kol gezdiği ve felaketzedelerin evsiz, yurtsuz, işsiz gidecekleri bir yerleri olmadığı için sağda-solda dolaştığı bir zamanda yüksek sesle dile getirilen bu düşünceler, insani seviyede birlik ruhunun yakalanmadığının açık bir göstergesidir. Nitekim bir derginin felaketzedelere yardım konusundaki halkın duyarsızlığını anlattığı haberine "Disunited State; Birleşmemiş Milletler" başlığı bunu göstermektedir.

Halbuki bu türlü felaket zamanlarında beklenen, olması gereken, gerek şahsi, gerekse devlet eliyle felaketzedelere yapılabileceğinin en iyisinin yapılmasıdır. Vatandaşların devletin aheste revlik etmesi karşısında onu sıkıştırması ve yönlendirmesidir. Ya da yapılanları 'siyasi çıkar mülahazası, popülist politikalar' gibi klişeleşmiş laflarla eleştirmek değil, yaraların bir an önce sarılmasına hizmet ettiği için alkışlayarak teşvik etmesidir.

İki; yüzlerce gazete makalesine, televizyonlarda tartışma programlarına konu olduğu için değineceğim; acaba bu felaket

New Orleans yerine Houston'u vursaydı, aynı türden tartışmalar yaşanır mıydı? Amerikan kamuoyundaki genel hava yaşanmayacağı istikametindeydi. Çünkü bizzat kendilerinin ifadeleri ile "national interest; milli çıkar ya da ilgi" bakımından bu iki şehri mukayese etmek imkansız. Zira bir tarafta petrol endüstrisinin başkenti, diğer tarafta ise okyanus kenarı, sahil kenti olma özelliği taşıyan bir şehir var. Bir tarafta değil ABD, bütün dünya ekonomisine yön veren şirketler, sahipleri, temsilcileri, seçkin çalışanları, diğer tarafta ağırlıklı kesimini zencilerin oluşturduğu fakir ve sıradan insanlar var.

Sözünü ettiğimiz tartışmayı ülke gündemine taşıyan ve çoğunlu itibariyle gerek siyasi arenada, gerekse akademik camiada etkili ve yetkili pozisyonlara sahip kişilerin zihinlerinde böyle bir ayırım varsa, mozaik bir toplum yapısına sahip olmakla övünen ABD için bu çok büyük bir tehlikedir. Zira bu "Mississippi Burning" filminde izlediğimiz 30'lu yılların zihniyetine geri dönüşün işaretçilerinden bir tanesidir. Nitekim alkol, uyuşturucu, hırsızlık ve adam öldürme gibi hadiselerdeki suç oranlarındaki zenci nüfusun çoğunluğu, eğitim alanında istenilen -istenildiği de ayrıca tartışılmalı- seviyeye gelinememesi sebebiyle zenci karşıtlığı, üstü kapalı dahi olsa başlamış durumda. Buna ne zaman bitti ki diyenleriniz de olabilir. Doğrudur da! Fakat bu doğru bir anlam ifade etmiyor. Ta ki samimi ve içten inanarak aksi istikamette kısa-orta ve uzun vadeli önlemler alınıncaya kadar.

Üç; bu tartışmalar insana kutsal kitaplarda anlatılan İlahi irade gereği sel, deprem, volkan patlaması, kıtlık vb tabii afetlerle cezalandırılan bazı kavimlerin hazin hikayesini hatırlatıyor. Bu cezalara hak kazanan kavimlerin en temel özelliklerinden bir tanesi, toplum içindeki sosyo-ekonomik dengeyi kuramamış olmalarıdır. Kur'an'ın "mele'" tabiriyle isimlendirdiği bu kesim, kutsal öğretilere ilk karşı çıkan insanlardır. Toplumun aristokrat kısmını oluşturan bu insanların tek gayeleri vardır; mevcut statükolarını devam ettirmek. Onlar Peygamberlerin getirdiği öğretilerin uzun bir zaman sonra da olsa statükolarını kaybetmelerine sebep olacağını anlamışlar ve o öğreti etrafında toplanan inananları öldürme dahil sindirme gayretleri içine girmişlerdir. Öyle ki bu süreçte ne hukuki, ne ahlâki ve ne de insani bir değer tanınmıştır.

İnsanlık tarihinin yüz karası denilebilecek o dönemler, günümüzde de farklı boyutlarda devam etmektedir. Bu arada İlahi adaletin zulmün devam etmeyeceği çizgisinde bir tecelli izlediği de bilinen bir gerçektir. Dolayısıyla ABD'deki Katrina, Rita mağdurları, Afrika'daki açlık, Orta Asya, Orta Doğu'da insanlığın yaşadığı başka problemler karşısında takınılacak tavrın insani olmaması nisbetinde, İlahi iradenin bizleri farklı felaketlere maruz bırakması gayet doğaldır.

Şimdi aynayı kendimize tutalım; bizim yani Allah'tan başka herşeyin geçiciliğine inanan, dünyayı ahiretteki ebedi mekan için imtihan yeri olarak gören, hamuru kutsal kültürle yoğrulmuş Müslümanların, Pakistan depremi karşısındaki üzüntüleri, iç burkuntuları, iman ortak paydasında birleştiği kardeşlerinin yaralarını sarma konusundaki fedakarlık tavrı, ABD'de yaşanandan farklı mı acaba? Bu soruya cevabınız 'evet' ise, söyleyecek hiçbir şeyim yok. Ama 'hayır' ise 'iğne çuvaldız' misali kendimizi de sorgulama zamanı gelmedi mi sizce?

Sözü uzatmaya gerek yok; kanaatim bugün dünya genelinde insanlığın yaşadığı binbir çeşit sıkıntı, felaket ve zulme karşı duyarsızlık sadece ABD'nin değil, hepimizin problemi. Bu çerçevede çuvaldızı kendimize de batırmak, değil damarlarımızdaki kanı, kanın içindeki hücreleri bile gösterecek, iç dünyamızı maddi ve manevi yanları ve bütün çıplaklığı ile teşrih edecek dev aynasının önüne çıkma cesaretini göstermemiz gerekir.

Ümidimiz o ki; bunun bir an önce insanlık ailesinin bütün fertleri tarafından ve mutlaka İlahi adaletin dünyadaki tecellisinden önce yapılmasıdır.

MESİH, HZ. İSA VEYA MEHDİ'NİN YENİDEN GELİŞİ VE ORTADOĞU'DA YAŞANANLAR

Orta Doğu'da dün-bugün var olan ve yarın da devam edeceğe benzeyen çatışmalarda yerini alan bölge içi ve dışı, cephe önü veya arkasında rol oynayan bütün grupların dini inançları, o coğrafyada olup-bitenleri anlama noktasında mutlaka müracaat edilmesi gereken bir kaynaktır. Aşağıda arza çalışacağım hususlar, zannediyorum İsrail devletinin kurulmasından sonra başlayan ve 1948'den bu yana zaman zaman alevi sönük de olsa hiç bitmeyen Arap-İsrail savaşının altında yatan gerçek sebeplerden birini anlamamıza yardımcı olacaktır. Belki şöyle de ifade edebiliriz: Hegamonik güçlerin siyasi ve maddi çıkarlarını garanti altına alınması için gerçekleşen yürek dağlayıcı olaylarda dinin, dini inanç ve yorumların nasıl belirleyici veya motive edici bir değer olarak kullanıldığı hakkında bir fikir verecektir.

Dinî açıdan bakıldığında çoklarına şaşırtıcı gelebilecek bir tesbitte bulunayım önce; aşağıda aktarmaya gayret edeceğim dinî görüşlerin sahibi olan Yahudi, Hıristiyan ve Şii Müslümanlara göre Orta Doğu'da işler yolunda. Kadın-erkek, çoluk-çocuk demeden gerçekleşen masum kıyımlarından, toprak işgallerine, zulüm ve işkencelerden,-Allah muhafaza- nükleer güç kullanımına kadar uzaması muhtemel savaşlara kadar herşey ama herşey, alması gerektiği istikamette yol alıyor. Yalnız ısrarla vurgulamakta fayda görüyorum, bu inanç sahipleri her üç dinî gruba mensup insanların tamamı değil; sadece bazıları.

Özetin özeti denebilecek mahiyette kısa kısa izah edecek olursak: önce Yahudiler; onların inanışlarına göre "Yahudiler Tanrı'nın seçkin kullarıdır. Bu seçkin kulların şu an içinde bulundukları kötü durum aslında onların hiç de hak etmediği bir durumdur ve bir gün gelecek Mesih onları mutlaka ama mutlaka kurtaracak, arz-i mev'ud'a (va'd edilmiş topraklara) döndürecektir. O zaman Yahudiler yeniden Hz. Musa zamanındaki şaşaalı dönemlerine geri döneceklerdir."

Hıristiyanlar içinde Evanjelik Protestanlar da buna benzer inançlara sahipler. Onlara göre; Yahudilerin kurtarıcı olarak bekledikleri Mesih, Hz. İsa'dan başkası değildir. O yeryüzünün zulüm, kavga, kargaşa, savaşla dopdolu olduğu günlerde dünyaya ikinci defa gelecek ve dünya hükümranlığı kurarak adalet dağıtacaktır. Hatta onlara göre Hz. İsa'nın kurtarıcı olarak geleceği savaşın adı bile bellidir: Armageddon. Beyaz sarayda oturup, dünyaya nizamat veren yönetimin bu inancı benimsediğini hatırlatmama gerek yok. Nitekim gazetemiz Washington muhabiri Sayın Ali Aslan bir yazısında, başkan Bush'un kavgacı üslubunun buna bağlandığını ve bu konularda kitap yazanların Beyaz Saray'a davet edilerek ilgiyle dinlendiğini anlatıyor. Foreign Affairs dergisi de Eylül-Ekim sayısında Walter Russell Mead imzalı "God's Country; Allah'ın ülkesi" başlıklı bir makale yayınladı. Makalede Evanjelik inançların ABD dış politikasına etkileri tartışılıyor.

Benzer inançlar bizim Şii dünyası için geçerli. Onların inançlarına göre de, "yeryüzündeki zulme, savaşa, kargaşaya son verecek ve adaleti tesis edecek olan, 12. İmam Muhammed el-Mehdi b. Hasan el-Askeri'dir. O, babasının ölümü öncesi evlerindeki serdaba (yaz günlerinde oturmak için hazırlanan yer altı odası) saklanmış ve sonra gözden kaybolmuştur. Halen sağdır ve kıyamet kopmadan önce, savaş ve kargaşa içinde bulunan dünyaya adalet dağıtmak üzere yeniden gelecektir."

Başta ifade ettiğimiz gibi, bu üç inanç açısından baktığınızda -ki bunlar aynı zamanda perde onu ve arkası itibariyle bölgede yer alan, vaki ve muhtemel çatışmalara taraf olan gruplardan bazılarına ait olan inançlardır- bugün Orta Doğu'da yaşanagelen çatışmalarda bir gariplik yoktur. Neden? Çünkü, kurtarıcı olarak beklenen Yahudilerin Mesih'i, Hıristiyanların Hz. İsa'sı ve Şiilerin Mehdi'si zaten böylesi bir kargaşadan sonra yeryüzüne inecektir.

Yalnız burada problem; acaba kurtarıcının inmesini gerektiren bu şartlar kendiliğinden mı oluşacak, yoksa onun çabucak gelmesi için zulüm, savaş, kavga şartlarını hazırlamalı mı? Bir başka deyişle pasif bir bekleyiş mi söz konusu yoksa aktif bekleyiş içine girmek gerekir mi?

Şiilerden Hüccetiye ve bu inanca sahip Yahudi ve Hıristiyan'lardan hatırı sayılır bir grup, aktif bekleyişi savunuyorlar. Hatta İran cumhurbaşkanı Ahmedinecad'ın bazı çıkışlarını hüccetiye ekolüne mensup olmasına bağlıyorlar. Aksiyon Dergisi'nin dosyasında bunların detaylarını görebilirsiniz.

İnsanlık tarihi boyunca kurulan medeniyetlere baktığınızda, o medeniyetlerde kurulması, devamı ve nihayet son bulmasında rol oynayan en önemli unsurun insan olduğunu görürsünüz. İnsanı, âlemden farklı kılıp bir hareketin, bir aksiyonun içinde olmasını sağlayan belli başlı faktörlerden en etkili olanı hiç şüphesiz, ben-idrakidir. Ben-idraki, bilgi kaynakları, tarih, zaman ve mekan şuuruyla gerçek manasını kazanır ve ardından aynı ben-idrakine sahip kişilerden oluşan toplum, sosyal-ekonomik, siyasi, askeri, coğrafi ve kültürel şartlara göre dünya hükümranlığına kadar giden kapıyı aralar. Antik dönemlerdeki Yunan ve Roma'dan, Osmanlı ve günümüz ABD'sine kadar uzanan bir çok örneği bu çerçevede bir yerlere oturtabiliriz.

Ben-idraki basit ve oldukça kaba bir genelleme ile 'ben kimim, bu dünyadaki vazifem ne' sorularına verilen içselleştirilmiş cevaplardır. Bu soruların cevaplarını bulmada dinlerin yol göstericiliği herkesin malumudur. Mesela, bir Müslümanın ben kimim, neden buradayım, vazifem nedir tarzındaki sorulara verdiği din eksenli cevaplar, onun kimliğini inşasında omurga rolü oynar. Kur'an ve sünnet çerçevesinde öğrendiği bilgiler onun hayatını yönlendirir, yaşam felesefesini belirler. Öyle ki başkalarına zarar verecek bir maddeyi yoldan atıp kaldırmasından, muhtaç birine yardıma, namaz, oruc, haç ibadetinden içki içmeme, kumar oynamamasına varıncaya kadar Allah ve ahiret inancının etkisi ön plandadır. Bu idrak tarih, zaman ve mekan şuuru ile daha geniş çaplı bir mahiyet kazanır ve aynı düşüncede, inançdaki fertlerin beraberliğini sağlar. Ve sonra arka plan şartlarına göre global bir hal alır. Müslümanı örnek vererek arzettiğimiz bu husus, bir Yahudi ve Hıristiyan için de aynıyla geçerlidir.

Umarım, Mesih, Hz. İsa ve Mehdi'nin gelişini işte ben-idrakinin merkezine yerleştiren, tarih, zaman ve mekan şuuruyla bunları derinleştiren ve asırlardır süren bekleyişlerini sona erdirmek isteyenlerin –kim bilir belki de iktidarlarda!- olduğu o coğrafyada yaşanan hadiselere bir de bu gözden bakma, bilinmez ve anlaşılmaz görünen çok şeyleri anlamak için zihninizde kapı aralamıştır.

MÜSLÜMAN KOMŞU VE DUYARSIZLIK

Yıllık iznimi geçirdiğim Türkiye'de çeşitli vesilelerle karşılaştığımız dostlarımız bana ABD'den Türkiye'nın nasıl görüldüğünü sordular ısrarla. Ben de onları rencide edecek olma pahasına da olsa şahsi değerlendirmemi tek cümle ile anlattım; ABD'den Türkiye gözükmüyor. Gerçekten 7 yıla yaklaşan yurt dışı hayatımda farklı sahalarda yollarımızın kesiştiği çeşitli seviyelerdeki yabancılardan edindiğim nihai kanaatim benim bu. Siyasi ve akademik çevrelerde belli bir kesimin Türkiye'yi bilmesi, tanıması elbette söz konusu. Ama "groosrouts" denilen türden sıradan vatandaşlar Türkiye'yi umursamazlar. Nitekim Ankara'da kredi kartı ile yaptığım bir harcamayı teyid için banka şubesine gittiğimde, banka müdiresinin Ankara neresi diye sorması bu tesbitimi doğrular mahiyette.

İşin aslına bakarsanız eşi-işi -aşı arasında mekik dokuyan kişilerin ağırlıklı olduğu bir yer burası. Yaşam standartlarını aşağıya çeken gelişmeler karşısında kısmı tepki veren bir düşünce haritasına ve eylem anlayışına sahipler genelde. 10 günlük hayatına İsrail'in hava saldırısıyla son veren Vaad'larden ziyade, benzin fiyatlarının artış veya düşüşü daha çok ilgilendiriyor buradaki kişileri. Bana inanın, gündelik gezi planlarını bozacak hava durumundaki değişiklik, çok daha fazla üzüyor bu insanları. Ya da ikinci 11 Eylül olarak kamuoyuna intikal ettirilen İngiltere'deki hadiselerin yansımaları, havaalanındaki aşırı güvenlik önlemlerinden dolayı duyulan sıkıntılar daha fazla kahrediyor buradaki taban kitleyi.

İngiltere'deki 'hava terörü' başlığı ile verilen hadiseler sebebiyle gerçekleştirilen tutuklamalardan bir gün sonra, 1597 kişi ile yapılan anket sonuçları da, dile getirdiğimiz görüşleri teyid eden bir mahiyet taşıyor. Söz konusu ettiğimiz anketin sadece iki sonucuna işaret edeceğim; bir; ankete katılanların % 40'i Müslümanların ayrı kimlik taşımaları gerektiğini düşünüyor; iki; % 50'sı ise Müslüman bir komşusunun olmasını istemiyor. Birinci sonuç itibariyle diversity (çoğulcu) bir toplum yapısına sahip olan ve 11 Eylül öncesi bu yapısıyla tabandan tabana övünen bir coğrafyada bu denli bir zihniyet değişikliği, aslında ABD'nin bindiği dalı kesmesi anlamını taşımaktadır. Buna bir de küreselleşmenin ulus devletler formunda içe kapalı yaşamanın imkansız kıldığını ilave edecek olursanız, durumun ne kadar vahim olduğunu sanırım tahmin edebilirsiniz.

Şöyle ki, en kötümser tahminlere göre 7-8 milyon civarında çeşitli etnik kökene sahip Müslümanın yaşadığı bir ülke burası. Bu yapı içinde eğer 11 Eylül öncesinde devlet-vatandaş ilişkisinde yokluğu ile övünülen kimlik kartı misali ayrımcı (discrimination) uygulamalar hayata geçirilirse, yeni bir kaosa davet var demektir. Kaldı ki şu an itibariyle zaten gerek Müslüman, gerek zenci ve hispanik, gerekse kaçak statüsünde bulunanların belli ölçülerde karşılaştığı bir davranış biçimidir ayrımcı yaklaşım. Mevcud duruma yapılacak her bir ilave, farklı sorunların kapısını aralayacaktır bu ülkede. Ne ABD'den, ne de dünya genelinden bütün Müslümanların yok edilemeyecek olduğu varsayımı, terör karşıtı akıllı politikalar üretmenin şart-ı evveli olmak zorundadır. İnsan bu noktada, söz konusu soruyu hangi düşüncenin, hangi fikri ve zihni alt yapının ürünü olduğunu ve neden anket sorusu olarak gündeme getirildiğini anlamakta zorlanıyor.

Müslüman komşu istememe meselesine gelince; bu ankete katılan kişilerin şahsi tercihleridir. Fakat bu aşamada bir sorunun mutlaka cevabının verilmesi gerekmektedir; hangi Müslüman?

Müslüman-Hristiyan-Yahudi çatışmasını varlık sebebi sayan bir avuç sermeyadar kitlenin gazete sayfalarında, TV ekranlarında resm ettiği Müslüman mı? Ali Bulaç Bey'in "teröre ama'sız, fakat'sız lanet ama somut insanı da unutmayalım" sözleri ile tanımladığı, Batı işgali altındaki coğrafyada yıllardır günyüzü görmeyen ve nihayet kendi idrak ufku nisbetinde dinini, vatanını, hayatını korumak için söz konusu eylemlere karışan Müslümanlar mı? Ya da Batı ülkelerinde hayatlarını sürdüren ve bir çokları itibariyle yaşadıkları ülkelerin vatandaşları olan ama azınlık ruhu ile hareket edip diaspora hayatı yaşayan, parsellenmiş alanlarda, çarşısından pazarına, mahallesinden ev modeline, giyim-kuşamından günlük hayattaki örf ve adetine kadar küçük Mısırlar, Türkiyeler, Pakistanlar oluşturan Müslüman mı?

Müslüman komşu istemeyen bir zihniyeti, bir Müslüman olarak anlamak da, kabullenmek de zor; fakat onlardaki bu yanlış anlayışı değiştirmek için gösterilecek çabalar öncelikli olarak Batı ülkelerinde yaşayan Müslümanların görevidir. İslâm'a ait değerlerin hal ve hareketlerden yansıyan bir tavırla karşılıklı münasebetlere girmekten bahsediyorum. Zaten büyüklerimizin ısrarla ifade ettiği bir hakikat değil midir: "Söz, tavır ve davranışlarla anlatılamayan noktalarda devreye sokulmalıdır. Aksi halde ortaya konan şey, Müslümanlık adına profosyenel bir gevezeliktir."

Tekrar başa dönelim; kendi çıkarlarına dokunmadığı müddetce, kapı karşısı komşusundan dünyanın değişik coğrafyalarında cereyan eden ciğer-suz hadiselere karşı umursamaz bir tavır takınma, hayat tarzı olan insanlara kendimizi anlatmamız şart. Bu çerçevede birebir ilişkiler uzun ama sağlam adımlarla mesafe almayı sağlayan bir modeldir.

Umursamazlık adına dile getireceğimiz bir kanaatla bitirelim; umursamazlık aslında bugün insanlık ailesinin bir problemidir. Hem de acil eylem planı ile mutlaka çözüm gereken bir problem. Ailevi münasebetlerden, siyasi sorumluluğa, çevre duyarlılığından dünyanın başka yerlerinde cereyan eden ama neticeleri itibariyle yerkürede nefes alıp veren her canlıyı etkileyen gelişmelere karşı duyarlı olma zihniyet ve şuuru. Mesela dünya siyasetini yönlendiren ve bu sebeple Hollanda'daki vatandaşa 'ben ABD seçimlerinde oy kullanmak istiyorum. Çünkü orada üretilen politikalar, alınan kararlar beni de etkiliyor' diye feryat ettiren bu ülkede genel seçimlerde oy kullanma oranı % 40. Ekolojik dengenin bozulmasını netice veren çevreye karşı duyarsızlığın faturasını, mesela küresel ısınma olarak ödeyen tüm dünya insanlığı değil mi bugün? Ya da iman bağıyle bağlı olduğumuz coğrafyalarda süregiden katliamlara duyarlıca yaklaşan kaçta kaç?

Hasılı; duyarsızlık deyip suçu ve suçluyu başka yerlerde aramaya gerek yok. Aynı perspektiften ara sıra da olsa mürakabe ve muhasebe yapabilmek için aynanın karşısına bizim de geçmemiz gerekmekte. Göreceksiniz ki, evvelki gün Bosna-Hersek, dün Filistin, Keşmir ve bugün Lübnan'da yaşananlara karşı duyarsız olan Batı dünyası kadar bizim de gerektiği ölçüde duyarlı olduğumuz söylenemez. Aksi bir durum olsaydı, böyle mi olurduk?